Légitimer l'Europe

Légitimer l'Europe

Pouvoir et symbolique à l'ère de la gouvernance

François Foret

SciencesPo.
Les Presses

Catalogage Électre-Bibliographie (avec le concours de la Bibliothèque de Sciences Po)
Légitimer l'Europe / François Foret. – Paris : Presses de Sciences Po, 2008.
ISBN 978-2-7246-1081-9

RAMEAU :
– Symbolisme en politique : Pays de l'Union européenne
– Rites et cérémonies politiques : Pays de l'Union européenne
– Communication en politique : Pays de l'Union européenne
– Identité collective : Pays de l'Union européenne

DEWEY :
– 306.3 : Sociologie de la vie politique

Public concerné : public intéressé

Table des matières

Remerciements

On ne traverse pas impunément quelques années et quelques frontières institutionnelles, disciplinaires ou géographiques. Le temps de la maturation de cet ouvrage a été l'occasion de contracter de nombreuses dettes auprès de personnes qui ont toutes apporté une contribution directe ou indirecte à cette genèse. Philippe Braud, Pierre Birnbaum et Philip Schlesinger ont constitué des jalons importants d'un parcours intellectuel et humain. Des compagnons de route ont souvent été de bons conseillers (approximativement par ordre chronologique de rencontre) : Yves Déloye, Xavier Crettiez, Andy Smith, Olivier Costa, Paul Magnette. Des relecteurs ont bien voulu apporter leur avis amical sur des parties du manuscrit : Emiliano Grossman, Justine Lacroix, Sabine Saurugger. Les collègues anciens et présents de Sciences Po, Paris-I, Strasbourg, Stirling, Mons ou Bruxelles ont plus d'une fois nourri la réflexion à la faveur de conversations impromptues. Les étudiants de ces institutions ont été, par leur curiosité ou leur indifférence, leur sagacité ou leur candeur, des stimulants toujours bienvenus.

Enfin, selon la formule consacrée, toutes les imperfections de l'ouvrage sont de la responsabilité de l'auteur. Mais l'ouvrage lui-même n'aurait pu exister sans ceux qui sont responsables de l'auteur, et qui ont ensuite persévéré par un soutien sans faille. Le résultat leur est donc logiquement dédié.

À mes parents.

Introduction

« C'est le métier qui le veut. Ce qu'on peut discuter,
c'est s'il faut le faire ou ne pas le faire.
Mais si on le fait, il faut le faire comme cela. »
Créon dans Jean Anouilh, *Antigone*,
Paris, Éditions de la Table ronde, 1998, p. 77 [1ʳᵉ éd. 1946].

—— Symboles, légitimité, légitimation

L'Union européenne du début du XXIᵉ siècle a été marquée par un processus constitutionnel traduisant successivement l'ambition et l'échec d'une remise en ordre. La remise en ordre escomptée n'était pas seulement juridique (par la clarification et la délimitation des compétences de l'Union européenne) mais aussi et surtout politique (renforcement de schémas compréhensibles d'imputation de la décision) et normative (énonciation des valeurs et des objectifs de l'intégration communautaire). Dans les controverses suscitées par la préparation et la ratification de la défunte constitution ou dans d'autres débats menés parallèlement et en étroite interaction, il était en outre question des modalités de définition des rapports de l'Europe[1] avec son passé et de la fixation de ses frontières ainsi que des critères d'accueil de nouveaux États membres. Davantage encore que l'amélioration de l'efficacité des politiques publiques communautaires, le renforcement de la légitimité de l'Union européenne (UE) constituait l'enjeu principal.

Le système politique européen articule et réinterprète de manière inédite et complexe les dispositifs démocratiques modernes de légitimité : la représentation, faite de délégation du travail politique par le citoyen

---

1. *La pratique a naturalisé l'emploi du terme* Europe *pour désigner l'entité politique issue du processus d'intégration. Cette appellation désigne tendanciellement plus le projet politique à l'œuvre alors que* Union européenne *est davantage employée pour désigner l'édifice institutionnel issu des traités, mais les deux termes se confondent néanmoins souvent dans l'usage courant. Par commodité,* Union européenne *désignera toutes les formes d'organisation communautaire qui se sont succédé depuis les années 1950 sauf mention historique particulière.*

à un élu, et d'incarnation par ce dernier d'une vision du monde ; la participation, impliquant directement l'individu ou la société civile organisée dans la décision et l'action publiques ; la délibération, exercice collectif de la rationalité pour réfléchir au bien commun ; l'expertise, consacrant la remise du choix à une autorité dont l'autorité est reconnue fondée en raison. Dans tous les cas de figure, sauf à sortir radicalement de la théorie démocratique, la condition de la légitimité est le consentement de la population, adhérant librement à un pouvoir qui ne se fonde pas sur la coercition comme ressource première[2]. La régulation spontanée de la vie sociale est la norme. Cela passe par la mise en adéquation des principes abstraits qui fondent la légitimité avec les pratiques concrètes et les comportements autorisés définissant les rôles respectifs du dirigeant politique et du citoyen. On se trouve dès lors renvoyé aux processus dynamiques de légitimation[3] qui vont assurer la concordance entre trois niveaux de réalité : les représentations de l'ordre social intériorisées par les individus ; les représentations socialement légitimes de l'ordre social véhiculé dans l'espace public par les instances de socialisation telles l'école ou les médias ou par les contacts interpersonnels quotidiens ; l'ordre politique réel qui s'exprime notamment par la hiérarchie des acteurs et le système de distribution des ressources. La symbolique politique constitue un vecteur privilégié de cette légitimation.

Relève de la symbolique politique tout signe ou système de signes, surchargé de significations, fonctionnant au double niveau cognitif et affectif comme réactivation de codes culturels de comportements[4]. Le signe est le support de sens, à la façon du signifiant qui renvoie au signifié dans la terminologie de Ferdinand de Saussure. Le plus souvent, les signes s'additionnent et interagissent pour faire système, à l'exemple d'une Marianne française (allégorie féminine de l'État) parée d'un bonnet phrygien (emblème révolutionnaire) lorsque la République se veut plus sociale. Chaque symbole opère une condensation de sens, transcendant son contexte immédiat d'énonciation pour rendre présent un « au-delà » (Dieu, État, Nation...) qui vient modifier la configuration présente. Ce faisant, il articule dans ce qu'il exprime des éléments cognitifs et affectifs. Il porte des informations, comme le drapeau à la frontière signale

2. *Guy Hermet, «Légitimité», dans Bertrand Badie et al.*, Dictionnaire de la science politique et des institutions, *Paris, Armand Colin, 1998 [2ᵉ éd.], p. 140.*
3. *Jacques Lagroye, «La légitimation», dans Madeleine Grawit et Jean Leca,* Traité de science politique, *t. 1, chap. 7, Paris, PUF, 1985, p. 447-448.*
4. *Philippe Braud,* L'Émotion en politique, *Paris, Presses de Sciences Po, 1996, p. 76-138.*

le changement de territoire, mais il convoie aussi les émotions liées à ces informations, en fonction de la perception du pays étranger qui s'annonce. Chaque connaissance est en effet connotée positivement ou négativement, sur le mode de l'identification ou du rejet, selon les affects liés à ce à quoi elle se réfère. Dimensions cognitives et affectives se mêlent donc étroitement et leur effet se démultiplie par le fait qu'elles se trouvent cristallisées dans une forme symbolique codifiée. La puissance du symbole tient précisément à ce qu'il réactive l'acquis d'une multitude de processus d'apprentissage, d'inculcation et de sensibilisation. Les informations, les émotions et les valeurs qu'il porte sont apprises au préalable par l'individu dans sa socialisation primaire et confirmées ensuite dans la vie de tous les jours par sa socialisation secondaire. Le symbole est un système de classification stable qui s'impose à la personne car il existe avant la relation que cette dernière noue avec lui et en dehors de la relation, en vertu d'une codification préalable qui a force collective. Dès lors, le symbole renvoie chacun à son passé et à son vécu inscrit dans un contexte et un groupe donné. C'est tout cela qui fait émergence dans l'instant de l'énonciation, et qui modifie dès lors la configuration des ressources et des acteurs.

Renvoyant à une multitude de processus de construction du sens, un symbole est par nature polysémique, permettant des interprétations plurielles et évolutives. À condition d'être en mesure de circonscrire ces interprétations dans un champ restreint, il peut devenir un moyen de réaliser l'union même lorsque l'accord ne prévaut pas. C'est dire si le symbole constitue pour le pouvoir un enjeu de première importance. Il lui fournit en effet un outil pour donner à voir et façonner l'unité du groupe. Par son usage, le système politique va manifester sa centralité et solliciter l'allégeance des citoyens. Il faut pourtant se garder d'en avoir une vision purement manipulatrice au service de la domination. Les symboles peuvent devenir un instrument de contestation de l'ordre établi par un contre-usage, un détournement protestataire ou la production de signes alternatifs. Ils apparaissent donc comme un matériau et un vecteur de mise en forme de la lutte et des échanges politiques.

On distingue classiquement trois catégories de symboles politiques : les comportements, allant des rôles de pouvoir (roi, président de la République) dictés par les textes juridiques et les conventions aux conduites rituelles à caractère cérémoniel (célébrations, commémorations) en passant par les gestes du quotidien investis d'une signification politique (la commensalité, le civisme, la consommation de médias) ; les faits de langage, qui renvoient aux discours écrits ou oraux quel que soit leur support ; et enfin les objets, qu'ils soient de l'ordre du monumental (architecture, statuaire) ou de taille plus modeste (drapeaux, vêtements, iconographie, monnaie).

La symbolique renvoie à la part de l'imaginaire collectif que les usages politiques saisissent pour en faire des ressources de justification et de mobilisation. Elle constitue donc une expression de ce que l'on appellera, faute de mieux tant le terme a fait l'objet de multiples acceptions, l'identité politique. L'identité politique est entendue ici de façon restreinte comme la somme des représentations, valeurs et pratiques disponibles pour l'action. Loin de toute considération substantialiste, elle apparaît comme le stock en perpétuelle redéfinition dans lequel viennent puiser les entreprises de domination, de revendication ou de rébellion pour faire sens aux yeux du plus grand nombre. L'histoire fait cependant que le stock n'est pas infini et qu'il comporte des éléments plutôt que d'autres. Rien n'est figé et déterminé, mais tout n'est pas possible, et le matériau culturel contraint les stratégies des acteurs.

L'intégration européenne au révélateur du symbolique

L'hypothèse fondamentale de cet ouvrage est que l'Union européenne, comme tout ordre politique, n'échappe pas à l'impératif du symbolique. Dire que gouverner, c'est paraître[5] ne renvoie pas seulement à une vision machiavélienne des affaires publiques. Tout pouvoir se donne à voir et est donné à voir par ses soutiens et ses opposants dans la lutte pour la construction du sens et de la décision. C'est autour de ces images que s'ordonnent les visions du monde et les agencements d'acteurs et de pratiques qui en découlent. La production symbolique n'est pas une politique sectorielle parmi d'autres ou une question technique dévolue aux spécialistes de la communication. Elle a trait aux fondements du consentement populaire et aux modalités théoriques et concrètes du vivre-ensemble et de la définition du « nous ». L'UE s'est dotée bon gré mal gré de ses propres symboles officiels. Elle en a suscité un certain nombre d'autres, plus officieux. Il en existe par ailleurs de totalement informels (la figure du « technocrate de Bruxelles » pourrait en être une illustration), et ce sont sans doute ces représentations spontanées de l'Europe dans

---

5. Jean-Marie Cotteret, *Gouverner c'est paraître*, *Paris, PUF, 1997 [2ᵉ éd.].*

le sens commun qui sont la clé de sa légitimation et qui traduisent le mieux les réactions suscitées par l'intrusion du supranational dans le quotidien. La construction européenne doit aussi composer avec de nombreux registres symboliques préétablis, que ce soit par exemple celui du suffrage universel et de la représentation populaire ou les emblèmes spécifiques des États membres. Elle doit enfin faire avec les perceptions mutuelles des Européens qui les prédisposent plus ou mois à se considérer comme concitoyens, et avec le regard que portent les Européens sur toutes les figures de l'Autre, sur la scène internationale ou domestique. C'est dire que les stéréotypes, conçus comme des modèles de rôles attribués à autrui selon son identité présumée et qui informent les relations entre groupes sociaux, ressortent aussi d'une analyse en termes de symbolique politique.

Les discours politiques et les schémas d'analyse intellectuels dominants sur l'intégration européenne la présentent comme un arrangement d'intérêts rationalisé à l'extrême et dominé par une logique fonctionnaliste. Le détour par les symboles permet d'interroger cette vision. Formes de sens codifiées par l'usage, ils donnent à voir de façon accentuée les idées dominantes d'un moment et d'un contexte au-delà des stricts calculs coûts/avantages. Ressources politiques mobilisées par les acteurs, ils dévoilent les stratégies en compétition dans la conquête et l'exercice du pouvoir et la définition des préférences et des identités collectives à travers le jeu diffus du processus politique bruxellois. Porteurs d'informations et d'affects, ils montrent la négociation du sens à l'œuvre sur le terrain cognitif et émotionnel, y compris au travers de ratios chiffrés et d'arguments juridiques. Supports de valeurs, d'idéologies et de mythes, ils travaillent à faire la jonction entre la culture et le réel et trahissent la tension qui peut exister entre le monde vécu des individus et les logiques exogènes du supranational. Expressions d'une tradition mais constamment réinventés selon la conjoncture, les symboles montrent en quoi le passé saisit le présent d'une intégration dont les maîtres d'œuvre exagèrent souvent le caractère inédit, et en quoi le présent s'écarte néanmoins de l'ornière du passé. Marqueurs de hiérarchies et de territoires, ils éclairent les ressorts d'une gouvernance à plusieurs niveaux et aux frontières mouvantes.

Les symboles sont particulièrement utiles comme clés d'analyse d'un univers multiculturel où ils vont susciter autant de lectures différentes qu'il existe de grilles d'interprétation nationales (sans parler des multiples interprétations sur base régionale, socioprofessionnelle, générationnelle, sexuelle, confessionnelle, etc.). Ils renvoient de manière récurrente à la comparaison entre le projet de construction européenne et les systèmes stato-nationaux dont ce dernier hérite, sur lesquels il bâtit et qu'il a vocation à préserver tout en entrant immanquablement en concurrence avec eux. Conformément à ses objectifs initiaux hérités du deuxième conflit mondial, l'Europe politique soumet l'État-nation au prisme de la logique des intérêts et du rapport critique au passé et à l'identité pour en domestiquer le potentiel de violence et en canaliser le dynamisme vers le développement d'une prospérité partagée. C'est néanmoins sur cet État-nation qu'elle s'appuie comme cellule de base où s'exprime le consentement populaire et comme unité de sociabilité et de (re)production culturelle.

On ne peut donc opposer le modèle européen au modèle stato-national, pas plus qu'on ne peut postuler que le premier s'attache à reproduire le second à l'identique. La relation entre les deux est complexe et non univoque. L'UE maintient les identités nationales et les renforce par certains aspects tout en les érodant et en les relativisant par d'autres. L'appareil politico-bureaucratique européen a atteint un certain niveau de codification du sens qui se fait sentir sur le mode de penser et d'agir de ses agents ou de ceux qui sont en interaction directe avec lui. Néanmoins, le faisceau de valeurs, de références identitaires et mémorielles et de normes comportementales qu'il a fait émerger n'entre pas en résonance avec les cadres d'expérience du plus grand nombre des Européens. On n'assiste pas en d'autres termes à la superposition spontanée des sphères légale (celle du sujet qui produit le droit et lui obéit), civique (celle du citoyen se reconnaissant dans les rôles qui lui sont proposés et dans ses commensaux, ce qui motive sa participation dans l'espace public) et culturelle (celle de l'individu inscrit dans un cadre de vie et de ressenti). L'UE ne constitue pas la banque centrale de chaînes de capitaux symboliques reliant et ordonnant tous les actes de la vie sociale, comme a pu être décrit l'État en son temps. En d'autres termes encore, manque à l'Europe ce saut qualitatif mis en exergue par les théoriciens du nationalisme qui permet de passer de l'action particulière de groupes d'entrepreneurs politiques à l'institutionnalisation d'un projet le rendant à même de produire des effets systémiques et d'être intériorisés pleinement par l'ensemble de la population.

Il est inapproprié de parler d'inachèvement ou d'incomplétude pour caractériser cet état de l'Europe car cela postule que sa finalité irrémédiable doit être celle de l'État-nation. Les enquêtes sociologiques montrent qu'un transfert de loyauté de la nation à l'Europe n'est pas d'actualité et qu'on est plutôt en présence d'une imbrication de plus en plus étroite des deux niveaux de référence identitaire, ce qui entraîne leur recomposition. Au niveau politique, là encore, la dualité est de mise. Tout en déclinant le principe de subsidiarité et d'unité dans la diversité, l'UE a parfois mis en œuvre des pratiques qui ont été comparées à celle du *nation-building*. L'analyse attentive des processus européens de légitimation montre que l'on est en présence d'une doctrine qui balance de manière constante entre la recherche du «grand récit» fondateur et les accommodements avec des modes de justification moins ambitieux et plus adaptés dans leur pragmatisme à l'échelon supranational mais loin d'être pleinement efficaces. Cette offre double répond à une demande elle-même double adressée à l'entité européenne, entre d'une part attente de réassurance, de protection, voire de restauration à un niveau élargi de cadres de référence ébranlés au niveau national, et d'autre part crainte de l'aliénation. Cette tension entre conservation et changement, entre légitimation charismatique et bricolage de circonstance n'est pas propre à l'UE, elle caractérise tous les ordres politiques en transformation, notamment ceux en phase d'émergence. L'étude des usages institutionnels et sociaux des symboles européens éclaire les acteurs, les enjeux, les stratégies, les ressources et les conflits de cette reconfiguration générale des pouvoirs, des allégeances et des identités et permet d'en évaluer l'intensité et la spécificité.

Un accent particulier est mis sur la construction de la verticalité de l'ordre politique européen, à savoir les dispositifs de mise en scène de l'Europe comme système de pouvoir sollicitant la reconnaissance et l'allégeance du citoyen. Historiquement, et c'est la deuxième hypothèse fondamentale de l'ouvrage découlant de la première sur l'inéluctabilité du symbolique, tout mode de gouvernement semble en effet voué à «faire centre[6]». Tout ce qui se passe dans un univers d'interactions, jusque dans ses périphéries les plus éloignées, ne prend sens qu'en référence à un point focal, réel ou imaginaire, qui se confond ou non avec le siège de l'autorité publique, un point où s'ordonne une vision du monde, où se lit l'origine de la communauté et d'où découlent des rapports de force présumés décisifs. Insister ainsi sur la verticalité du pouvoir ne conduit pas, contrairement à une critique souvent entendue, à ignorer son horizontalité, mais à postuler que la manière dont il construit une communauté et dont le lien social se noue entre les membres de la

---

6. *Clifford Geertz*, «*Centres, rois et charisme : réflexions sur la symbolique du pouvoir*», *Savoir global, savoir local. Les lieux du savoir*, Paris, PUF, 1986, p. 153-182 [1re éd. 1977].

communauté en dehors de lui se comprend de manière privilégiée par ce qui se joue au cœur du dispositif de domination. Les empires aux marches incertaines ou les royautés nomades se'sont inscrits dans une spatio-temporalité structurée par un centre, et les États-Nations ont poussé encore plus loin cette propension à situer le pouvoir, à la fois pour mieux l'objectiver et pour mieux le circonscrire. De nombreuses jeunes nations issues de l'effondrement du bloc communiste – dont certaines ont adhéré à l'UE en 2004 et 2007 – témoignent par leur attachement à leur souveraineté de l'actualité de ce tropisme, et les plus anciens États membres ne sont souvent pas en reste pour défendre une image d'eux-mêmes sous-tendue par le fantasme d'unité de destin, de culture, de temps et d'espace. De même, la globalisation conçue comme négation des centres est perçue comme aliénante et suscite des utopies de reprise de contrôle et de restauration de l'intelligibilité du monde, sous des formes les plus diverses allant d'un État mondial à un califat planétaire. L'Europe politique, caractérisée par sa gouvernance multi-niveaux et sa démocratie participative ayant vocation à associer tous les acteurs à la décision, ne semble au prime abord guère suspecte de dérive centripète. La tentation du centre est pourtant bien présente dans le discours institutionnel comme dans les demandes adressées à l'UE. L'analyse des symboles européens et de la façon dont ils renvoient à leur référent est un moyen d'en évaluer l'étendue et les implications.

Méthodes et sources

La méthode mise en œuvre dans ce volume pour étudier un symbole politique consiste à saisir ses variations de sens à travers la culture, le social, le temps et l'espace. Il faut comprendre les fonctions qu'il exerce et la signification qu'il prend pour les acteurs qui le manient dans ses différents contextes d'énonciation et d'usage. Cela postule de s'assurer une connaissance suffisante de chacun de ces contextes pour éviter l'anachronisme et le relativisme culturel. Il ne s'agit pas en effet de considérer que le symbole est un invariant et qu'il peut être correctement interprété à partir de l'analyse de son contenu qui serait donné une fois pour toutes. La version officielle d'un emblème entérinée par les institutions (il n'en existe pas toujours une), celle dictée par l'histoire (il en existe presque toujours plusieurs) ou celle recueillant l'acquiescement de la majorité du groupe social concerné ne suffisent pas à établir une «vérité» en la matière. On dira plutôt que la pertinence sociale d'un symbole, qui renvoie surtout à sa capacité à produire des effets, découle de la somme – potentiellement infinie – des lectures qui en sont faites. Les lectures minoritaires ou dissidentes sont souvent plus significatives que l'adhésion tacite du plus grand nombre car elles questionnent la norme et mettent en cause les processus de socialisation qui construisent le sens autorisé du symbole. Il en va ainsi par exemple des entreprises de désacralisation du drapeau américain qui suscitent des réactions très disproportionnées par rapport à leur importance sociologique ou politique réelle et en disent ainsi plus sur la nation américaine que l'attachement paisible du citoyen lambda au jour le jour à la *Star-spangled banner*.

A contrario, il ne faut pas non plus négliger la force d'inertie d'un symbole, qui renvoie au travail de codification préalable dont il a fait l'objet et qui le leste ainsi d'un poids cognitif et affectif très lourd avant même que l'individu le soumette à interprétation. Le symbole a bien une existence en lui-même, en tant que signification objectivée socialement par la multitude des échanges dont il a été le support en d'autres temps et en d'autres lieux, et il s'impose donc avec l'évidence d'une institution à l'instant même de son énonciation. En ce sens, on distinguera l'effet individuel et l'effet collectif du symbole. Ce dernier s'impose à tous, y compris à ceux qui n'y croient pas, de la même manière que l'État est une donnée contraignante même pour celui qui lui refuse sa loyauté. Tout ne se résume donc pas à l'interaction entre l'individu et le signifiant. Une étude attentive de cette séquence apporte de précieuses informations sur le fonctionnement du symbole. Elle demande toutefois à être replacée dans une perspective plus large qui se dessine par l'accumulation des cas pratiques, à chaque fois dûment situés dans leur contexte socioculturel. C'est là la méthode utilisée par de nombreux analystes du symbolique – politologues, anthropologues ou historiens – pour «allonger le questionnaire» et «mettre en intrigue», selon les formules de Paul Veyne [7], c'est-à-dire nourrir les interrogations posées au matériau en se gardant de toute généralisation abusive mais en ne s'enfermant pas dans un prisme empirique réducteur et en réinscrivant le symbole dans sa trame de significations sociales.

Une telle méthode implique des techniques de recueil de données variées : observation directe, participante ou non (par exemple sur la Journée de l'Europe, la prise de rôle des «communicants» de l'Europe

---

7. *Paul Veyne*, Comment on écrit l'histoire, *Paris, Seuil, 1993, p. 35-42 et 141-155 [1ʳᵉ éd. 1971].*

au sein des institutions ou les pratiques d'emblématisation dans différents pays ou univers sociaux) ; entretiens semi-directifs avec les acteurs (hommes politiques ou fonctionnaires européens et nationaux, journalistes, responsables de la société civile...) ; analyse de contenu de discours sous différentes formes (textes juridiques, documentation institutionnelle, matériau de communication, presse, récits) ; exploitation de sondages d'opinion comme indicateurs des représentations collectives ; relevés des modes de réappropriation et de contre-usage des symboles ; etc. Le travail d'archives pour reconstituer la genèse bureaucratique des emblèmes officiels européens comme le drapeau ou l'hymne n'a pas été une option prioritaire – même s'il y a été fait recours sur certains points – pour deux raisons. D'une part, des recherches fiables[8] sont déjà disponibles sur le sujet et montrent l'intérêt et les limites de l'exercice. D'autre part, la conceptualisation des symboles retenue oriente vers une étude centrée sur leurs usages politiques et sociaux constamment redéfinis plutôt que sur une illusoire quête du « sens premier ».

La diversité des sources et des méthodes et leur mode de restitution découlent du statut de l'ouvrage. Davantage que le rapport d'une enquête particulière, il se présente comme la synthèse d'une dizaine d'années de travaux. Cela a dicté un parti pris d'écriture visant à ne pas accumuler les comptes rendus empiriques exhaustifs et à aiguiller le lecteur intéressé par le détail du matériau traité vers des publications antérieures plus explicites (voir bibliographie et renvois dans le texte).

Présentation

Les limites de la justification de l'Europe en termes fonctionnalistes ont été soulignées par l'échec de la mobilisation autour de la référence constitutionnelle. Les légitimations alternatives doivent composer avec les mutations de la communication politique, les effets de structure du modèle politico-bureaucratique de l'UE et les stratégies des acteurs. Il en résulte une institutionnalisation réelle mais partielle de l'Europe sur le terrain symbolique, dans le discours de pouvoir qu'elle tient ; les incarnations et les rôles qu'elles suscitent ; les objectivations rituelles ou matérielles dont elle a été dotée, les deux plus significatives étant le drapeau et la monnaie.

8. *Voir par exemple Carole Lager,* L'Europe en quête de ses symboles, *Berne,* Peter Lang, 1995.

L'«Europe des projets» est le nouveau mode d'ordre de la légitimation communautaire (chapitre 1). La formule fait écho – en la renouvelant – à une forte tradition fonctionnaliste en la matière, même si le projet européen basé sur les intérêts dès l'origine s'est toujours accompagné aussi d'un discours moral. La justification par les résultats serait plus que jamais d'actualité car, selon les schémas théoriques et politiques dominants, la complexité des structures d'une société différenciée et la technicité des problèmes à traiter rendent la participation du citoyen impossible dans ses formes classiques. L'UE ne ferait que reproduire de façon archétypale cet état de fait qui se vérifie à tous les niveaux de décision. Son principal défi ne serait donc pas d'ordre démocratique, mais consisterait en l'amélioration de son efficacité pour offrir à ses administrés de meilleures prestations, et ainsi s'assurer leur loyauté.

La légitimation par les résultats apparaît cependant contingente et incomplète. Elle ne dit rien sur les luttes sociales et politiques qui président à la définition des objectifs à atteindre et des critères retenus pour évaluer l'efficacité. Faire de l'UE un pouvoir régulateur avant tout ne suffit pas à l'émanciper des questions normatives adressées à tout ordre politique. La dissociation d'une autorité politique réduite aux fonctions techniques et d'un espace public européen qui prendrait en charge les choix en valeurs apparaît davantage comme une vision heuristique que comme une réalité présente ou à venir. L'hypothèse de neutralité de la puissance publique est battue en brèche sur un nombre croissant de choix éthiques qui peuvent faire l'objet d'argumentations rationnelles contradictoires. L'idée d'un citoyen participant de sa propre initiative à une délibération égalitaire et structurée par la seule force du meilleur argument fait bon marché des gratifications psychologiques et culturelles nécessaires pour motiver et structurer son engagement.

Le processus constitutionnel a confirmé la dimension cruciale de l'allégeance normative à l'Europe. Se doter d'une loi fondamentale n'était pas une nécessité juridique. L'objectif était bien d'activer une symbolique constitutionnelle pour bénéficier de ses effets légitimants. Cette symbolique constitutionnelle n'a pas été rejetée en tant que telle par les peuples, à qui elle a d'ailleurs été présentée sous une forme tronquée. C'est plutôt l'absence de réponse des élites et des institutions sur un certain nombre de questions ayant trait à la situation matérielle d'une part, aux angoisses relatives à l'identité collective et au vivre-ensemble d'autre part, qui ont suscité le non hollandais et français. La dynamique constitutionnelle européenne a donc failli faute de prendre en charge les demandes de responsabilité et de réassurance – sous la forme d'une affirmation de l'action protectrice de l'Europe en même temps que de sa circonscription pour garantir les cadres de l'expérience nationaux – plutôt que par excès d'ambition symbolique.

L'Europe n'a été, comme souvent, qu'un objet symptôme sur lequel se projettent des conflits politiques plus généraux. Les référendums du printemps 2005 n'ont guère fait bouger les alignements partisans ou les orientations gouvernementales dans les États membres. Ils participent plus fondamentalement, selon certaines analyses, d'une transformation de la relation au politique. Ce refus d'une Europe qui paraît amener plus de risques que de sécurité pourrait être caractérisé comme un vote de précaution. L'inquiétude face à un futur perçu comme menaçant l'emporte sur l'aspiration à s'inscrire dans une action collective au sein d'une communauté ancrée dans un passé commun. Désormais, le mandat donné aux gouvernants est avant tout de minimiser le danger. Ce danger, il vient notamment de l'innovation en matière scientifique, technique ou sociétale. L'idée de progrès a cédé la place à une appréhension globale devant les conséquences négatives de la modernité. Tout changement est un péril potentiel de plus dans un monde qui ébranle déjà en profondeur les statuts, les conditions et les cadres de vie. L'Europe se situe plutôt du côté du changement, alors que le national inscrit dans la tradition fait office de valeur refuge. Elle n'offre pas – encore ? – de garantie de reprise de contrôle des transformations à l'œuvre. La logique invite donc à refuser toute nouvelle avancée inconditionnelle de l'intégration, sans pour autant que cela signifie qu'on y soit opposé par principe.

Deux interprétations sont dès lors possibles. En premier lieu, il est loisible de considérer que la participation à une communauté politique sujette d'une action collective et s'incarnant dans un pouvoir responsable (sous des formes très variables) devant ses mandants est effectivement obsolète, dans la mesure où aucun centre de régulation n'a d'emprise sur les facteurs de risque, comme par exemple les flux matériels et immatériels ou le réchauffement climatique. Il conviendrait dès lors de s'en remettre à d'autres types d'instances – encore très imparfaitement formalisées – pour obtenir des résultats, en abdiquant toute prétention à prendre part à la décision ou même à s'identifier à ceux qui la prennent. L'histoire montre cependant que tous les modes d'organisation politique ont développé des procédures où le politique et le religieux s'entremêlent souvent pour s'assurer, sinon une maîtrise réelle, du moins une potentialité crédible d'action sur le devenir collectif. L'analyse de différentes politiques symboliques européennes souligne que ce souci de restauration d'un contrôle et d'une capacité de rétroaction sur l'entité politique est toujours bien présent. Cela conduit donc à la deuxième interprétation possible. La relation au politique n'a pas changé en substance, elle est simplement en pleine redéfinition de ses modalités et de ses canaux. Le brouillage de la verticalité et de la centralité du pouvoir, et partant des modes de participation et d'identification à un ordre et à un groupe politiques, sont des réalités attestées dans l'Europe d'aujourd'hui (beaucoup moins dans le reste du monde), mais il faut faire la part des évolutions sociétales et de données structurelles plus spécifiques au modèle politique européen.

Les difficultés de légitimation de l'Union européenne peuvent s'analyser sur trois dimensions : les mutations de la communication politique, les effets de structures de la configuration politico-administrative communautaire, et les logiques d'interactions élites-masses qui en découlent (chapitre 2). L'anthropologie de la surmodernité montre l'essoufflement des dynamiques symboliques classiques. Les grands mythes fondateurs des institutions et des communautés sont de moins en moins le cadre englobant de la création du sens. Le symbole et le rite, basés sur la répétition de la tradition, sont victimes de la focalisation contemporaine sur le présent et ne se maintiennent que dans des mondes sociaux restreints. Le territoire, de plus en plus contesté comme périmètre d'action politique et comme sphère identitaire, cède la place à une série de lieux vides et neutres. La puissance publique se voit dès lors privée de ses ressources de mise en scène. Les objectifs ne changent pas : il s'agit toujours de « faire corps ». Le fantasme du contrôle, de l'unité et de la représentativité continue à s'imposer aux dirigeants et aux citoyens. Simplement, les moyens manquent pour y répondre. Les relais médiatiques n'ont jamais été aussi puissants, mais ils sont désormais une contrainte autant qu'un instrument. L'impératif de la communication se renverse : là où naguère le pouvoir avait le libre choix du moment, de la forme et de l'audience de son discours, il est enjoint de produire à tout instant un message constamment renouvelé devant séduire un public de masse très hétérogène. En découle une recherche frénétique de contenus faute de pouvoir se couler dans des représentations du monde stables et inclusives. Le pouvoir doit toujours se donner comme le rempart de l'ordre contre les menaces d'entropie, mais il lui faut à chaque instant repartir de zéro pour convaincre un individu qui échappe de plus en plus aux déterminations de la socialisation par des institutions. C'est cet individu qui devient le référentiel suprême de nouveaux dispositifs symboliques en pleine reconstitution.

Cet individu, autonomisé vis-à-vis de l'État, est modelé de manière croissante par la société civile. Ce faisant, il n'en reste pas moins marqué en profondeur par la matrice nationale qui, si elle perd de sa vitalité dans ses formes institutionnelles, résiste avec vigueur comme univers quotidien d'expérience et de référence. La communauté imaginée nationale s'affirme avec moins de flamboyance que par le passé mais continue de fonctionner sur le plan culturel et fonctionnel comme une sphère d'intelligibilité mutuelle où se développent de manière préférentielle les échanges et les coopérations. Il est loin d'être certain que la montée en puissance de l'Europe comme espace d'activité économique et de politique publique suffise à en faire une communauté communicationnelle en devenir susceptible de concurrencer l'État-nation. L'histoire montre que l'intensification des interactions entre populations et entre États peut aboutir à un renforcement de la confiance et à la réduction du risque de guerre sans pour autant faire naître un sentiment d'appartenance et pousser à une intégration complète par la fusion des appareils politico-administratifs dans une logique fédérale. Les institutions internationales sont caractérisées par l'éloignement du centre de décision des citoyens et par une propension des élites supranationales à se fermer sur elles-mêmes, éléments peu susceptibles de leur gagner la loyauté du plus grand nombre. Le résultat peut au contraire être de favoriser un repli sur le national.

Les effets de structure conservateurs du modèle européen s'illustrent plus encore en analysant ce dernier non plus comme une organisation internationale classique, mais comme une consociation d'États. Dans ce modèle consociatif de régulation de corps politiques hétérogènes, le système fonctionne en faisant coexister des segments (ici les États) très différenciés sans chercher à les homogénéiser. Tout repose sur des mécanismes de recherche permanente du compromis entre les élites des différents segments, élites qui conservent un droit de veto sur toute décision jugée mettre en cause les intérêts fondamentaux de leurs mandants. Les gouvernants nationaux sont les rouages exclusifs de la décision et les garants de son acceptation par leurs administrés. Ils doivent en répondre et la légitimer dans leurs contextes domestiques respectifs. Dès lors, le développement d'une politique globale visant à solliciter une allégeance directe des citoyens envers les institutions européennes est non seulement superflu, mais même contreproductif. Un transfert de loyauté du national vers le supranational pourrait affaiblir la capacité des dirigeants nationaux à passer des compromis au nom de leur population et à les faire ensuite respecter. Cela conduit à l'idée que la préservation des États-nations n'est pas seulement une limite assignée à l'UE à l'extension de ses compétences et de son enracinement identitaire. C'est aussi une donnée nécessaire à sa bonne marche et inhérente à la logique profonde de la division du travail politique qu'elle opère en son sein. À l'extrême, l'essor d'une identité européenne propre serait source de dysfonctionnement. Les stratégies développées tant par les élites nationales que supranationales confirment cette tacite répartition des rôles. La tentation d'un grand récit légitimant pour l'Europe revient à intervalle régulier mais, le plus souvent, les entrepreneurs politiques supranationaux s'auto-censurent eux-mêmes dans leurs projets ou sont rappelés à l'ordre par les gouvernants des États membres pour assurer que le primat du national ne sera pas remis en cause. Cette spécificité du modèle européen s'illustre notamment dans trois domaines qui furent cruciaux pour la genèse des États-nations : la culture, l'éducation et les médias.

Après avoir montré les limites d'une stricte légitimation par l'efficacité et inventorié les déterminants (mutations générales de la communication politique, modèle institutionnel de l'UE et logiques des communications élites-masses) qui entravent la recherche d'une allégeance normative directe du citoyen à l'Europe, reste à voir en pratique comment s'effectue la mise en scène de l'entité communautaire. La façon dont les acteurs politiques européens exercent leurs rôles politiques respectifs renseigne sur le niveau d'incarnation de l'UE. La manière dont ces rôles s'inscrivent dans un spectacle politique global à travers la codification d'un protocole européen mesure l'autonomie et la lisibilité de l'ordre politique supranational (chapitre 3). Les commissaires européens apparaissent comme une élite politique au plein sens du terme au vu de leur profil socio-professionnel et de leurs registres d'action. Ils se trouvent néanmoins dépourvus des ressources classiques des dirigeants nationaux. Leur trajectoire de carrière et leurs compétences les maintiennent durablement dans une position subordonnée par rapport aux gouvernants des États membres. Les députés européens pâtissent des ambiguïtés de leur mandat, entre représentation d'un corps politique européen inexistant et définition d'un intérêt général européen transcendant les égoïsmes nationaux. Ils bénéficient de la symbolique forte de l'Assemblée parlementaire comme expression de la souveraineté populaire, mais peinent à émerger dans l'espace médiatique et politique malgré le renforcement progressif de leurs attributions. Les fonctionnaires européens constituent de véritables entrepreneurs de politique publique, souvent à l'avant-garde des transformations qui touchent les structures et pratiques bureaucratiques à tous les niveaux fonctionnels et territoriaux. Ils vivent leur carrière de façon moins messianique et plus banalisée que leurs homologues des premiers temps de l'intégration européenne, en cultivant des préférences idéologiques modérées. L'importance des réseaux professionnels et nationaux dans l'accomplissement de leur tâche fait qu'ils sont en étroite interaction avec certains secteurs de la société civile et les appareils gouvernementaux des États membres. Cependant, du fait que l'UE est une « administration sans guichet » et que la logique de leurs institutions favorise une rationalisation à l'extrême des dossiers, ils entretiennent un rapport distancié au citoyen. Cela peut expliquer qu'ils se réfugient volontiers dans une stratégie de retrait lorsqu'il s'agit de communiquer sur l'Europe et qu'ils s'accommodent bon gré mal gré de leur image souvent médiocre auprès des opinions publiques.

L'analyse des principaux rôles politiques européens renvoie à un ordre de pouvoir faiblement incarné. Cela va de pair avec un niveau de théâtralisation réduit, tant par choix que par nécessité. Les sommets européens, événements les plus médiatiques de l'agenda communautaire, constituent un bon exemple. Le protocole européen reste flexible pour pouvoir s'adapter aux révisions régulières des frontières et des compétences de l'UE. Il est voulu modeste pour donner à voir une nouvelle façon de faire de la politique, résolument moderne et débarrassée de toutes les considérations de prestige et de susceptibilité nationaliste qui ont déchiré le continent dans le passé. Cette renonciation aux fastes du pouvoir n'en renvoie pas moins à une stratégie de communication à part entière, celle d'offrir l'image d'une famille politique communautaire unie et chaleureuse. L'absence de règles cérémonielles conduit à laisser libre cours aux acteurs, et cela profite à ceux qui sont les mieux dotés en ressources symboliques (notoriété, capacité d'évocation), à savoir les dirigeants nationaux, plutôt qu'aux responsables des institutions communautaires. Par ailleurs, dès qu'un conflit survient, on assiste à un retour à un cadre protocolaire plus strict afin de contrôler tout dérapage éventuel. Le caractère informel du protocole européen ne doit donc pas faire considérer que la mise en scène du politique est aujourd'hui une question neutre voire obsolète. Les rapports de force et les hiérarchies sont toujours là, même s'ils ne sont pas ou peu affichés, et ils en sont d'autant moins contrôlables.

L'ordre politique ne se donne pas seulement à voir dans l'agencement des corps du protocole, mais aussi dans celui des mots. Le discours est un puissant révélateur des logiques de légitimation de l'UE (chapitre 4).

Deux exemples sont ici traités pour analyser la production discursive des institutions européennes : d'une part, le *Livre blanc sur la gouvernance* comme expression la plus complète du paradigme politique de référence de l'action publique communautaire ; d'autre part les brochures grand public de la Commission en tant que support de communication le plus largement diffusé.

Le discours des institutions européennes prend la forme d'un discours de pouvoir classique dans ses finalités. Il s'agit pour l'UE de réaffirmer sa centralité et sa primauté en tant qu'appareil de gouvernement, malgré l'indifférenciation des acteurs et des positions que postulent les théories de la gouvernance qui insistent sur l'éclatement de la décision et sur le rôle croissant de la société civile. La rhétorique communautaire s'attache aussi à construire une causalité des événements qui donne à Bruxelles le crédit des réalisations collectives passées et la responsabilité de relever les défis à venir. Les échecs sont attribués à des dysfonctionnements techniques ou à l'action inopportune des États membres. Dans les deux cas, la solution passe par une intégration renforcée. Il se met donc en place une spirale vertueuse de justification de l'emprise politique grandissante du supranational. Enfin, le discours européen propose une représentation ordonnée du jeu politique où chaque acteur se voit assigné une place et un rôle. Les identités ainsi allouées restent cependant essentiellement fonctionnelles et limitées aux interactions avec le système communautaire, sans proposer une vision du monde qui englobe tous les aspects de la vie sociale. Les citoyens sont décrits comme des « publics » peu informés et peu impliqués qu'il revient à l'UE de construire comme sujets politiques.

L'univers discursif de la gouvernance n'empêche donc pas les institutions européennes de tenir un discours reprenant les fonctions habituelles d'un idiome de pouvoir, tout en renouvelant les formes symboliques mobilisées pour cela. Somme toute, ce discours apparaît plutôt conservateur dans ce qu'il prescrit. Il vise avant tout à préserver l'existant en soulignant que les méthodes originelles de l'intégration sont plus que jamais d'actualité. Il utilise le concept de la gouvernance comme un mécanisme de circonscription du périmètre politique et de sélection de ceux qui sont admis à y entrer, en perpétuant l'habituel biais élitaire du supranational. Ce discours traduit la recherche systématique de la rationalisation et du consensus, dans la grande tradition de la communication européenne. On retrouve donc sous les mots à la fois l'évolution formelle des registres de légitimation et la continuité des schémas établis de la division du travail politique.

Le langage politique s'organise autour de représentations globales de la communauté dans lequel il fait sens. La construction de ces images du «tout social» passe notamment par le truchement de divers rituels et symboles (chapitre 5). L'UE s'est attachée à se doter d'une emblématique officielle au milieu des années 1980 pour se faire connaître des citoyens et gagner leur allégeance, tout en favorisant leur sentiment d'identification comme Européens. Cette emblématique a connu un succès modéré. Elle a aussi occasionné de nombreux conflits car elle renvoie directement à la nature de l'entité politique qu'elle donne à voir. Il en a ainsi été supprimé toute mention dans les traités suite à l'échec du processus constitutionnel, ces symboles étant considérés comme des attributs de caractère trop étatiques accentuant la perception de l'Europe comme une menace sur les identités nationales.

Parmi les supports symboliques de l'UE, on trouve des rituels comme ceux du vote, de la fête et de l'hymne. Le suffrage universel reste le pourvoyeur principal de légitimité selon la culture démocratique dominante en Europe. Le vote n'a cependant pas été en mesure de produire au niveau supranational les mêmes effets qu'il a pu avoir au niveau national. Les campagnes des élections européennes ne marquent en effet pas l'entrée dans un temps politique à part, marqué par l'allégement de la contrainte gestionnaire et le renversement momentané des rapports de dépendance entre gouvernés et gouvernants. L'acte électoral européen ne suscite que partiellement une communauté de faire pouvant engendrer une communauté d'être parmi les citoyens des États membres. Les règles du jeu politique communautaire limitent lourdement son impact transformationnel, et donc sa capacité de re-création et de réactualisation de l'ordre de pouvoir. Un autre rituel qui participa notablement à la nationalisation des masses, la fête, opère de même de façon tronquée à l'échelon européen. La Journée de l'Europe a été pensée comme un équivalent des fêtes nationales. Elle célèbre un événement historique ayant vocation à servir de noyau à une mémoire collective, la déclaration Schuman du 9 mai 1950. Mais elle n'est pas un jour férié pour tous les Européens ; elle n'occasionne que très modérément la participation des foules à des dispositifs cérémoniels ; elle ne permet guère à la puissance publique de faire étalage de sa puissance par un déploiement de fastes civils ou militaires ; enfin, elle ne met pas en scène un espace symbolique organisé autour d'un centre qui pourrait fonctionner comme un périmètre délimitant une appartenance. La Journée de l'Europe, dont l'organisation repose avant tout sur l'initiative de la société civile et qui touche un public restreint, se rapproche à bien des égards de la communication européenne ordinaire. L'hymne constitue le dernier symbole rituel dont l'UE s'est dotée sur le modèle des États. Le quatrième mouvement de la neuvième symphonie de Beethoven jouit d'une notoriété certaine. Son usage cérémoniel reste cependant peu fréquent. Il présente en outre le handicap de ne pas avoir de paroles officielles, ce qui est une entrave à son appropriation populaire, et lui en donner semble un défi politique hors de portée. Outre les rituels, la construction de l'Europe comme entité propre passe aussi par les chiffres. La statistique institutionnelle est un moyen pour tout pouvoir d'identifier sa collectivité dans son ensemble et dans ses composantes et d'agir sur elle. Cette ressource est d'un intérêt particulier pour des institutions européennes privilégiant une légitimation en termes d'efficacité et de transparence. La statistique fonctionne alors comme un idiome essentiel de justification politique, ainsi que l'illustre la généralisation du *benchmarking* comme technique de politique publique. Des indicateurs quantitatifs sont élaborés pour permettre de comparer les États membres et de diffuser les meilleures pratiques. Leur définition technique est cependant dictée autant par des conflits d'intérêt et de prestige national que par des considérations d'expertise rationnelle. La conversion des problèmes publics en chiffres et leur inscription dans une logique à dominante économique suscite par ailleurs de nombreuses résistances dans les secteurs dont l'ethos s'accommode mal des règles du marché. Le chiffrage est l'objet des mêmes compétitions de légitimation/délégitimation lorsqu'il s'agit d'établir l'existence d'une « opinion publique européenne » susceptible d'être érigée en interlocuteur et en caution démocratique des institutions communautaires en contournant les États. La statistique opère à tous les égards comme un dispositif où s'affrontent différentes stratégies pour imposer la vision du collectif qui fera autorité et déterminera l'attribution des compétences et des ressources.

L'image constitue un autre répertoire symbolique. Elle se marie souvent difficilement avec les prérequis d'un gouvernement défini en rationalité, mais son efficacité pédagogique fait qu'il est difficile de s'en passer. Les institutions communautaires ont recours avec parcimonie à l'iconographie dans leurs publications. Elles buttent sur le manque de signifiants proprement européens. De façon analogue, pour synthétiser la diversité culturelle interne de l'UE, elles sont amenées à mobiliser dans leur communication les représentations simplificatrices de la réalité que sont les stéréotypes, d'une manière cependant marginale et mal assumée.

L'Europe reprend les répertoires symboliques hérités de l'État-nation et les revisite à sa façon. Il en va ainsi du drapeau, objectivation de la communauté nationale qui opère la plus forte condensation de sens (chapitre 6). L'UE s'est dotée d'un drapeau, d'une part pour se plier à la contrainte d'emblématisation que le protocole international impose à toute entité politique ; et, d'autre part, parce qu'il était espéré que cela soit un moyen d'accroître sa visibilité et sa reconnaissance auprès des citoyens. La définition officielle du signifiant (couleurs, graphisme) cherche peu à mobiliser des références historico-culturelles qui seraient inévitablement facteurs de divisions, mais marque plutôt l'invention d'une tradition propre à l'intégration européenne dans toutes ses formes. C'est un symbole au sens très ouvert qui est offert aux acteurs qui veulent en faire usage. Les institutions européennes ont promu sa diffusion dans l'espace public avec un certain succès. Elles n'ont néanmoins pas les compétences et les ressources pour décréter un pavoisement massif lors de célébrations collectives. Tout dépend du bon vouloir des États et des initiatives privées, deux paramètres inégaux selon les pays et variables dans le temps. La présence du drapeau européen dans le cadre domestique est parfois vécue comme une atteinte à la souveraineté nationale et une intrusion allogène dans l'univers de vie et de ressenti des individus. Cela nourrit des stratégies de résistance qui ne sont pas nécessairement des refus de l'Europe, mais davantage des réactions négatives aux dissonances cognitives et émotionnelles produites par une révision brutale des schémas identitaires établis. La bannière aux douze étoiles est connue et appréciée par les citoyens mais ne suscite pas la même réappropriation affective que ses équivalents nationaux. Elle ne suit pas la même trajectoire d'absolutisation, au sens où elle n'est pas l'instrument des mêmes processus sociaux visant à proclamer la valeur infinie de la communauté par la sacralisation de son symbole. On n'exalte pas d'identité européenne dans les compétitions sportives. Le domaine militaire, matrice essentielle des patriotismes, fait peu à peu place aux couleurs européennes sans pour autant donner à voir que l'on doive mourir pour elles. Le particularisme du drapeau européen s'illustre aussi par ses rapports avec le religieux. Les sentiments nationaux les plus vigoureux se sont volontiers nourris de références transcendantes empruntées au divin. Le *Stars and stripes* américain est le meilleur exemple d'un symbole politique accédant au statut d'icône d'une religion civile. L'emblème européen ne s'inscrit pas dans le même ordre des choses. Il ne suscite ni culte ni profanation. L'entité qu'il représente et l'allégeance qu'il sollicite participent d'un autre mode de légitimation, qui ne peut pour l'heure se substituer à ou contrebalancer les loyautés existantes et qui s'y articule de manière plus ou moins harmonieuse.

La monnaie est un autre vecteur symbolique majeur de communalisation (chapitre 7). L'euro inverse le scénario historique habituel qui veut que la communauté politique précède la communauté monétaire. L'unification monétaire de l'Europe avait été réalisée partiellement au cours des siècles passés, mais uniquement lorsqu'une puissance hégémonique imposait sa devise ; elle avait fait l'objet de plusieurs tentatives infructueuses depuis la deuxième guerre mondiale. L'introduction des pièces et billets en euros constitue donc une réussite spectaculaire en matière de politique publique européenne. Les déterminants qui ont joué en faveur de cet aboutissement sont naturellement d'ordre économique. Mais le simple jeu de l'engrenage de l'intégration et du marché ne suffit pas à l'expliquer. Les stratégies des acteurs – et notamment de la Commission – d'une part, et, surtout, l'évolution des valeurs d'autre part, ont puissamment contribué au processus. La monnaie unique constitue à bien des égards une expression et un catalyseur de transformations sociétales profondes dont elle n'est pas le déclencheur.

La délégation de la souveraineté monétaire des États membres à une instance technocratique supranationale autonome participe d'une redéfinition générale des modes de légitimation politique. Sur le terrain démocratique d'abord, la Banque centrale européenne (BCE) se caractérise par un niveau d'indépendance élevé. Elle rend encore plus nécessaire des mécanismes de responsabilité tout en en compliquant la mise en œuvre. Elle durcit la division des tâches entre une Europe chargée de la performance économique et des États à qui incombe la gestion des conséquences sociales des réformes, alors qu'ils perdent de nombreuses ressources budgétaires et décisionnelles pour le faire. Les pays s'accommodent diversement de la nouvelle donne selon sa plus ou moins grande congruence avec leur modèle politique traditionnel. Pour autant, l'euro n'entraîne pas de redéfinition majeure des clivages sociopolitiques dans la mesure où ses effets restent diffus et ne suscitent pas de mobilisation claire des «perdants» contre les «gagnants». Les espaces politiques nationaux restent les arènes décisives où se forment les préférences collectives, et ces dernières soulignent sous des formes variées un souci d'inclusion de tous et de contrôle des citoyens.

Sur le terrain identitaire ensuite, la monnaie met en jeu la relation de confiance qui relie le citoyen à l'entité émettrice et à ses co-usagers. La définition formelle de l'euro (nom, graphisme), comme pour tout symbole européen, vise au plus petit dénominateur commun et mobilise des références culturelles très ouvertes. Des conflits émergent cependant avec des États candidats à l'Union économique et monétaire sur l'ortho-graphe du nom de la devise. L'euro est rapidement devenu un support important de la communication européenne et son sigle tend déjà à sym-boliser l'UE dans son ensemble, même si l'ancienneté de la monnaie est encore insuffisante pour bénéficier d'un enracinement réel dans le vécu et le ressenti des Européens. Le défi ne s'annonce pas gagné d'avance. L'usage de l'euro s'est imposé sans dysfonctionnement majeur mais pose encore des problèmes pratiques à certaines catégories de population. Sa perception reste marquée par de fortes discriminations sociales selon les niveaux de revenu, d'éducation et de mobilité, et il est rendu responsable d'une hausse des prix. Cela conduit les Européens à porter un regard majoritairement négatif sur lui et à exprimer une certaine nostalgie de leur monnaie nationale. Il convient donc de rester circonspect dans l'appréciation que l'on fait de l'impact de l'euro sur la légitimation de l'UE, et notamment à pondérer de manière fine particularismes nationaux et dynamiques d'européanisation.

Chapitre 1

FONCTIONNALISME ET CONSTITUTION LE MARIAGE RATÉ

D ans la difficile tâche de justifier l'Europe comme ordre politique, les discours en appelant à ses performances et à l'efficacité comme principe ultime s'avèrent insuffisants. Les théories plus ambitieuses sur le plan éthique comme celle du postnationalisme ouvrent des perspectives heuristiques et morales mais restent dans l'abstraction, en attendant un hypothétique espace public européen. On en revient immanquablement aux identités et aux demandes politiques classiques de production d'un sens collectif et de réassurance. La tentative de mobiliser la symbolique constitutionnelle, lors même que ce n'était pas une nécessité juridique, montre les besoins de références fortes. Son échec ne résulte donc pas d'une ambition excessive, mais plutôt du fait que cette ambition n'a pas été assumée avec les moyens adaptés (pas de « moment constitutionnel » et de ratification commune, message brouillé dans une conjoncture négative). Les finalités initiales de « remise en ordre » de l'Europe en clarifiant ses limites, ses missions et ses schémas d'imputation des responsabilités et de participation sont plus que jamais d'actualité, selon des modalités à comprendre à la lumière des mutations générales du lien politique.

« L'Europe des projets » : ersatz politique ou paradigme ?

La rhétorique de «l'Europe des projets» a pris son plein essor après l'échec des ratifications du traité constitutionnel en France et aux Pays-Bas [1]. Elle renvoie à l'idée d'une construction européenne qui progresserait à travers des réalisations concrètes de politique publique, puisque les grandes avancées institutionnelles ont connu un coupd'arrêt. Ce choix d'un pragmatisme limité dans ses aspirations mais tangible dans les prestations qu'il offre au citoyen n'est pas seulement un choix circonstanciel par défaut. Certains théoriciens l'érigent sous des intitulés divers en nouveau paradigme de légitimité politique. Fritz Scharpf [2] soutient ainsi que les systèmes politiques contemporains, beaucoup plus différenciés et complexes que les formes politiques qui les ont précédés, ne peuvent pas être évalués avec les mêmes critères. Le citoyen ne peut plus participer de la même manière à la production de la norme. Le pourrait-il, la technicité des débats l'empêcherait de le faire de manière probante. Cela signifie que la légitimité d'un système politique tient désormais moins à la manière dont il adopte les décisions qu'au contenu et aux effets de celles-ci. Ce sont les résultats produits par le système institutionnel qui lui assurent l'allégeance de ses administrés/usagers. Dès lors, la faiblesse de l'Europe politique – comme des États qui la composent – ne résulterait pas d'un quelconque déficit démocratique, mais de ses prestations insuffisantes offertes aux citoyens et de son incapacité globale à garantir la sécurité matérielle des sociétés. Le niveau européen s'imposerait bien comme l'échelon le plus adapté pour restaurer la capacité d'action du politique. Mais les réformes à mener doivent moins viser à développer l'implication civique qu'à accroître l'efficacité des instruments d'action publique.

La justification d'un ordre politique par les résultats n'est certes pas nouvelle, et elle a pu servir à cautionner l'existence de nombreux systèmes aussi prospères qu'autoritaires. La critique qui en est faite est pour le moins aussi ancienne. La légitimation par les prestations fournies reste en effet éminemment précaire car elle fait dépendre la stabilité politique

---

1. *Voir notamment l'usage de l'expression par Dominique de Villepin dans un entretien accordé au* Monde *le 22 juin 2006, ou encore celui de José Manuel Barroso lors de son «discours au Parlement européen en vue du Conseil européen des 15-16 juin 2006», Strasbourg, 14 juin 2006, disponible sur le site Internet* http://ec.europa.eu.
2. *Fritz Scharpf,* Gouverner l'Europe, *Paris, Presses de Sciences Po, 2000.*

des performances économiques. Lorsque celles-ci viennent à faiblir, au moment même où l'autorité publique devrait être en mesure de prendre les mesures les plus fortes pour restaurer l'efficacité, sa base lui fait défaut. Surtout, la justification par les résultats postule qu'il existerait une sorte d'optimum de la richesse à un moment donné correspondant à un niveau de satisfaction qui assurerait au pouvoir la tranquillité du corps social. La sociologie de l'action collective nous montre au contraire que la contestation naît souvent d'une « frustration relative » alimentée par les écarts entre les espérances et la situation économique réelle, en décalage avec les prestations effectives des institutions[3]. La contestation peut naître aussi d'un désir de participation selon de nouvelles modalités d'engagement et au nom de nouvelles valeurs que l'appareil institutionnel en place ne permet pas d'assouvir[4]. La demande sociale n'est pas un donné commensurable, elle se renouvelle en permanence et porte sur des biens matériels et immatériels qu'il s'avère impossible de dissocier.

Les objectifs à atteindre par un système politique pour qu'il soit considéré comme légitime n'émergent pas spontanément, sauf à supposer que l'économie se donne à elle-même ses propres fins et que la société peut se gouverner en pilotage automatique, posture positiviste de plus en plus difficile à tenir dans un monde incertain et désenchanté vis-à-vis du progrès. On se trouve par conséquent ramené aux modalités de la production des finalités, à la construction sociale des priorités publiques et à la mise en forme de la demande sociale. La légitimation par les résultats pêche donc par le voile pudique qu'elle jette sur les luttes politiques et les rapports de force qui déterminent les choix économiques, choix économiques utilisés comme justification de l'ordre établi dans une sorte de rationalisation *ex post*.

Les résultats ne peuvent donc suffire à légitimer un ordre politique, et l'Union européenne moins que tout autre. Les prestations de cette dernière aux citoyens sont en effet indirectes et abstraites. Giandomenico Majone[5] fait de manière significative de l'Europe un « État régulateur » le parangon des autorités publiques modernes qui agissent sur la règle davantage que sur la matière et les hommes. L'État traditionnel exerce habituellement trois grandes fonctions : la redistribution des ressources ; la stabilisation macroéconomique ; la régulation par la production de la

3. *Ted Gurr,* Why Men Rebel, *Princeton (N. J.), Princeton University Press, 1970.*
4. *Ronald Inglehart,* The Silent Revolution, *Princeton (N. J.), Princeton University Press, 1977 ; Ronald Inglehart,* Culture Shift in Advanced Industrial Societies, *Princeton (N. J.), Princeton University Press, 1990.*
5. *Giandomenico Majone,* La Communauté européenne : un État régulateur, *Paris, Montchrestien, 1996.*

norme. L'UE endosse de façon très inégale ces trois fonctions. Son rôle redistributeur est limité car les transferts d'un groupe social à un autre par l'impôt et les politiques sociales ou la fourniture de «biens de consommation publics» (comme les soins médicaux gratuits) restent l'apanage des États membres. Il y a bien réallocation des richesses au niveau européen, mais davantage entre États par le jeu des compromis issus de la négociation communautaire ou entre collectivités infra-nationales par les mécanismes compensatoires des différentiels de développement. Cette redistribution territoriale plus que sociale est essentielle car elle constitue la contrepartie de l'approfondissement de l'intégration pour les pays et régions qui supportent le coût du changement sans en retirer un bénéfice immédiat. Elle présente cependant l'inconvénient majeur sur le plan politique d'être peu visible et de ne pas être créditée en termes électoraux aux instances européennes. Deuxième grand attribut habituel de l'État, la fonction de stabilisation macro-économique est jouée seulement partiellement par l'UE. L'Europe fixe des critères de contrôle de l'inflation, des déficits et de l'endettement et gère la monnaie. Mais elle reste embryonnaire sur le terrain de la politique de l'emploi et des investissements d'infrastructures. Les «grands travaux» que Jacques Delors avait tenté d'impulser à la tête de la Commission sont restés lettre morte et l'agenda de Lisbonne pour faire de l'Europe l'économie de la connaissance la plus compétitive au monde s'apparente à une admonestation aux effets diffus plus qu'à un agenda prescripteur. Finalement, la fonction que s'est appropriée le plus complè-tement l'Union européenne est celle de régulation. La régulation, c'est la correction des déficiences du marché. Il s'agit de construire un univers de normes adapté pour permettre le bon fonctionnement de la concur-rence et le respect des règles de production. Le «choix» européen pour la régulation s'explique par le fait que c'est sur ce terrain que les autorités communautaires ont pu le plus facilement développer leurs compétences. La production de normes ne nécessite pas de moyens financiers et logis-tiques très lourds, et leur application est dévolue aux administrations nationales. Les institutions européennes ont l'expertise et le positionne-ment (en tant qu'intermédiaire de la négociation) adéquats pour se placer en cheville ouvrière de l'encadrement des marchés. Elles sont d'ailleurs sollicitées dans ce rôle par les administrations nationales et les acteurs privés. Elles trouvent donc en tant qu'instances régulatrices une légi-timité fonctionnelle et une structure d'opportunité. Ce rôle, dont le caractère politique éminent disparaît sous l'aspect technique et qui ne se donne pas facilement à voir, est loin de pouvoir leur assurer la recon-naissance et l'allégeance du plus grand nombre des citoyens.

——— Un pouvoir instrumental et anonyme?

Faut-il alors, à l'instar de certains théoriciens, entériner la dissociation d'un politique expert et d'un débat citoyen à la normativité circonscrite par la raison publique? C'est l'avis de l'école postnationale. Jean-Marc Ferry[6] développe dans une réflexion subtile sa vision de la construction européenne comme aboutissement de la longue histoire de différenciation du pouvoir en Occident. L'UE entérinerait la dissociation des deux grandes fonctions du politique. La fonction technique, qui renvoie à l'organisation et à l'exercice de la décision dans les tâches de régulation économique et sociale, revient aux institutions européennes. La fonction critique, qui englobe tout ce qui relève de la représentation du citoyen et qui permet à ce dernier de se reconnaître comme l'auteur de la norme qu'on lui applique, est du ressort d'un espace public européen qui reste à définir. Cet espace public doit exprimer la demande politique et sociale, en complément du marché qui exprime la demande économique.

L'intérêt de cette approche qui présume la neutralité et l'instrumentalité de l'autorité publique est de faire l'hypothèse d'une mutation décisive des échanges politiques. Selon la formule d'Habermas, on assiste à «l'effacement du macrosujet» politique – quel qu'il soit, État porteur d'une volonté générale ou classe sociale sujet de l'histoire – qui n'a plus vocation à prendre la parole de façon majestueuse et univoque. La communication politique prend la forme d'un flux de discours anonymes dans le cadre d'une multitude d'échanges entre acteurs[7]. Habermas entreprend de recentrer le débat sur le processus même de formation de la volonté générale, pour dépasser les apories d'un républicanisme prisonnier de la vision d'une communauté éthique incarnée par un État qui est débordé par la globalisation. Selon le philosophe allemand, la délibération au sein de l'espace public doit être la source unique de la norme pour l'ensemble de la société. C'est une façon de disqualifier la bureaucratie qui ne peut prétendre incarner un quelconque intérêt général, au profit d'une démocratie radicale[8]. Dans cette perspective, l'identité en tant que fin est reléguée dans l'espace privé. Elle est considérée comme une motivation prépondérante de l'individu, qui veut préserver

6. *Jean-Marc Ferry*, La Question de l'État européen, *Paris, Gallimard, 2000.*
7. *Jürgen Habermas, «Citoyenneté et identité nationale. Réflexions sur l'avenir de l'Europe», dans Jacques Lenoble et Nicole Dewandre (dir.),* L'Europe au soir du siècle. Identité et démocratie, *Paris, Éditions Esprit, 1992, p. 35.*
8. *Jürgen Habermas,* Droit et démocratie. Entre faits et normes, *Paris, Gallimard, 1997.*

sa façon de vivre et ses particularismes. Dès lors, la reconnaissance des droits culturels de chacun est posée comme un postulat fondamental. Mais cette identité ne peut en aucun cas devenir un enjeu du débat politique, et encore moins un objet de politique publique à travers par exemple une entreprise mémorielle ou une norme linguistique.

On connaît les principaux griefs intellectuels faits à cette approche[9]. Le principal tient sans doute au caractère d'artefact de cet espace public supposé faire la médiation entre la société civile et l'État, ce dernier étant réduit au rang de vecteur d'opérationnalisation de la décision prenant naissance dans la délibération rationnelle[10]. C'est postuler qu'il suffit de donner au citoyen les moyens pratiques de participer pour qu'il s'engage dans le débat, et qu'il suffit donc d'organiser la délibération pour la faire advenir dans les formes requises. C'est faire fi d'une variable décisive de la participation civique individuelle, la motivation, qui ne peut naître que de la valeur sociale reconnue aux institutions chargées de mettre la norme en œuvre. Le citoyen ne se sentira sujet politique et n'agira comme tel que s'il considère l'appareil politique comme légitime, c'est-à-dire comme porteur des mêmes représentations du monde que lui-même a intériorisées et qu'il partage avec ses concitoyens. Ces représentations du monde ne se limitent pas à un énoncé de droits civiques ou sociaux, mais renvoient à une vision de l'histoire, de l'espace, de l'ordre social, et à un ensemble de pratiques vécues. Parfois aussi, l'implication dans les affaires de la Cité ne sera motivée que par le désir d'être « gouverné par l'un des siens » ou par l'affiliation émotionnelle à un leader apte à fournir des gratifications symboliques. L'énonciation du bien public, même si elle est fondée en raison, ne suscitera pas complètement l'adhésion si elle reste anonyme et ne pourra pas non plus être mise en débat faute de contradicteur. Une raison n'est convaincante que dans la mesure où elle est la raison de quelqu'un[11]. Le discours du système politique renvoie donc inévitablement à une identité, qui plus est une identité

9. *Craig Calhoun (ed.)*, Habermas and the Public Sphere, *Cambridge (Mass.), MIT Press, 1992 ; Éric Dacheux (dir.)*, L'Europe qui se construit. Réflexions sur l'espace public européen, *Saint-Étienne, Presses universitaires de Saint-Étienne, 2003 ; Arnaud Mercier (dir.)*, Vers un espace public européen ?, *Paris, L'Harmattan, 2003*.

10. *Andy Smith, «L'"espace public européen" : une vue (trop) aérienne»*, Critique internationale, *2, hiver 1999*.

11. *Erik Oswald Eriksen, «Conceptualizing European Public Spheres – General, Segmented and Strong Publics in the EU»*, dans John Erik Fossum et Philip Schlesinger (eds), The European Union and the Public Sphere : A Communicative Space in the Making ?, *Londres, Routledge, 2007, p. 23-43*.

« chaude » capable de fournir sens de l'appartenance et ressources politiques de mobilisation et d'interprétation. La raison seule ne suffit en effet pas non plus, selon les termes mêmes de Jean-Marc Ferry, à trancher des choix ultimes qui peuvent faire l'objet d'argumentations en droit contradictoires [12]. Le manque d'intérêt et d'identification suscité par l'UE auprès de ses administrés illustre de manière éclatante les limites sur le plan de l'efficacité d'une approche par l'espace public trop idéaliste et rationalisante. Cette approche entérinerait par ailleurs une dépolitisation des choix collectifs par l'appauvrissement des mécanismes de la démocratie représentative au profit de la société civile et du marché. Elle provoquerait une remise en cause du principe démocratique d'égalité en justifiant la complexification du mode de décision qui accroît la césure élites-masses et met à l'écart les citoyens les moins instruits et ceux qui se sentent le moins habilités à intervenir politiquement.

Les défenseurs du courant postnational se sont attachés avec probité à répondre aux griefs qui leur sont adressés. Ils mentionnent en exemples de la capacité de principes universels à inspirer l'action politique quelques « justes » (Adenauer, Thomas Mann) ou quelques mobilisations (manifestations contre l'entrée du FPÖ au gouvernement en Autriche en février 2000 dans plusieurs villes européennes), qui ressortent du domaine de l'exceptionnel et disent peu sur la vie politique au quotidien, ce qui confirme leur rapport distancié à la question des cadres de l'expérience [13]. Interpellés sur le rapport exclusivement négatif à l'histoire du « patriotisme constitutionnel » qui prescrit l'autocritique et la prise de conscience de l'autre à travers les dommages qu'on lui a infligés, ils pointent la potentialité d'une mémoire européenne positive commune autour des idéaux de la résistance au totalitarisme [14]. C'est faire bon marché des historiens qui montrent combien le souvenir des résistances reste national [15], conflictuel

12. *Jean-Marc Ferry, « Sur le potentiel critique des religions dans l'espace européen », dans Pierre Gisel et Jean-Marc Tetaz (dir.),* Théories de la religion, *Genève, Labor et Fides, 2002.*

13. *Voir Justine Lacroix,* L'Europe en procès. Quel patriotisme au-delà des nationalismes ?, *Paris, Cerf, 2004, p. 146-150. Les citoyens européens doivent être socialisés dans une culture politique partagée (p. 31), lors même que les socialisations restent pour l'heure irréductiblement nationales. Ailleurs, la socialisation aux principes fondamentaux ne serait pas nécessaire car la culture politique commune repose sur le principe de la démocratie et de l'État de droit « sur lesquels peuvent s'accorder tous ceux susceptibles d'être concernés en tant que participants à une discussion rationnelle » (p. 66).*

14. *Ibid., p. 150-162.*

15. *Antoine Fleury et Robert Frank (textes réunis par),* Le Rôle des guerres dans la mémoire des Européens, *Berne, Peter Lang, 1997.*

entre groupes sociaux et partisans [16] et politiquement reconstruit au fur et à mesure des années. C'est peut-être confondre aussi historiographie et mémoire, en entretenant une confusion dommageable entre les deux registres – indissociables et concomitants au moins depuis la Rome antique – de la connaissance du passé et de sa mobilisation comme ressource politique. L'histoire nationale a montré à de multiples reprises sa plasticité au service de l'exaltation de particularismes comme de fins universelles. C'est au nom d'une certaine France contre une autre que luttaient les partisans de Dreyfus ou les rebelles au nazisme. Le patriotisme constitutionnel n'est d'ailleurs lui-même pas exempt de relativisme culturel et de prétention historiciste, surtout quand il fait preuve de modestie. Lorsqu'il admet que la communauté cosmopolite européenne n'a pas vocation à prendre une extension planétaire, c'est pour en faire le modèle d'autres blocs régionaux dans la grande tradition de l'Europe éclairant le monde. Quand il est pris acte des contraintes spatiales, géographiques ou financières qui déterminent les frontières d'un espace postnational européen en devenir, il est mentionné que les heureux élus dignes d'entrer dans le cénacle seront désignés en fonction de leur respect des principes universels communs, en postulant que cela se fera de manière consensuelle et sans préciser qui arrêtera la décision. En bref, on en revient toujours à la nécessité de croire à la toute-puissance du dialogue raisonnable pour trouver une solution au conflit, sans quoi l'approche postnationale devient une démarche intellectuellement heuristique et éthiquement structurante mais irrémédiablement abstraite. La réflexion sur les principes fait volontiers l'économie de celle sur les moyens, hormis l'incantation à une sphère publique et à une société civile structurée à l'échelle européenne, à un système partisan transnational et à l'intégration croissante des parlements au niveau régional, national et supranational. Ces solutions présentent deux caractéristiques. La première est de relativiser fortement la spécificité du courant postnational, puisqu'il mise finalement sur le redéploiement des éléments classiques de la démocratie représentative par l'espace public [17]. La deuxième est de présenter une grande similarité avec les préconisations des institutions européennes qui soit restent des vœux pieux sans réalisation sociologique possible, soit ont été mises en œuvre sans produire d'effets politiques notables.

---

16. *Gérard Namer*, Batailles pour la mémoire, *Paris, Papyrus, 1983.*
17. *Justine Lacroix*, L'Europe en procès, op. cit., p. 165.

La séparation de la communauté culturelle et de la communauté légale est posée comme un impératif à la fois fonctionnel et normatif par les théoriciens postnationaux. Une culture politique européenne partagée mais pas unique doit se développer en se fondant sur la reconnaissance mutuelle des cultures nationales, pour produire un « consensus par confrontation » selon l'expression de Ferry. Il ne faut plus s'interroger, suivant Lacroix, en termes d'identité communautaire à forger mais d'activité publique à déterminer. Mais il est en même temps reconnu que cette discrimination entre identité et action n'a qu'une valeur idéale-typique et que cela a de bonnes chances de rester ainsi. À terme en effet, il est postulé qu'une identité européenne émergera à travers la volonté de réalisations communes [18]. Le patriotisme constitutionnel ne serait donc qu'un mauvais moment à passer, d'autant plus gênant que la médication pour le faire passer n'est pas plus détaillée que l'ordonnance « nationale-souverainiste », qu'elle fait figure de placebo, voire qu'elle aggrave les incommodités. Somme toute, il apparaît – explicitement ou implicitement selon les auteurs – qu'une communauté politique inclusive est au départ et à l'arrivée, reste juste à trouver le chemin entre les deux et que faire de la culture entre-temps. Une constitution était fortement espérée pouvoir constituer un raccourci, avant que les événements ne viennent infirmer cette hypothèse.

Leçons de l'échec du processus constitutionnel

Le processus constitutionnel européen a illustré la prégnance de la question de l'allégeance normative à l'Europe comme clé de sa légitimation. Sans négliger les considérations institutionnelles et juridiques sur les améliorations que le texte du traité aurait pu apporter à l'Union européenne, force est de reconnaître que les justifications fonctionnelles ne suffisent pas à expliquer la tentative des États membres de se doter d'une référence constitutionnelle. Sur le plan du droit, l'essentiel semble déjà acquis, avec ou sans constitution. Les grands principes d'organisation des pouvoirs publics en Europe convergent depuis cinquante ans, et les

---

18. Ibid., *p. 183.*

particularismes nationaux persistants peuvent apparaître comme secondaires [19]. Une loi fondamentale ne marquerait que l'aboutissement d'un processus de substitution d'une logique de régulation à une logique de puissance. Les innovations du droit communautaire s'inscrivent dans la continuité de l'esprit libéral des constitutions nationales depuis le XIXe siècle (soumission des États au droit, développement des droits subjectifs avec possibilité de recours individuel, etc.). À cet égard, l'Europe apparaît déjà en voie de constitutionnalisation, avec ou sans l'adoption d'un texte fondateur ; une constitution formelle ne constituerait en outre pas une rupture car son apport serait limité, dans la mesure où les droits subjectifs qu'elle pourrait confirmer ou introduire ne seraient pas davantage à moyen terme mis en pratique par les individus et que la participation des citoyens resterait inexistante [20]. Même s'il avait été adopté dans tous les États membres par voie parlementaire ou référendaire, le traité constitutionnel serait resté un «acte d'hétéro-détermination» inapte à faire exister l'Union européenne comme un corps politique souverain se prononçant de manière autonome sur son devenir faute d'avoir été ratifié par l'ensemble des peuples européens selon une procédure uniforme. Il n'aurait pas marqué ce «saut qualitatif» si attendu dans la légitimation de l'édifice communautaire, la nature du pouvoir constituant demeurant intergouvernementale [21].

Cela conduit certains analystes à réaffirmer qu'il eût été préférable de se garder de la «tentation constitutionnelle», présente depuis les débuts de l'intégration européenne sous diverses formes mais qui a toujours échoué. C'est bel et bien «l'habillage constitutionnel» du traité proposé au vote en 2005 qui a selon eux été la raison de l'échec en déclenchant l'hostilité populaire [22]. Il convient certes de faire droit à la demande de sécurité identitaire et démocratique qui s'est exprimée dans

19. *Philippe Lauvaux*, «*Le modèle constitutionnel européen*», *dans Paul Magnette (dir.)*, La Constitution de l'Europe, *Bruxelles, Éditions de l'Université de Bruxelles, 2002, p. 21-29.*

20. *Renaud Dehousse*, «*Un nouveau constitutionnalisme?*», *dans Renaud Dehousse (dir.)*, Une Constitution pour l'Europe?, *Paris, Presses de Sciences Po, 2002, p. 19-38.*

21. *Christiane Landfried*, «*Le moment est-il venu d'élaborer une constitution européenne?*», *dans Renaud Dehousse (dir.)*, Une Constitution pour l'Europe?, *op. cit., p. 69-78.*

22. *Renaud Dehousse*, La Fin de l'Europe, *Paris, Flammarion, 2005, p. 76. Dehousse rejoint sur bien des points le chef de file de l'intergouvernementalisme libéral Andrew Moravcsik, qui défend le maintien au niveau du national des matières d'intérêt direct pour les citoyens, qui sont aussi celles qui produisent le plus de divisions. Voir Andrew Moravcsik, «Europe without Illusions», Prospect, 112, juillet 2005.*

les urnes, mais l'Europe doit pour cela s'articuler à l'État sans s'y substituer. Il conviendrait donc de maintenir la distinction entre les politiques dans lesquelles la recherche de l'efficacité domine, domaines où l'Europe peut se limiter à mettre en place des règles et des structures de coopération entre États (à l'exemple de la sécurité alimentaire) et les politiques qui visent à assurer une meilleure répartition des richesses et qui relèvent du national[23]. L'UE a vocation à rester un « gouvernement du compromis » marqué par la neutralité et rétif à la politisation[24]. En pratique néanmoins, la distinction entre politiques d'efficacité et politiques de redistribution apparaît de plus en plus ténue. Les problématiques de sécurité alimentaire lient ainsi inextricablement paramètres techniques et discriminations sociales. Et le maintien à l'identique de la machinerie communautaire fait fi du sentiment d'aliénation croissant des citoyens qui finit par menacer l'efficacité – et même l'existence – de la délicate mécanique institutionnelle des pères fondateurs.

L'argument de la fonctionnalité a été invoqué tant en faveur que contre une constitutionnalisation de l'Union. Les limites de cet argument s'illustrent à travers la place que finit par prendre la dimension symbolique de la loi fondamentale dans deux grandes pensées, celles de Jürgen Habermas et Joseph Weiler, qui convergent sur cette question en dépit de postures intellectuelles initiales bien distinctes. Habermas a consacré une bonne partie de son œuvre à réfléchir à la manière dont un État libéral et sécularisé peut se nourrir de présupposés normatifs qu'il serait lui-même incapable de garantir. C'est le problème de son éventuelle dépendance à des traditions éthiques préexistantes qui se pose. Selon le philosophe allemand, l'ordre démocratique peut fort bien s'accommoder de « présupposés faibles », c'est-à-dire issus de la délibération rationnelle et non fondés en substance par la nature ou la religion. Mais la condition pour cela, c'est que s'instaurent les formes communicationnelles requises (rationalité, valeurs partagées, langue de communication commune, confiance et solidarité permettant l'échange). Une constitution constitue le fondement de cet ordre démocratique à présupposés faibles que les citoyens se donnent à eux-mêmes. Cette constitution doit procéder de la mise en œuvre d'une délibération répondant aux normes de communication précitées[25]. Mais devant les critiques faites au caractère abstrait

---

23. *Renaud Dehousse,* Une Constitution pour l'Europe ?, op. cit., *p. 165.*
24. *Ibid., p. 180.*
25. *Jürgen Habermas, « Why Europe Needs a Constitution ? », dans Erik Oswald Eriksen et al. (eds),* Developing a Constitution for Europe, *Londres, Routledge, 2001, p. 19-34.*

et idéaliste de ce pari rationaliste, devant sans doute aussi les démentis apportés par la réalité, Habermas a fait de plus en plus place dans sa réflexion à des sources d'autorité éthiques externes pour accréditer un « sacré » constitutionnel, en premier lieu les religions [26]. Il évolue progressivement vers une conception d'une constitution européenne comme acte symbolique fondateur très proche des mystiques des origines entourant les chartes d'organisation des pouvoirs publics des États-nations, allant même jusqu'à invoquer l'opposition à l'altérité constitutive des États-Unis qui permet d'affirmer un « nous » européen [27].

Dans une perspective théorique différente, les travaux de Joseph Weiler illustre ce que l'on pourrait considérer comme un « retour du refoulé » inéluctable, à savoir la résurgence de la composante culturelle et affective de l'identité politique dans les schémas qui entendent le plus s'en émanciper. Weiler est un analyste internationalement reconnu de la hiérarchie des normes juridiques et des rapports entre droits et identité dans le processus d'intégration européenne [28], ce qui lui a permis d'esquisser une théorie générale de la nature et de la légitimité de l'UE comme ordre politique [29]. Il a notamment attaché son nom au principe de « tolérance constitutionnelle » qui caractérise selon lui l'intégration européenne. Cette formule renvoie au rôle vertueux du droit communautaire qui, faisant fonction d'un « au-delà » de la constitution nationale, oblige les peuples européens à s'extirper de leur particularisme. Le « fétichisme constitutionnel », qui conduit à investir son texte fondamental d'une valeur éthique supérieure liée à l'histoire singulière de sa communauté nationale et à faire ainsi du droit un vecteur d'affirmation ethnique, est circonscrit par la présence d'une source juridique supranationale qui oblige à la relativisation. Chaque citoyen européen est ainsi invité par le truchement de l'UE à se soumettre volontairement à une norme définie par un *demos* distinct de son groupe d'appartenance, ce qui favorise son émancipation politique. Au nom de cette « tolérance constitutionnelle », Weiler prend ses distances avec l'idée d'une constitution européenne qui priverait le modèle européen de sa flexibilité et des capacités d'adaptation en codifiant de façon trop rigide ses composantes.

26. Jurgen Habermas, «Religion in the Public Sphere», 2005, disponible sur le site Internet http://www.sandiego.edu.
27. Pour une analyse convergente des pérégrinations intellectuelles d'Habermas, voir Paul Magnette, Au nom des peuples. Le malentendu constitutionnel européen, Paris, Cerf, 2006, p. 138-147.
28. Joseph H. H. Weiler et Marlene Wind (eds), European Constitutionalism beyond the State, Cambridge, Cambridge University Press, 2003.
29. N. W. Barber, «Citizenship, Nationalism and the European Union», European Law Review, 27, 2002, p. 241-259.

Il y voit aussi le danger d'un transfert de sacralité entre le national et le supranational, la loi fondamentale européenne étant susceptible de cristalliser autour d'elle les illusions de supériorité éthique des valeurs européennes par rapport au reste du monde, retombant ainsi dans les travers du « fétichisme constitutionnel » dont il convient de se détacher[30].

Cette circonspection de Weiler à l'égard des dérives identitaires du droit entre cependant en contradiction avec une autre partie de son analyse. Avec beaucoup d'autres, il dresse en effet un diagnostic sévère du manque de légitimité politique de la construction européenne. Pour que le processus communautaire puisse se poursuivre, il doit impérativement pouvoir s'appuyer sur une intégration civique accrue. Une meilleure participation des citoyens dans la mise en débat des objectifs poursuivis passe par une définition renforcée d'une identité européenne inclusive, porteuse de finalités claires[31]. Cette identité européenne inclusive ne peut selon lui s'affirmer qu'en s'appuyant sur les valeurs fondatrices communes des Européens. La pièce maîtresse de ce patrimoine partagé, c'est le christianisme[32]. La tradition chrétienne marque déjà profondément, à en croire Weiler, les droits nationaux et donc le droit européen qui n'est que l'élucidation de ces derniers. Il suffirait d'envisager l'histoire et les problématiques de l'intégration européenne à la lumière des valeurs chrétiennes pour trouver le substrat commun pouvant servir de base à la légitimation de l'UE. De nombreuses questions peuvent d'emblée être posées sur le caractère partagé et inclusif de la matrice chrétienne et de ses potentialités en tant que ressource politique[33]. Mais le point essentiel que l'on retiendra ici est que, partant d'une vision neutre et instrumentale du droit européen comme contrainte vertueuse des peuples à se soumettre à un absolu moral émancipé de tout particularisme historique, Joseph Weiler en vient à le définir en référence à une religion et une tradition lorsqu'il s'agit de susciter de la participation. Il s'avère décidément bien difficile de se passer du citoyen et, dès lors que celui-ci est

---

30. *Joseph H. H. Weiler, « Fédéralisme et constitutionnalisme : le sonderweg de l'Europe »*, dans Renaud Dehousse, Une Constitution pour l'Europe ?, op. cit., p. 151-176.

31. *Joseph H. H. Weiler, « Idéaux et construction européenne »*, dans Mario Telo (dir.), Démocratie et construction européenne, Bruxelles, Éditions de l'Université de Bruxelles, 1995.

32. *Joseph H. H. Weiler*, L'Europe chrétienne ? Une excursion, Paris, Éditions du Cerf, 2007 [éd. originale 2003].

33. *Pour une étude plus approfondie sur ce point, voir François Foret, « Quels présupposés pour la démocratie européenne ? Regards croisés sur le rôle du religieux »*, Politique européenne, 19, printemps 2006, p. 115-139.

convié aux affaires publiques, identité, histoire et culture redeviennent très vite le matériau de l'échange politique.

Les référendums néerlandais et français du printemps 2005 ont illustré ce constat de manière frappante. Aux Pays-Bas[34], le gouvernement est soumis à une obligation légale d'informer ses citoyens de manière proactive sur ses politiques. Organiser une consultation sur le traité constitutionnel européen apparut comme une bonne solution pour ouvrir le débat, d'autant plus que les enquêtes d'opinion confirmaient le souhait de la population d'avoir à se prononcer et leur large prédisposition à voter oui. La campagne constitua un démenti flagrant des anticipations en montrant l'écart entre les élites et les masses sur l'Europe. Elle confirma les progrès de l'euroscepticisme porté dans les dernières années par des forces politiques aussi diverses que les populistes (Pim Fortuyn), les socialistes (Jan Marijnissen), les conservateurs (Geert Wilders) et les calvinistes (André Rouvoet), avec pour certaines un accès au gouvernement (les « fortuynistes » en 2002, les calvinistes en 2007). L'opinion publique hollandaise n'en reste pas moins favorable à l'intégration européenne, mais de façon conditionnelle et en en critiquant de plus en plus certains aspects. Un certain consensus règne dans la classe politique sur un allégement de la contribution des Pays-Bas au budget communautaire et un contrôle renforcé du Parlement sur les engagements de l'exécutif vis-à-vis de Bruxelles.

Parmi les principales raisons invoquées par les électeurs pour justifier leur rejet du traité figurent les craintes liées à un élargissement trop rapide et menaçant l'État-providence, la souveraineté et l'identité nationale. La difficile adaptation à l'euro constitue aussi un déterminant majeur de refus de cette Europe faisant une intrusion traumatisante dans le cadre de vie, sans discours explicatif suffisant pour lui donner sens. Les motivations du non se réfèrent donc bien à une appréciation de plus en plus réservée des bénéfices économiques de l'intégration. Mais elles découlent aussi et surtout de la non-réponse aux demandes adressées aux élites et au système politique sur le devenir du vivre-ensemble, sur les (supposées telles) limites de la solidarité nationale et du multiculturalisme, sur la gestion des migrations. L'analyse des discours politiques

---

34. Jo de Beus et Jeannette Mak, « European Legitimacy and Identity Through Unloking the Public Spheres of Nation-States. Questioning the Public Empowerment Thesis of European integration in the Dutch Case of Euroscepsis », Garnet JERP 5.2.1 Final Conference, The Europeans. The European Union in Search of Political Identity and Legitimacy, Florence, 25-26 mai 2007 ; Kees Aarts et Henk van den Kolk, « Understanding the Dutch "No" : The Euro, the East and the Elite », Political Science and Politics, 2006, 39, p. 243-250.

et médiatiques – sur la longue période comme pendant la campagne référendaire – montre que les acteurs politiques néerlandais s'attachent à restaurer le consensus national sur la conduite des politiques nationales et leur articulation avec la gouvernance européenne, mais sans proposer une refonte de l'identité collective susceptible de redonner une cohérence au vécu et au ressenti des citoyens. L'européanisation de l'action publique se poursuit et ses effets deviennent de plus en plus visibles, mais la rhétorique du pouvoir et des médias continue à traiter des affaires européennes sur un mode essentiellement dépolitisé. Les quelques tentatives d'élargir le débat autour des problèmes européens, comme lors des élections européennes de 2004 ou lors du scrutin de 2005 se révèlent même contre-productives. La participation lors des deux consultations est relativement haute, mais les campagnes tournent à l'avantage des forces politiques qui mettent en question les modalités de l'intégration [35]. L'Europe n'est considérée ni avant, ni pendant, ni après le référendum comme un enjeu décisif. Même les acteurs qui la critiquent le plus radicalement n'en font pas le cœur de leur corpus idéologique, préférant se concentrer sur l'immigration ou l'islamisation de la société. Les questions européennes furent quasiment absentes des élections parlementaires de novembre 2006, signe que le non, comme en France, eut peu d'effet sur la carte partisane. Restent donc le souhait exprimé dans les urnes au printemps 2005 par les Hollandais d'une défense des prérogatives nationales sur les dossiers culturels, sociaux et moraux et l'interpellation faite aux élites en charge de l'État sur leur responsabilité dans la gestion du devenir collectif et la manière dont elles en rendent compte.

Le cas français apparaît plus encore riche en enseignement de par l'ampleur des débats qui se sont développés autour de cette consultation électorale, de par aussi son caractère de «première» et ses implications politiques majeures. L'analyse du vote du non souligne une exigence de réarticulation du politique, du social et de l'économique. Dans ses versions les plus extrêmes, l'opposition au traité constitutionnel en France a produit un «discours mêlant antilibéralisme farouche, exaltation de l'État et discours nationaliste imprégné de xénophobie [36]». Forte attente

---

35. *Claes H. de Vreese et Andreas R. T. Schuck, «Le "non" néerlandais. Motivations de vote parallèles et apogée du nouvel euroscepticisme aux Pays-Bas», dans Philippe J. Maarek (dir.),* Chronique d'un «non» annoncé: la communication politique et l'Europe (juin 2004-mai 2005), *Paris, L'Harmattan, 2007, p. 193-207.*
36. *Dominique Reynié,* Le Vertige social-nationaliste, la gauche du non et le référendum de 2005, *Paris, La Table ronde, 2005, p. 15.*

de protection envers la puissance publique et euroscepticisme, éléments déjà présents lors du premier tour de l'élection présidentielle de 2002 et qui jouent en faveur de Jean-Marie Le Pen, se retrouvent lors du référendum de 2005[37]. L'Europe est prise à partie en tant qu'antichambre de la globalisation et que vecteur du libéralisme et de la concurrence, les groupements altermondialistes exerçant sur ces deux points une influence notable pour structurer l'agenda du débat[38]. Elle est aussi mise en procès dans le cadre d'une critique de la démocratie représentative dans son ensemble. Une partie des porte-parole du non affiche un rapport ambivalent au vote et aux partis, ce qui se traduit notamment par la défiance envers les institutions participant de la compétition électorale[39] (le positionnement d'Attac comme acteur politique non partisan a ici valeur d'illustration[40]) et le respect très relatif du résultat de précédentes consultations populaires dans d'autres pays[41]. La question de savoir s'il faut s'acheminer comme solution à la crise et réappropriation de la souveraineté vers une parlementarisation accrue de l'UE, en déclinant le modèle de légitimation des communautés politiques nationales, ou rechercher d'autres modes de régulation politique n'obtient pas de réponse consensuelle parmi les opposants au traité constitutionnel (pas plus que parmi ses promoteurs d'ailleurs). Par contre, la vigueur de l'affirmation nationale, voire nationaliste, est patente. Même les forces de gauche, traditionnellement moins à l'aise que la droite dans la période récente avec la référence nationale, y recourent en la colorant d'universalisme dans deux versions concomitantes. D'une part, la France se doit d'être aux avant-postes d'un mouvement populaire européen pour la revendication des droits sociaux, du fait de son histoire révolutionnaire et de son statut de peuple le plus politique d'Europe. D'autre part, en tant que grande puissance, elle doit être capable de faire entendre ses raisons à ses partenaires[42]. Cette réaffirmation d'une identité politique forte va de pair avec une territorialité prégnante. Le spectre des délocalisations qui a traversé toute la campagne, incarné occasionnellement par

37. Ibid., p. 22.
38. Ibid., p. 35.
39. Ibid., p. 266.
40. Éric Agrikoliansky, « Une autre Europe est-elle possible ? Les altermondialistes français et le traité constitutionnel européen : les conditions d'une mobilisation ambiguë », dans Antonin Cohen et Antoine Vauchez. (dir.), La Constitution européenne. Élites, mobilisations, votes, Bruxelles, Éditions de l'Université de Bruxelles, 2007, p. 209-236.
41. Dominique Reynié, Le Vertige social-nationaliste, op. cit., p. 268.
42. Ibid., p. 128.

le célèbre « plombier polonais » ou la « directive Bolkestein », témoigne des peurs suscitées par une économie de flux et la tentation des frontières protectrices. Selon la formule de Dominique Reynié, « l'histoire de l'Union que raconte la gauche du non est celle d'un ensemble qu'il faudrait rétracter, comme si l'on éprouvait confusément le désir de ramener l'Europe aux formes de la France, et parfois ce désir paraît cacher celui, plus profondément enfoui, de retirer la France du monde [43] ». Cette circonscription dans l'espace de la communauté politique souhaitable se teinte dans certains discours de xénophobie, à l'égard des pays des élargissements de 2004 ou à venir ou du reste de la planète [44]. Dimensions sociale et nationale se mêlent de manière inextricable, mais c'est tout de même envers l'intégration européenne que l'on réagit. Les peurs sociales que l'Europe suscite sont définies comme l'anticipation inquiète des conséquences sociales de l'Europe pour la France et les Français [45]. Il faut nuancer la spécificité de ce déterminant, et par là même relativiser l'importance de la conjoncture et de la campagne référendaire de 2005. La thématique sociale montait déjà en puissance dans les années antérieures, des dénonciations du dumping social et fiscal dans le débat préparant la ratification du traité de Maastricht en 1992 au slogan du parti socialiste lors des élections européennes de 2004 : « Et maintenant l'Europe sociale [46]. »

Le vote non lors du référendum de mai 2005 sur le traité constitutionnel a été porté par les couches populaires particulièrement exposées aux aléas de la concurrence d'économies ouvertes, mais aussi par des catégories sociales davantage éduquées et protégées, et il a recruté ses bataillons d'électeurs à gauche comme à droite [47]. Il a de ce fait valeur d'exemple des enjeux contemporains lorsqu'on en vient à parler de l'Europe politique, au-delà de sa présentation simplificatrice réduite à un clivage élites-masses. Participation selon des modalités diverses suivant le rapport aux institutions, objectivation et contrôle de la puissance, identité, territoire, rapport à l'autre : les ingrédients classiques du politique sont toujours présents, dans une configuration qui reste à labelliser.

43. Ibid., p. 74-75.
44. Ibid., p. 101 et suiv. La lecture que fait Reynié d'une dimension antisémite dans ces discours de la gauche du non semble par contre beaucoup moins convaincante.
45. Nicolas Sauger, Sylvain Brouard et Emiliano Grossman, *Les Français contre l'Europe ? Les sens du référendum du 29 mai 2005*, Paris, Presses de Sciences Po, 2007, p. 114 et suiv.
46. Ibid., p. 75.
47. Dominique Reynié, *Le Vertige social-nationaliste*, op. cit., p. 293-306.

La victoire du non lors du référendum de ratification du traité de Lisbonne le 12 juin 2008 en Irlande s'inscrit à beaucoup d'égards dans la continuité des épisodes néerlandais et français. Cet échec montre qu'il ne suffit pas d'éradiquer tout attribut constitutionnel et étatiste du texte pour gagner le consentement populaire. Les thématiques du débat n'ont pas été identiques et parfois rigoureusement inverses aux deux précédents. L'Europe fut stigmatisée dans le discours d'une partie de ses détracteurs pour être trop libérale sur la question des mœurs (avortement, homosexualité) et insuffisamment sur le plan économique (politique fiscale), mais ces problèmes apparaissent secondaires dans les enquêtes d'opinion post-scrutin [48]. Le manque d'information et surtout de compréhension des enjeux a été encore invoqué comme un déterminant majeur de la participation et du choix ; il constitue la première motivation pour voter non. La seconde motivation renvoyait à la peur pour l'identité nationale, suivie par la crainte sur la neutralité. Le raisonnement en termes d'intérêt national était le principal argument du oui, celui massivement avancé par les leaders politiques pour convaincre et par les électeurs pour expliquer leur vote, mais il ne s'est pas avéré suffisant. Les clivages socioéconomiques habituels se retrouvent entre groupes favorisés et populations qui se perçoivent plus menacées par les évolutions contemporaines dont l'UE est une facette parmi d'autres. Les jeunes et les femmes, deux bataillons de soutien historiques de l'intégration européenne que la communication communautaire s'attache en vain à reconquérir depuis quelques années, ont penché nettement vers le non. Une nouvelle fois, la dynamique de campagne a été déterminante et elle a très nettement tourné à l'avantage des adversaires du traité.

—— Recherche de nouvelles formes de contrôle du devenir collectif

Il s'agit de faire la part du conjoncturel et du pérenne dans la nouvelle donne résultant de l'échec constitutionnel européen, et de faire la part des données propres au débat relatif à l'intégration communautaire. Marc Abélès fait du 29 mai 2005 en France la traduction d'une mutation profonde du rapport au politique, mutation qui constitue une cause plutôt qu'une conséquence de la transnationalisation des structures de

---

48. «*Post-referendum Survey in Ireland. Preliminary Results*», Eurobaromètre Flash, *245, 18 juin 2008.*

pouvoir[49]. Le non au référendum sur le traité constitutionnel apparaît comme un vote préventif, inspiré par le «principe de précaution» qui prévaut désormais dans la consommation et l'innovation. Le texte proposait un certain nombre d'instruments nouveaux pour l'action politique au niveau européen, qui n'ont pas fait l'objet de l'essentiel des débats. Il soulevait en revanche un certain nombre de questions non résolues, et fut à ce titre perçu comme un vecteur accroissant les incertitudes pesant sur l'avenir collectif[50]. Au-delà de cet acte électoral de circonstance, c'est une demande politique d'une nouvelle nature que traduit ce scrutin. Le peuple demande désormais à ses élus d'être en permanence sur le qui-vive, face à toute forme de menace. Le mandat des gouvernants est avant tout d'éviter le risque, ce qui exclut toute initiative susceptible de provoquer une turbulence. Le changement est *a priori* perçu comme négatif, porteur de danger potentiel. Dès lors, les projets de transformation et la rhétorique mobilisatrice qui en découle sont voués à l'échec, et même à la stigmatisation. Abélès diagnostique cet état actuel, dont le 29 mai 2005 n'est qu'un épiphénomène, comme la «politique de la survivance».

La modernité a épuisé ses promesses, et sa connivence avec la politique qui s'était nouée depuis les Lumières s'est effilochée tout au long du XXᵉ siècle. Cette connivence s'appuyait sur une vision positive de la citoyenneté, conçue comme un vecteur d'émancipation individuelle et un moyen de participation à l'exercice d'un pouvoir collectif en mesure de conduire efficacement le progrès économique et d'en corriger les déséquilibres[51]. Mais si la science et la technique ont montré leurs accomplissements, elles ont aussi traduit leurs effets pervers. Les génocides, l'arme nucléaire, les crises énergétiques sont venues souligner les limites des contrôles de l'humanité sur son devenir et son environnement et les dévoiements de ses capacités. En découle un renversement radical du rapport au temps. Le futur est désormais trop incertain pour faire l'objet de prévision et suscite plus de défiance que d'espérance. Les sociétés développées se réfugient dès lors dans un présent tyrannique. Ce présent s'impose à l'avenir à travers l'exigence de tout mettre en œuvre pour la prévention des risques. Il structure aussi le rapport au passé en alimentant une inflation des dispositifs de commémoration, dans une recherche éperdue de la paix disparue d'un passé idéalisé[52].

49. *Marc Abélès*, Politique de la survie, *Paris, Flammarion, 2006, p. 94.*
50. Ibid., *p. 129.*
51. Ibid., *p. 21.*
52. Ibid., *p. 32-33.*

L'Europe politique, chef-d'œuvre de volontarisme rationaliste qui prétend fonder un marché commun et par extension un projet collectif fondé sur un calcul prospectif coûts-avantages, bouscule les références traditionnelles et engendre des interrogations supplémentaires. Sa capacité d'encadrement des risques apparaît inférieure à son potentiel de déstabilisation, et est donc synonyme d'aliénation.

Ce paradigme de la survivance place la préoccupation du vivre et du survivre au cœur de l'agir politique. Il s'oppose trait pour trait selon Abélès à celui de la «convivance», qui avait présidé à la construction des États-nations. La convivance désigne «l'être ensemble, l'harmonie synchronique réelle ou virtuelle comme visée prioritaire des êtres sociétaux [53]». Dans cette logique politique, l'individu est avant tout axé sur son intégration au sein de la Cité, cadre de régulation du vivre-ensemble et du rapport à l'environnement et au devenir. Abélès regroupe sous ce vocable l'ensemble des théories politiques classiques liées au cadre de l'État-nation, celles insistant sur les phénomènes de domination comme celles conférant un rôle essentiel à l'argumentation comme mode de résolution du conflit. Toutes ont en commun de présupposer l'existence réelle ou potentielle de communautés stables, communautés dont la préservation est la visée première des citoyens [54]. Cette préoccupation toute politique est aujourd'hui détrônée par les thèmes de la survie, déclinée notamment par l'importance attachée aux questions de sécurité : sécurité écologique, sécurité par rapport à l'ordre civil (délinquance), sécurité sociale (emploi et protection sociale).

Il faut se garder néanmoins d'opposer trop radicalement survivance et convivance, de théoriser la prédominance d'une «liberté des modernes» fondée sur la poursuite des intérêts privés, fut-ce dans une perspective de repli craintif sur soi, sur une «liberté des anciens» axée sur la participation à la Cité. Le principal intérêt de la conceptualisation d'Abélès est précisément de montrer que les racines du problème sont dans la dissociation de la survivance et de la convivance, et combien cette dissociation semble insoluble malgré les nouveaux modes de régulation qui s'ébauchent. Ce qui est en jeu, c'est la maîtrise symbolique du destin collectif et l'imputation de sa responsabilité à une entité bien identifiée. L'idée d'une puissance protectrice s'est longtemps incarnée dans la personne d'un détenteur du pouvoir de vie et de mort, ou plus récemment

---

53. Ibid., p. 12.
54. Ibid., p. 104-105.

dans un État-providence sécurisant la vie. Cette autorité tutélaire coïncidait avec la communauté politique. Les incarnations du peuple par le souverain et la représentation démocratique constituaient des modes plus ou moins directs de prise en charge du devenir. L'appartenance au groupe valait contrôle sur l'avenir. Avec la globalisation du politique et le désemboîtement des structures d'action et de représentation politique, la survie n'est plus sous le contrôle de la participation, elle s'autonomise.

L'État-nation n'est qu'une forme parmi d'autres d'articulation de la convivance et de la survivance. Dans ses pages les plus stimulantes, Abélès tire de sa culture d'anthropologue des exemples de sociétés pré-étatiques où la figure du roi thaumaturge concentre dans la souveraineté une surpuissance d'origine transcendante ou immanente pour la domestiquer. Le politique est le lieu de combinaison de la nature et de la culture pour assurer la pérennité de la vie. C'est cette surpuissance, attestée par la mise en scène de la démesure propre à la souveraineté, qui constitue la garantie de la reproduction de l'univers. En même temps, les humains ont prise sur la royauté, ils en contrôlent l'exercice en s'inscrivant dans un cadre rituel précis. Ils se donnent ainsi les moyens de maîtriser leur avenir. C'est ce processus qui produit les relations de pouvoir, et d'où émerge le politique[55].

L'État-nation offrait un avatar de ces modes de maîtrise du temps et des angoisses collectives. L'Europe vient le mettre à mal sans proposer pour l'heure des dispositifs alternatifs de réassurance et d'autocontrôle. Plus généralement, la globalisation du politique donne naissance à de grands rituels d'exorcisme : conférences mondiales sur l'environnement fonctionnant comme prise en charge du risque planétaire ; événements de charité illustrant la solidarité humaine face aux inégalités de développement, aux fléaux sanitaires et aux catastrophes naturelles. Ces nouveaux mécanismes propres à la politique de la survie se déploient à côté des dispositifs de souveraineté traditionnels. Ils restent largement dans la dépendance des États, mais mettent en même temps ces derniers sous contrainte en imposant une distribution inédite des pouvoirs et des ressources sur la scène internationale. Le rôle croissant des organisations non gouvernementales est le signe le plus fort de cette logique politique inédite[56]. Dans cette donne toutefois, la survivance reste dissociée de la convivance. La réaction mondiale face à la menace n'a pas d'incarnation

---

55. Ibid., *p. 135-155.*
56. Ibid., *p. 223 et suiv.*

symbolique. Les détenteurs des plus hautes responsabilités dans les organisations internationales ou les ONG sont sans visage aux yeux du grand public, et donc hors de contrôle. Quand la lutte pour les « grandes causes » est identifiée à une figure, c'est davantage à celle d'un artiste ou d'un généreux donateur que d'un dirigeant politique responsable devant les citoyens[57]. Les sources de la surpuissance continuent à échapper à la maîtrise collective. Les projets de restauration sous la forme d'une communauté politique mondiale restent du domaine de l'utopie, et ce ne sont pas ceux qui alimentent les aspirations politiques du plus grand nombre et les stratégies des acteurs.

Quelle conclusion tirer de cet état de fait, en tranchant notamment entre le possible du moment et le souhaitable, entre des besoins dont l'histoire semble montrer la nature anthropologique et la nécessité présente ? Selon Abélès, l'heure n'est plus à une « remise en ordre » qui passerait par la restitution au social de la maîtrise du pouvoir sous la forme d'un pouvoir dont l'aboutissement serait un Empire mondialisé, l'Europe n'étant alors qu'une étape vers cette fin. On est bel et bien sorti de cette logique, celle de la convivance, pour entrer dans celle de la survivance où les grandes notions de justice et de droit ne prennent sens que rapportées au risque et à la précaution[58]. Abélès en appelle de ce fait à un véritable changement de regard : « Mais peut-être est-il temps de modifier notre vision de la politique, obnubilée par la *recherche d'un lieu du politique surplombant et omnipotent*, alors que se met en place un ensemble de dispositifs qui minent la représentation de la souveraineté, soubassement traditionnel des pratiques de gouvernance occidentales[59]. » Le diagnostic d'Abélès a le mérite de souligner avec acuité l'ampleur des transformations à l'œuvre et la nécessité de s'émanciper du prisme étatique pour comprendre ce qui se passe au niveau européen et mondial. Faut-il pour autant en conclure que le changement de niveau de la politique découle en bonne partie d'un changement de sa nature ? La relativisation, ambiguë et un peu paradoxale dans la logique de l'auteur[60], des demandes anthropologiques de contrôle et de participation, peut susciter des réserves. La campagne référendaire a marqué une

---

57. Ibid., *p. 224.*

58. Ibid., *p. 219.*

59. Ibid., *p. 231.*

60. *Sur les postures analytiques de Marc Abélès à ce sujet, voir François Foret, « Anthropologie politique », dans Céline Belot et al. (dir.), Science politique de l'Union européenne, Paris, Economica, 2008.*

forte activité citoyenne et un désir d'affirmation de souveraineté populaire en même temps que de restauration de la capacité d'imputation de la décision. C'est bien une insuffisance de la convivance comme processus de mise sous contrôle de la survivance par une domestication de la puissance qui a été stigmatisée dans les urnes françaises. L'exigence de participation et de mise en responsabilité perdure, mais les modalités de son expression et de sa mise en œuvre ont considérablement changé. Facteurs de cette transformation, les mutations générales de la communication politique se doublent sur ce point des spécificités du système politique européen.

Chapitre 2

COMMUNIQUER L'EUROPE

L'UE n'abdique pas toute prétention à produire un grand récit analogue à celui qui sous-tendait la construction des États-nations. Elle s'y attache d'une manière particulière, contradictoire, non-constante et avec un succès très mitigé. Elle doit composer avec les facteurs de légitimation dominants de son temps : individu, société civile, marché, etc., qui rendent l'énonciation du collectif plus malaisée. Elle est à la fois sujet, objet et théâtre de conflits visant à définir la version du projet commun qui fera autorité et qui décidera de la dévolution des compétences, des ressources et des allégeances. Ce qui la distingue radicalement du scénario stato-national est que les entreprises de construction d'institutions et de communautés politiques entreprises dans la deuxième moitié du XXe siècle en Europe ne peuvent plus utiliser aussi facilement la violence physique et symbolique pour éliminer les résistances qu'elles rencontrent. L'intégration européenne n'en est pas moins, dans certains cas, synonyme d'imposition de pratiques, de valeurs et de comportements par la force de la loi, de la contrainte politique ou par l'exemple ou l'influence. Cela passe alors par un travail symbolique empruntant des formes inédites de discours et d'emblématisation ou mobilisant le langage des chiffres comme nouveau répertoire de persuasion/coercition. Des tendances lourdes à la standardisation peuvent donc être repérées dans certains secteurs de politique publique voire dans le domaine des mœurs, mais on n'est pas en présence d'un processus d'homogénéisation culturelle conduit par un centre visant à l'extinction de toute offre de sens alternative. Au plan institutionnel, les États restent les maîtres d'œuvre du système politique communautaire. Au plan sociologique, les élites nationales conservent leurs prérogatives qu'elles défendent jalousement. Les limites rencontrées dans la légitimation de l'Union européenne apparaissent donc résulter de la triple détermination des mutations intrinsèques de la communication politique, des effets de structure du modèle politico-administratif européen et de la logique des circuits de communication entre élites et masses.

La communication politique en mutation

L'anthropologie de la surmodernité propose, parmi beaucoup d'autres éclairages, une perspective utile pour comprendre en quoi les mutations du monde contemporain bouleversent les conditions de légitimation des ordres politiques. Georges Balandier est le père fondateur de l'anthropologie politique française et un théoricien de la décolonisation, auteur de la formule du «tiers-monde des peuples», en analogie au «Tiers État» de la France de l'Ancien Régime, formule qui fut universellement reprise pour désigner le nouvel ordre mondial [1]. Il défend l'idée que le «grand dérangement» à l'œuvre aujourd'hui représente un changement plus important encore que l'émergence d'une multitude de nouveaux États dans la seconde moitié du XXe siècle. La principale transformation, c'est la perte du «lieu», ce lieu matériel ou immatériel où s'ancraient un attachement communautaire, une histoire et une identité. Il revient à l'anthropologie, traditionnellement science de l'ailleurs et du lointain, d'éclairer et d'interpréter les conditions de ce déracinement [2].

La perte du «local», c'est aussi la perte du «global», compris comme le niveau du tout social cohérent. Pour reprendre les mots de Balandier, «il faut en finir avec les illusions, avec les certitudes qui affirment la solidarité des composantes d'un tout unifié, qu'il soit nommé "formation sociale" (société) ou "configuration culturelle" (culture) ou "unité politique" (État). L'holisme, façon savante de désigner cette prévalence du tout contre les éléments, tient encore moins sous l'épreuve des grandes transformations propres à la modernité mondialisante [3]». Les instances anciennement liées se dissocient. L'expansion de la puissance, la construction du réel par les médias, les effets de culture des industries

1. *Georges Balandier*, Le Grand Dérangement, *Paris, PUF, 2005, p. 2.*
2. Ibid., *p. 4.*
3. Ibid., *p. 12.*

culturelles, tout cela ne s'effectue pas solidairement et en entraînant le social dans le mouvement. « Ce qui est médiatisé par les dispositifs techniques, par les machines, se développe vite et gagne en dominance alors que la socialité concrète, les relations directes entre les personnes se défont[4]. » Dans cette ère de socialité faible, où la liaison est basée sur l'affinité fragile et toujours à la merci de la mobilité, l'homme est soustrait à toute définition forte. Sans plus guère de relation à la transcendance, quelle qu'elle soit, en rapport distendu avec ses communautés d'appartenance et les contraintes de longue durée que portent les institutions, il est difficilement classable[5]. À charge pour l'individu désormais de produire son propre sens et sa manière d'être au monde. Sa tâche est épuisante, car son environnement s'est vidé des symboles qui lui en donnaient naguère les clés. La tradition est de plus en plus vite touchée d'obsolescence, et le symbole qui y puise sa signification est dès lors privé de contenu. Il ne subsiste plus avec sa pleine efficacité que dans des espaces préservés où prévaut encore le temps long de l'initiation et de la répétition[6]. À l'inverse, le signe prolifère. Porteur de significations éphémères ou vulgaires (au sens où leur compréhension n'est pas soumise à un apprentissage), il se multiplie à l'infini pour exprimer des interdictions, orienter le mouvement, etc. Dupliqué dans son uniformité, il peuple des « non-lieux » définis uniquement par leur fonctionnalité et dénués de toute singularité[7].

La communication politique se trouve radicalement transformée par cette nouvelle économie du symbolique. La transfiguration du pouvoir par l'effet du symbole ou, en d'autres termes, l'affichage de sa démesure et de sa toute-puissance, ne disparaît pas mais se trouve cantonnée aux moments de célébration et de solennité protocolaire. Le symbole n'est plus l'outil quotidien du dirigeant, il se dégrade et se raréfie, quitte à resurgir avec force dans les moments de crise. Le gouvernant s'attache désormais davantage à afficher sa maîtrise des forces du changement, sciences et technologies. « C'est du pouvoir-faire et de ses résultats manifestes, du technicisme conquérant, qu'il tire ce qui supplée l'appauvrissement de sa composante symbolique[8]. » Ce qui laisse entières deux questions majeures, auxquelles Balandier ne s'aventure pas à répondre,

4. Ibid., *p. 14.*
5. Ibid., *p. 90-91.*
6. Ibid., *p. 77.*
7. Ibid., *p. 78. Voir aussi Marc Augé,* Non-lieux. Introduction à une anthropologie de la surmodernité, *Paris, Seuil, 1992.*
8. Ibid., *p. 98.*

même si le simple fait de les formuler suggère un « non » : la puissance vidée de transcendance peut-elle être civilisatrice, et non pas seulement une production inouïe de moyens inouïs ? Est-il possible d'adhérer à des « nouveaux commencements » successifs, issus du mouvement même de la surmodernité, sans le support d'une part de passé ?

Dans un livre précédent, Georges Balandier s'était attaché à préciser les évolutions des mises en scène du pouvoir[9]. Il y défendait l'idée que la logique reste la même – il s'agit toujours de démontrer sa puissance, d'afficher sa légitimité à exercer l'autorité et sa capacité à le faire – mais les moyens techniques et les conditions culturelles de cette démonstration sont radicalement nouveaux. Le gouvernant a à sa disposition des ressources techniques décuplées pour parler à tous et partout tout le temps. Mais cette potentialité de communication devient obligation. La possibilité de produire du sens doit être prise en charge, un silence valant message d'indifférence ou d'impuissance. Cette nécessité permanente du paraître engendre un État-spectacle[10] constamment en représentation. Le pouvoir n'est plus une figure lointaine qui se donne à voir à ses sujets à son gré dans le dispositif cérémoniel qui lui sied le mieux, à l'exemple du monarque réalisant une entrée triomphale dans sa bonne ville. Il doit incarner un interlocuteur de proximité, à l'écoute des citoyens et être disposé à répondre aux interpellations dont il fait l'objet sans en contrôler la teneur et l'origine. Faute de pouvoir segmenter son public de façon certaine quand il use des médias de masse, il doit aussi neutraliser son discours pour pouvoir faire sens auprès de toute son audience sans s'en aliéner une partie. On pourrait arguer que les dirigeants modernes sont loin d'avoir perdu tout contrôle des médias et que les nouvelles technologies esquissent de façon ambivalente un nouvel éclatement des publics, ce que l'exemple de la communication de l'UE permet de vérifier. Reste que le dessaisissement du politique des conditions de sa mise en scène est avéré. La technique permet autant qu'elle oblige.

Mais, plus fondamentalement encore, le changement culturel révolutionne le discours de pouvoir. Ce dernier a perdu bon nombre de ses justifications externes ancestrales : Dieu, l'histoire ou la nation. À l'ère démocratique, il ne se justifie que par l'adhésion des gouvernés, et cette adhésion est à renégocier sans trêve. Pour obtenir confiance et allégeance, l'ordre politique doit réaffirmer sa compétence, son efficacité

---

9. *Georges Balandier,* Le Pouvoir sur scènes, *Paris, Balland, 1992.*
10. *Roger-Gérard Schwartzenberg,* L'État spectacle : essai sur et contre le star system en politique, *Paris, Flammarion, 1979.*

et sa désirabilité. Faute d'un contenu prédéfini par la tradition ou la transcendance, il lui faut réinventer sans cesse les moyens de faire passer le message de sa légitimité. À l'opposé des sociétés traditionnelles aux rituels politiques fondés sur la reproduction et la répétition, le pouvoir de la surmodernité fonctionne au rythme des médias, où l'innovation et la recherche de l'inédit font loi. C'est ici que l'on retrouve la dégradation de la symbolique en communication. L'autorité contemporaine fonctionne toujours au mythe. Simplement les mythes d'hier ne font plus autorité, et ceux que l'on crée de toutes pièces ne durent guère. Il faut donc en produire sans cesse de nouveaux, pour renouveler les images qui sécurisent et protègent : celles de l'unité de la communauté, du rassemblement, de la représentativité.

La lutte de l'ordre et du désordre dont rendaient compte les mythologies et les rites du passé continue. Elle change simplement de nature en s'universalisant et en passant par les technologies modernes de dramatisation. Là où le rituel bien établi ouvrait des poches contrôlées de turbulence pour mieux la circonscrire par un mécanisme de catharsis, la surmodernité s'en remet à la capacité de séduction ou de forclusion des dirigeants. En découle une sorte de «liberté libertaire», qui laisse l'individu largement affranchi des tutelles des institutions, au risque de l'anomie ou de la soumission grégaire à la majorité du moment. L'enjeu de la communication devient alors la construction de l'opinion publique, tâche conflictuelle qui met en cause de façon croissante techniques et professionnels de l'information (journalistes, sondeurs, experts). Dans ce jeu, les leaders politiques ne sont plus désormais que des acteurs parmi d'autres, à la spécificité et à la supériorité incertaines, susceptibles d'être maîtres d'œuvre autant qu'objets de stratégies de contrôle du sens.

Individualisation et désinstitutionnalisation : telles sont les deux facettes de la transformation à l'œuvre de la nouvelle économie du symbolique. Comme l'a bien montré Erwin Goffman, l'individu est le nouveau principe de sacralité sous-jacent qui structure la relation sociale, la référence suprême. Il ne s'agit pas de comprendre celui-ci comme une monade isolée, mais d'analyser la façon dont il s'impose comme l'unité de structuration des interactions entre personnes du quotidien ou les rapports entre citoyens et institutions. Les multiples rituels de tous ordres qui maillent nos vies célébraient auparavant la collectivité. Ils renvoient désormais à l'individu lui-même [11]. C'est lui que l'on

---

11. *Erwing Goffman*, Les Rites d'interaction, *Paris, Éditions de Minuit, 1974*, p. 43, 85.

retrouve derrière la signification symbolique des pratiques sociales qui assurent l'intégrité du groupe. Cet individu érigé en référent ultime échappe de plus en plus aux tentatives de remodelage délibéré par l'autorité publique, tout en étant exposé à la surdétermination par ses groupes d'appartenance immédiats et les réseaux dans lesquels il est inséré. Or ces univers de socialisation et d'identification restent en bonne partie nationaux pour la majorité des citoyens. L'individu partiellement émancipé de l'État ne s'offre donc pas en toute disponibilité à l'Europe, il reste national.

Les communautés politiques, des univers d'interactions denses

L'Europe hérite de l'État cet individu toujours marqué par le national[12], sans disposer des moyens ni nourrir l'ambition de le refaçonner à sa propre aune. Un bref détour par la sociologie de la construction des États-nations permet de comprendre combien les logiques culturelles, sociologiques et politiques de l'intégration européennes sont différentes de ce modèle, mais connaissent néanmoins des tensions loin d'être inédites. L'examen des théories de la nation et du nationalisme – plus complémentaires qu'opposées sur l'essentiel[13] – souligne que le caractère inextricable des déterminations par l'économie, le projet politique et l'histoire n'est pas propre à la construction européenne, et que les trois dimensions ne cessent d'interférer et d'alterner comme facteurs de causalité et de justification. De la même façon, l'émergence d'un ordre supranational s'inscrit dans la continuité d'un processus d'arrachement de l'individu à ses groupes primaires et d'une nécessité croissante de maîtriser les codes symboliques d'une communication décontextualisée pour pouvoir affronter une mobilité fonctionnelle et sociologique sans cesse accrue. L'UE pousse simplement à son paroxysme la dématérialisation d'une domination à distance et l'intériorisation par les sujets des critères de l'intégration sociale. Le retour insistant à intervalles réguliers de la question du «donné» de l'Europe fait écho au débat sur les conditions

---

12. *Juan Diez Medrano*, Framing Europe. Attitudes to European Integration in Germany, Spain and the United Kingdom, *Princeton (N. J.), Princeton University Press, 2003.*
13. *Antoine Roger*, Les Grandes Théories du nationalisme, *Paris, Armand Colin, 2001.*

préalables nécessaires pour que le fait national puisse advenir. Même sans aller jusqu'aux thèses primordialistes, tous les courants d'étude de la nation et du nationalisme compris comme phénomène de conscientisation des masses reconnaissent bon gré mal gré que l'institutionnalisation d'une communauté politique sous l'égide de l'intelligentsia et de la bourgeoisie requiert la mobilisation de matériaux préexistants qui la conditionnent. L'entreprise est conjoncturelle dans ses finalités et contingente dans ses moyens, elle n'est en rien déterminée à l'avance. Elle ne peut cependant être conçue comme purement instrumentale au service des intérêts d'un groupe social particulier, et elle répond par ailleurs à une demande anthropologique de structuration du temps, de l'espace et du rapport à l'autre et à soi-même.

L'homogénéisation culturelle impulsée par le marché, portée par les élites et réalisée par les institutions est la dynamique fondamentale du développement stato-national selon l'approche «moderniste» aujourd'hui dominante. Ernest Gellner a bien montré comment le nationalisme est le produit d'un moment précis de l'histoire où les conditions sociales poussent les masses vers de hautes cultures standardisées soutenues par un pouvoir central, et plus seulement par un petit groupe d'entrepreneurs politiques [14]. C'est le système éducatif qui unifie la culture, comprise comme un système d'idées, de signes, d'associations, de modes de comportements et de communication. L'État devient alors un «toit politique pour la culture» et trouve sa légitimation première dans cette fonction. On passe d'un ordre social à positions fixes et échanges restreints à une masse anonyme et mobile où les statuts se renégocient en permanence à travers une multitude de petits contrats [15]. La culture nationale est le code symbolique commun qui permet la négociation de ces petits contrats. Sa connaissance est ce qui permet à l'individu d'évoluer dans cette sphère d'intelligibilité mutuelle. Dès lors, la détention partagée de ce code symbolique constitue la condition du bon fonctionnement de l'économie, du vivre-ensemble et de l'inscription dans l'ordre politique. Le patrimoine de significations, instrument de l'échange, est de plus en plus contraignant car il faut «coller» à la représentation standardisée de membres de la communauté portée par l'appareil d'État, et les différences entre membres de la communauté doivent être moindres que celles qui les

14. *Ernest Gellner*, Nations et Nationalisme, *Paris, Payot, 1989, chap. 5 [éd. originale 1983]*.
15. *Ernest Gellner*, Encounters with Nationalism, *Oxford, Blackwell, 1994, préface*.

distinguent des non-membres. Ainsi, la culture est une variable dépendante par rapport au marché et au pouvoir mais si nécessaire comme moyen et si institutionnalisée qu'elle en acquiert une importance et une autonomie comme finalité propre.

La mise en système par le pouvoir politique d'un stock de représentations dans le cadre d'un projet nationaliste finit par produire une «communauté imaginée» qui, pour immatérielle qu'elle soit, n'en produit pas moins des effets politiques bien réels. Cette vision d'un groupe politique uni par une camaraderie horizontale, souverain car doté d'une liberté et d'une volonté d'action commune, intrinsèquement limité sur le plan spatial et humain et se définissant donc par rapport à une altérité semble constituer, à travers la variété de ses formes et de son contenu, un invariant anthropologique [16].

Les approches ethno-symboliques [17] soulignent que les nations se comprennent aussi de par leur substrat culturel qui, s'il ne les détermine évidemment pas, les oblige en créant des conditions qui rendent possibles certaines choses et moins faciles d'autres choses. Il ne s'agit pas dans cette perspective de mettre au jour une tradition réifiée, une quelconque «essence» historique, mais de prendre acte que ce qui préexiste à une communauté politique contribue lourdement à l'informer. La nation se constitue à travers une autodéfinition croissante, entendue comme identification de sa population qui encourage la différenciation entre un «nous» et un «eux»; la production et l'entretien de mythes et de mémoires partagés; la territorialisation des attachements collectifs dans des frontières historiques reconnues; la création et la dissémination d'une culture publique distinctive de traditions, valeurs, symboles et connaissances; et enfin la standardisation légale consacrant le respect par le plus grand nombre de normes et coutumes communes. À cette aune, l'Europe n'aurait d'autre choix que de partir à la recherche de ses propres racines culturelles pour trouver la clé de sa légitimation [18].

Les analyses de la constitution des États-nations insistent pour la plupart sur ce que fait la culture davantage que sur ce qu'elle est. Ce

16. *Benedict Anderson*, L'Imaginaire national. Réflexions sur l'origine et l'essor du nationalisme, *Paris, La Découverte, 1996, p. 19 [éd. originale 1983].*
17. *Anthony D. Smith*, «The Genealogy of Nations. An Ethno-symbolic Approach», *dans Atsuko Ichijo et Gordana Uzelac (eds), When is the Nation?* Towards an Understanding of Theories of Nationalism, *Londres, Routledge, 2005, p. 94-112.*
18. *Anthony D. Smith*, «National Identity and the Idea of European Unity», International Affairs, *1, 1992.*

sont les processus de communication sociale qui sont constitutifs des communautés. L'intensification des interactions réduit le risque d'avoir recours à la violence et conduit à un certain niveau d'intégration. Karl Deutsch a plus particulièrement attaché son nom à cette théorie du « transactionnalisme », en l'appliquant tant aux niveaux national que supranational [19]. Selon Deutsch, ce qui s'est passé au sein des États se répète dans une certaine mesure entre les États. Les mécanismes de collaboration internationale rendent la guerre de moins en moins concevable par la densité des communications qu'ils suscitent. L'État-nation tend alors de plus en plus à s'insérer dans un vaste espace d'échange et de confiance qui devient une « communauté de sécurité ». Cette communauté de sécurité peut prendre deux formes : l'amalgame, par la fusion formelle d'unités initialement séparées dans une unité plus large (modèle fédéral notamment) ; la communauté de sécurité pluraliste, où les gouvernements des composantes maintiennent leurs entités légales distinctes et où l'intégration ne passe pas par la fusion ou la création d'une autorité supérieure. Les Communautés européennes qui naissent dans les années 1950 constituent un cas d'édification d'une communauté de sécurité par amalgame. Le développement de liens informels à partir d'interactions économiques et sociales entraîne des mécanismes d'apprentissage et des tendances sociopsychologiques à l'intégration mutuelle. Les élites s'attachent à institutionnaliser ces liens fonctionnels. La création d'une bureaucratie supranationale apparaît dès lors comme la résultante de mobilisations sociales transnationales préalables.

Pourtant, toujours à en suivre Deutsch [20], la comparaison avec l'émergence des États-nations risque fort de s'arrêter là. Il n'y a en effet pas d'engrenage mécanique entre l'intensification des communications et le renforcement d'allégeances communes. Les institutions internationales sont peu à même de faire naître dans le grand public des loyautés très fortes. Les fonctionnaires qui les peuplent manifestent, tant par nécessité que par habitude, une propension à communiquer d'abord avec les gouvernements plutôt qu'avec les peuples. Il est peu probable que ces

---

19. *La congruence des deux phénomènes se lit dans la succession des ouvrages principaux de Deutsch :* Karl Deutsch, Nationalism and Social Communication : An Inquiry into the Foundations of Nationality, *Cambridge (Mass.), MIT Press [1re éd. 1953, 2e éd. 1966] ;* Karl Deutsch et al., Political Community and the North Atlantic Area, *Princeton (N. J.), Princeton University Press, 1957.*
20. *Pour des discussions éclairantes des thèses de Deutsch, voir Ben Rosamond,* Theories of European Integration, *Basingstoke, Palgrave Macmillan, 2000, p. 41-49 ; Dario Battistella, « L'apport de Karl Deutsch à la théorie des relations internationales »,* Revue internationale de politique comparée, *10 (4), 2003, p. 567-585.*

organisations suscitent une participation politique directe des citoyens porteuse d'un transfert cognitif et affectif tel qu'il permette d'envisager la fusion des États existants. Au contraire, le danger est de voir l'action publique apparaître de plus en plus éloignée des attentes des populations dans un système trop vaste pour être efficace, et les élites se fermer sur elles-mêmes. Par conséquent, les allégeances aux nations ont toute chance de résister, voire même de se renforcer. En résumé, la densification des interactions entre sociétés et individus sous la pression des évolutions économiques peut bien donner naissance à des institutions encadrant la coopération, cela ne signifie pas pour autant que ces institutions cristalliseront une culture commune et deviendront des matrices identitaires si les conditions socioculturelles ne sont pas réunies et un véritable projet politique allant en ce sens n'est pas à l'œuvre.

L'Union européenne telle qu'elle existe depuis les origines n'offre pas toutes les garanties de son potentiel à reproduire l'engrenage des intérêts sur le terrain des allégeances, bien au contraire. La conceptualiser comme une consociation d'États permet de préciser la façon de penser l'articulation des élites, des institutions et des identités. La consociation est le modèle politique[21] forgé à partir du cas des petits pays européens marqués par des conflits confessionnels et de fortes traditions parochiales. Le système politique de ces sociétés s'organise alors autour des « segments » historiques, sous-sociétés basées sur des valeurs partagées et des réseaux denses d'organisations sociales (syndicats, dispositifs d'assistance mutuelle, écoles, etc.) sous le leadership d'un parti politique qui a la charge de la défense de leurs intérêts spécifiques. La consociation est donc la continuation politique logique de cette organisation sociale en segments. Les élites des différents segments sont engagées dans une constante négociation pour élaborer un compromis dans la répartition des biens communs. Ce mode de régulation s'oppose à la perspective démocratique majoritaire qui postule confrontation et alternance au pouvoir des partis politiques et des forces qu'ils représentent.

Pour appliquer ce modèle de consociation au vaste territoire différencié de l'UE[22], il faut considérer que les segments sont constitués par les États membres. C'est en effet à l'État qu'il revient d'organiser et de

---

21. *Arend Lijphart,* Patterns of Democracy : Government Forms and Performance in Thirty-Six Countries, *New Haven (Conn.), Yale University Press, 1999 ; Arend Lijphart,* « Consociational Democracy », *dans Vernon Bogdanor (ed.),* The Blackwell Encyclopedia of Political Science, *Oxford, Blackwell, 1991.*
22. *Olivier Costa et Paul Magnette,* « The European Union as a Consociation ? A Methodological Assessment », *West European Politics, 26 (3), juillet 2003, p. 1-18.*

défendre les intérêts de sa sous-société nationale dans le système politique et social européen. L'UE constitue alors un édifice interétatique qui va fonctionner selon la logique consociative classique, conçue pour gouverner de manière stable et pacifique des ensembles sociaux très hétérogènes. Dans ces agencements institutionnels, la prise de décision repose sur un gouvernement de coalition entre élites des différents segments, le pouvoir étant réparti en fonction de la taille de la population que représentent ces élites. Chaque élite dispose d'un droit de veto, ce qui assure à chaque segment que ces intérêts fondamentaux ne seront pas violés. Au quotidien, le bon fonctionnement du système repose sur la recherche permanente du compromis et la culture du consensus qui caractérise ces élites. On retrouve à bien des égards cette logique à l'œuvre dans les institutions de l'UE entre élites politiques représentant les États membres, et même entre fonctionnaires communautaires.

Dans cette configuration, le développement des contacts directs entre les masses constituant les différents segments n'est pas requis. Au contraire, il peut être à bien des égards contre-productif. Les échanges transsegments sont en effet susceptible de fragiliser la régulation « par en haut ». Des communications généralisées pourraient relativiser les accords passés entre élites, et à terme mettre en danger l'architecture globale du système en minant la représentativité de ces dernières et l'autorité des décisions de compromis qu'elles élaborent, voire en ouvrant de nouvelles lignes de division plus fortes que celles qui séparent les segments. Dès lors, les dispositifs de nature consociative à l'échelon de systèmes fonctionnels régionaux peuvent tendre à renforcer plutôt qu'à atténuer les clivages dans la « société des nations [23] ». Le développement d'échanges transnationaux à l'échelon subétatique va faire l'objet de résistances des élites plutôt que d'encouragements. Ces élites sont en effet partagées entre deux motivations contradictoires : d'une part, étendre les ressources et les compétences du niveau supranational dans le but d'accroître les gains de leur propre segment-État ; d'autre part, protéger l'intégrité et l'autonomie de leur segment-État. Le développement des échanges inter-sociétaux diminuerait la capacité des élites à contrôler ce qui se passe au niveau supranational pour arbitrer entre ces deux motivations contradictoires. En outre, la dilution des clivages entre segments amoindrirait leur autorité, qui repose sur leur capacité à revendiquer la représentativité de communautés distinctes et bien définies.

---

23. Paul Taylor, « *Consociationalism and Federalism as Approaches to International Integration* », dans A. J. R. Groom et Paul Taylor, Frameworks for International Co-operation, *Londres, Pinter, 1994.*

Un brouillage des divisions internes à la consocation renforcerait les élites supranationales au détriment des élites nationales, ce qui explique les réticences de ces dernières à toute avancée excessive en termes d'intégration. C'est la logique même du modèle consociatif d'être foncièrement conservateur sur le plan identitaire. En poussant jusqu'au bout le raisonnement, on en arrive à l'hypothèse (amplement illustrée dans les chapitres suivants) que le « déficit démocratique européen », découlant en partie de la trop faible européanisation de la communication politique, est à examiner à la lumière des postures défensives des élites nationales jalouses de leurs prérogatives lorsqu'il s'agit de concourir à la constitution d'un « *demos* européen ». L'UE ainsi définie serait donc intrinsèquement limitée dans sa recherche d'un grand récit légitimant sous la forme d'une identité européenne. Elle travaillerait par ailleurs à relativiser les identités nationales dans la mesure où la négociation permanente pour élaborer le compromis entre États-segments postule des passions politiques apaisées qui permettent de vivre ses appartenances de façon distanciée. C'est toute la place de la culture en politique qui est systématiquement minorée dans cette architecture consociative[24], ou en tout cas la prétention de la culture à trouver des affirmations politiques fortes et inconditionnelles. Dans les configurations nationales restreintes qui sont la terre d'élection des consociations, l'articulation élites-masses se fait essentiellement par l'entretien de réseaux corporatifs et/ou clientélistes au niveau local. Ces arrangements ne sont plus opérants, ou en tout cas plus suffisants, dans de grands ensembles telles que des organisations internationales. L'UE comme consociation d'États ne suscite donc pas d'identité européenne, mais elle circonscrit en outre l'expression des identités nationales sans proposer de structures de communication équivalentes entre élites, masses et institutions.

Les modèles alternatifs pour penser les formes politiques produites par l'intensification des interactions dans le contexte de l'intégration européennes rencontrent tous la même difficulté à lier les flux de sens et les structures de domination. Philippe Schlesinger l'a montré dans ses travaux pionniers sur les États-nations[25] et l'Europe[26] comme espaces

---

24. *Daniel-Louis Seiler,* Les Partis politiques, *Paris, Armand Colin, 2000, p. 69-70 [2ᵉ éd.].*

25. *Philip Schlesinger,* Media, State and Nation : Political Violence and Collective Identities, *Londres, Sage, 1991.*

26. *Philip Schlesinger, « Babel of Europe ? An Essay on Networks and Communicative Spaces », dans Dario Castiglione et Cris Longman (eds),* The Public Discourse of Law and Politics in Multilingual Societies, *Oxford, Hart Publishing, 2004.*

communicationnels depuis une vingtaine d'années. La communauté nationale autour de l'État reste centrale dans la production, la diffusion et la réception des messages politiques, mais les aires culturelles sont de plus en plus travaillées par des forces externes, sous la pression des forces économiques, des migrations humaines, des dispositifs bureau-cratiques internationaux ou des technologies. Une solution est alors de penser l'État moins comme un contenant fermé du politique mais davan-tage en termes de réseaux. L'arène communicationnelle européenne serait elle-même pensée comme une forme de réseau de réseaux. La métaphore a été utilisée avec un succès certain pour décrire ce qui se passe dans le domaine de l'action publique, mais elle peine à rendre compte du travail à l'œuvre sur le plan des représentations collectives. Si elle décrit efficacement les réagencements des structures, des acteurs et dans une certaine mesure des pratiques, elle ne dit pas grand-chose sur l'évolution des identités. La notion de réseau présente également l'inconvénient d'être conçue comme un système de collaboration et non de compétition. Elle semble exclure la prise en compte des conflits iné-vitablement liés à toute entreprise politique, qu'il s'agisse de conflits au sein d'un réseau ou de conflits entre réseaux. Pour pallier ces travers, Schlesinger suggère de mettre l'accent de façon complémentaire sur les «publics» qui peuplent ces réseaux. Il est possible de distinguer différents types de publics selon leur implication dans la délibération et la prise de décision européenne, des «publics forts institutionnalisés» (comme le Parlement européen) aux «publics faibles» informels qui existent uni-quement en référence à un problème précis (comme les individus assemblés pour une conférence de citoyen, ou à l'extrême l'électeur lambda lors d'une élection européenne). On peut alors tenter de comprendre comment l'UE favorise le développement d'interactions d'intensités inégales qui créent des identifications différenciées selon les groupes sociaux. Cela permet de réintroduire les dynamiques sociologiques dans l'analyse. Cela n'élude pas le constat que les institutions conservent une centralité fonc-tionnelle et la capacité de cristalliser les significations sociales latentes et que, parmi ces institutions, ce sont les États qui conservent le plus grand magnétisme comme pôles de pouvoir, d'agrégation des intérêts et d'attraction des allégeances et identifications.

——— L'idée d'Europe à travers l'histoire

L'idée d'Europe a toujours été davantage un contenant qu'un contenu[27]. Elle s'est le plus souvent trouvée associée avec la haute culture des élites d'une part, avec les États plutôt qu'avec une visée politique autonome d'autre part. Tels sont les points saillants qui ressortent d'une brève histoire de cette ressource politique quand elle est mobilisée pour donner sens et forme au développement des interactions à l'échelle continentale.

L'idée d'Europe comme schème culturel prend corps entre le Xe et le XVe siècle. Elle n'acquiert cependant progressivement pertinence sur le plan politique qu'à partir du XVIe siècle, au moment où le christianisme perd sa capacité unificatrice du fait de la Réforme et des guerres de religion. La Renaissance et les Lumières offrent alors les bases alternatives pour une nouvelle identité séculière. La Révolution française constitue l'aboutissement de ce processus, en marquant l'effondrement symbolique du christianisme en tant que système politique de portée continentale, même si ce dernier continue à alimenter certaines formes d'affirmation d'une identité européenne comme l'humanisme chrétien ou certains courants antisémites[28]. S'il n'est pas possible de dégager des invariants dans la multitude des stratégies discursives prenant l'idée d'Europe pour objet à travers les âges, on peut néanmoins constater qu'elles tendent toutes à s'articuler autour des mêmes points nodaux : la frontière de l'Est fonctionnant comme ligne d'exclusion (des invasions, de l'Empire ottoman, de la Russie, de l'orthodoxie) et de fermeture davantage que d'inclusion, avec comme conséquence une «occidentalisation» de l'Europe (ou réduction à sa partie ouest) ; la relation à l'Islam comme un «autre constitutif», nonobstant la présence et les apports de la civilisation arabe sur le sol européen ; la centralité de Rome comme source d'identification ou de rejet.

Autre constante, l'idée européenne est la matrice d'un discours d'hégémonie émanant des élites[29]. Elle entretient en effet des relations inégales avec les quatre grandes structures qui sous-tendent les identités collectives et leurs idées régulatrices, à savoir l'État, l'économie, la culture, la société[30]. Elle a dans la longue durée eu partie liée avec l'État

27. *Rémy Brague,* Europe, la voie romaine, *Paris, Criterion, 1992.*
28. *Gerard Delanty,* Inventing Europe. Idea, Identity, Reality, *New York (N. Y.), Saint Martin's Press, 1995, notamment chap. 5 : «Europe in the Age of Modernity», p. 65-83.*
29. *Gerard Delanty,* Inventing Europe, op. cit., *p. 7.*
30. *Ibid., p. 9-10.*

(thématique de l'unité centrée autour du modèle de l'entente entre États sous différentes formes, questions de sécurité), avec l'économie (intérêt économique comme moteur essentiel des relations entre États et du processus d'intégration), avec la culture (culture scientifique et techno-logique, haute culture ou culture officielle que tentent d'inventer les institutions européennes). Mais l'idée européenne a été rarement associée avec la société. Elle reste cependant liée, selon Delanty, à une notion de communauté morale et politique ancrée dans les imaginaires comme fin postulée de l'histoire. Le désir de communauté est au centre de tous les grands systèmes intellectuels européens, du christianisme au commu-nisme en passant par les utopies de la Renaissance et le nationalisme. Cet « impératif grégaire » s'attache normativement aussi à l'identité euro-péenne lors même qu'elle n'a jamais été sociologiquement du côté des masses et qu'aucun acteur institutionnel n'est habilité et disposé à mettre en œuvre une ingénierie culturelle efficace[31] pour en faire l'appartenance de référence. La situation contemporaine s'inscrit donc dans la continuité de l'histoire. L'idée d'Europe fonctionne toujours comme vecteur de légi-timation. Elle est parfois perçue comme une idéologie hégémonique au service d'un petit groupe d'États et, dans ces États, des populations les plus favorisées au détriment des périphéries[32]. Mais elle reste un nom qui évoque un point transcendant au-delà de l'État-nation, une mystique spatiale aussi bien qu'un mythe de l'histoire protéiforme, et c'est à ce titre qu'elle est récupérée par une multitude de discours[33]. Elle constitue une référence d'autant plus puissante qu'elle n'a pas de sens précis, et renvoie à une entité ultime qui exige que l'on soit pour ou contre, sans dire en quoi consiste être pour tout en rendant très difficile d'être contre.

Les institutions européennes ne se sont pas fait faute de tenter d'employer l'idée d'Europe dans leur entreprise de justification de leur projet politique. L'usage qu'elles en ont fait reste cependant marqué par

---

31. Ibid., *p. 128.*

32. Ibid., *p. 142-143.*

33. *Après avoir brillamment montré que l'idée d'Europe est historiquement associée aux élites et aux États, Delanty s'appuie sur les apories actuelles de la légitimation de l'UE pour défendre un cosmopolitisme radical prenant la forme d'associations momentanées de citoyens sur base de leurs intérêts et en appelant à un nouveau principe de souveraineté politique dépassant les tentatives anti-démocratiques de bâtir une communauté politique européenne à la mode nationale. Il est permis de suivre son analyse historique sans adopter son diagnostic qui néglige le caractère incontournable du fait institutionnel qu'il a pourtant ample-ment démontré. Pour un prolongement de sa réflexion, voir Gerard Delanty et Chris Rumford,* Rethinking Europe : Social Theory and the Implications of Euro-peanization, *Londres, Routledge, 2005.*

une prudence chronique, et confirme à la fois la séduction qu'exerce le concept et son incapacité à officier comme matrice identitaire autonome et exclusive. L'invocation d'une identité européenne par les Communautés date des années 1970[34]. Auparavant, c'est uniquement en termes d'intégration fonctionnelle que le débat s'énonce ; s'il est parfois évoqué l'opportunité de développer la «conscience européenne», l'identité ne constitue pas un enjeu. Tout change avec la crise économique qui pousse les États à intensifier leur coopération pour renforcer leurs moyens d'action. Le renforcement du discours de légitimation devient alors un impératif qui suscite une série d'initiatives de nature intergouvermentale. La déclaration du sommet de Copenhague en décembre 1973 dresse un cadre très général toujours en vigueur ; le rapport Tindemans sollicité par le Conseil européen insiste en 1975 sur la fin de l'époque héroïque de la construction européenne menée par quelques pionniers, et sur la nécessité de convaincre désormais le citoyen, mais reste sans effets directs malgré la préconisation de mesures d'inspiration principalement utilitaristes (passeport commun, amélioration des droits du consommateur européen, etc.). Le résultat mitigé des premières élections européennes au suffrage universel direct de 1979 et 1984 avec une participation déclinante et un agenda de campagne essentiellement national incite à de nouvelles dispositions. Le Conseil européen mandate le comité Adonnino, dont les travaux aboutissent notamment en 1985 à la création d'une symbolique européenne : hymne, drapeau, fête de l'Europe. Le succès modéré de ces signes va marquer les limites d'une telle entreprise identitaire[35]. On assiste alors dans le discours institutionnel à la fin des années 1980 et au cours des années 1990 à un reflux de la notion d'identité au bénéfice de celle de «déficit démocratique» et d'une rhétorique empruntant davantage à la terminologie technocratique de la communication qu'au registre du *nation-building*. Le processus constitutionnel occasionnera un bref réveil des ambitions lyriques de célébration d'une Europe politique enracinée dans sa culture et son histoire, mais l'extinction de toute ambition trop marquée devant les résistances nationales sera visible dans la rédaction finale du préambule, avant que l'échec des ratifications confirme le retour imposé à la modestie.

---

34. Bo Strath, «*EU Efforts at Creating a European Identity : 1973 and beyond in Historical Light*», WP-RSC, 68, 2000 ; Cris Shore, Building Europe. The Cultural Politics of European Integration, *Londres, Routledge, 2000.*
35. *Voir chapitres 5 et 6.*

Les politiques européennes entre identité et efficacité

La déclinaison en politiques publiques sectorielles de la notion d'identité européenne confirme la tension entre deux postures simultanées et contradictoires des institutions communautaires. D'une part, elles sont toujours tentées de se doter de signifiants forts pour augmenter la reconnaissance qu'elles obtiennent et gagner l'allégeance du grand public. D'autre part, elles sont enclines à dépolitiser au maximum leur message pour ne pas s'attirer les foudres des États membres ou d'autres acteurs, et à le retraduire dans le langage du marché en le rationalisant en termes économiques pour l'inscrire dans la dynamique de l'intégration par l'engrenage des intérêts. Les politiques européennes de la culture, de l'éducation et de l'audiovisuel offrent des exemples intéressants de ce dilemme, des exemples particulièrement significatifs parce qu'ils renvoient à des domaines clés de la construction des appareils d'État et de la nationalisation des masses.

L'action communautaire en matière culturelle commence véritablement au milieu des années 1980 par une série de mesures ciblées menées par la Commission qui a tiré les leçons de l'inefficacité des grandes déclarations de principes de la décennie précédente. Les initiatives concernent essentiellement la protection de l'héritage artistique, la traduction, la formation artistique, etc. Les « capitales européennes de la culture » constituent sans doute la mesure la plus emblématique de ces dispositifs qui restent fragmentés, financés de manière très réduite, sans lien direct avec l'intégration européenne et focalisés sur la haute culture [36]. Une nouvelle phase s'ouvre avec le traité de Maastricht en 1992 qui, en compensation des avancées de l'intégration sur le terrain économique et en complément de celles sur le terrain de la citoyenneté, affermit la base légale de la politique culturelle européenne (article 128 du traité de Maastricht qui deviendra l'article 151 légèrement modifié dans le traité d'Amsterdam). Ce faisant, le nouveau traité crée aussi des sauvegardes qui préviennent toute extension des compétences de Bruxelles en la matière qui ne rencontrerait pas le consensus des États membres. L'insistance par le traité d'Amsterdam sur la promotion de la diversité des cultures réaffirme la circonscription du périmètre d'initiative concédé à la Commission et au Parlement européen. Ces deux

---

36. *Tobias Theiler,* Political Symbolism and European Integration, *Manchester, Manchester University Press, 2005, p. 59-60.*

institutions n'en maintiennent pas moins leur stratégie en soutenant la valorisation de l'héritage européen (ce qui ne va pas sans polémiques occasionnelles mais est moins explosif que le contemporain, signe que la culture européenne se vit de nouveau plus facilement au passé). Elles favorisent en particulier le développement de réseaux culturels, qui ont l'avantage d'être totalement en phase avec le discours de mobilité et d'échange de l'Europe sans frontières, et l'inconvénient de toucher une audience confidentielle, d'être dotés d'une faible pérennité et largement déconnectés de la construction d'une identité européenne productrice d'effets politiques[37].

La donne n'est pas très différente concernant l'action communautaire en matière éducative. Le calendrier est le même. Le début de la décennie 1970 résonne de discours emphatiques faisant écho à la déclaration de Copenhague. Ainsi, le rapport For a Community Policy on Education, rédigé en 1973 par un groupe d'universitaires coordonné par l'ancien ministre belge de l'Éducation Henri Janne, inspire pour longtemps les entreprises européennes dans ce domaine de compétence. Sous l'impulsion enthousiaste du commissaire allemand Ralf Dahrendorf, la Commission décline en 1976 des préconisations sur l'apprentissage des langues étrangères, les échanges, la mise en réseau des institutions éducatives, la reconnaissance mutuelle des titres scolaires, etc. Dès ce stade cependant, il n'est plus question de promouvoir une quelconque identité européenne, les États ayant clairement signifié leur hostilité fondamentale à toute ambition de la Commission sur ce point[38]. La seconde étape prend place au milieu des années 1980 dans le cadre de la réouverture du chantier de la légitimation des Communautés. C'est à cette date que sont lancés les programmes phares que sont Erasmus (1987) favorisant la mobilité étudiante, Lingua (1989) soutenant l'apprentissage des langues étrangères et Youth for Europe (1988) qui encourage les échanges de jeunes pour des objectifs variés. Ces programmes sont étendus et complétés au milieu des années 1990 en étant intégrés dans l'architecture commune de Socrates. Ces réalisations sont importantes et deviennent des vitrines volontiers mises en avant pour leur valeur symbolique par la Commission. Cette dernière a cependant dû accepter pour les mettre en œuvre des budgets bien inférieurs à ses demandes initiales et restreindre considérablement leur portée au moment de les mettre en pratique[39].

---

37. Ibid., p. 68-71.
38. Ibid., p. 117.
39. Ibid., p. 120-121. À titre d'exemple, Lingua était conçue au début comme une réforme de l'enseignement des langues touchant le primaire et le secondaire, mais des pays (Allemagne et Royaume-Uni) se sont opposés formellement à

Erasmus a pu se développer parce que sa formulation et sa mise en pratique ont garanti aux États les plus inquiets que c'était la convergence et non l'homogénéisation qui était visée, et que le changement serait mené dans et selon les cadres nationaux existants, en préfiguration des méthodes « molles » de coordination des années 1990[40]. Mais le plus grand échec, perceptible dès ce moment-là et qui ne sera pas résorbé par la suite, porte sur la très faible européanisation du contenu des programmes scolaires. Les quelques timides initiatives de Bruxelles en la matière n'ont guère d'impact au-delà de la tenue de conférences de sensibilisation des milieux enseignants à la nécessité de davantage parler d'Europe. Ce sont les autorités nationales qui contrôlent sous une forme ou une autre les programmes et elles font très mauvais accueil à tout ce qui s'apparente à une intrusion européenne en la matière. L'exemple le plus éclatant est le projet de manuel d'histoire européen. Cet ouvrage, écrit par douze auteurs de onze pays différents et publié en 1992 en seize langues, est déjà en deçà de ses prétentions initiales à produire une vision homogène du passé du continent puisque les différentes versions nationales ont dû être aménagées pour respecter les susceptibilités. Finalement, il est refusé comme support pédagogique officiel pour usage scolaire dans la plupart des États membres, ce qui le prive de sa principale raison d'être[41]. La Commission européenne qui soutenait le projet à ses débuts s'en était rapidement distanciée devant les polémiques qu'il rencontrait[42]. On retrouve plus globalement dans le domaine éducatif une stratégie d'autoprotection par restriction des instances communautaires. Somme toute, les tentatives binationales de réécriture en commun de l'histoire, à l'instar des manuels franco-allemands réalisés depuis 2006, se montrent plus audacieuses dans l'harmonisation des contenus et davantage couronnées de réussite en termes de diffusion[43].

La discrétion persistante de la dimension européenne dans le contenu des enseignements est confirmée par des études qualitatives qui montrent

toute intrusion dans le primaire, et l'application dans le secondaire a été laissée à la discrétion de chaque État.

40. *Anne Corbett*, Universities and the Europe of Knowledge. Ideas, Institutions and Entrepreneurship in European Union Higher Education, 1955-2005, *Basingstoke, Palgrave Macmillan, 2005, p. 118-148, p. 190.*

41. *Thomas Theiler*, Political Symbolism and European Integration, op. cit., *p. 122-125.*

42. *Jude Bloomfield, «The New Europe: a New Agenda for Research?», dans Mary Fulbrook (ed.),* National Histories and European History, *Boulder, Westview Press, 1993.*

43. *Catherine Rollot, «Français et Allemands écrivent ensemble l'histoire de l'Europe»,* Le Monde, *10 avril 2008.*

que la méfiance envers toute «propagande européenne» amène à privilégier un apprentissage du transnational par la pratique et l'expérience à une inculcation autoritaire de l'allégeance à l'entité communautaire[44]. L'Europe enseignée par les manuels scolaires reste profondément marquée par l'État-nation d'origine des auteurs auquel elle doit ressembler sans le concurrencer[45], deux désirs qui peuvent devenir contradictoires. La présentation largement dépolitisée du processus d'intégration permet de l'inscrire dans un autre ordre de réalité que l'État-nation et donc d'éviter à avoir à articuler trop précisément les deux modèles. Si l'on se réinscrit dans la longue durée, le prisme stato-national est certes de plus en plus transgressé par la pédagogie des manuels scolaires depuis les années 1970, avec la reconnaissance croissante de sujets de l'histoire (classes sociales, communautés transnationales, individus) autres que les autorités politiques, mais cet élargissement des grilles de lecture du passé ne fait de l'intégration européenne qu'une dimension transversale d'une transformation beaucoup plus générale[46]. Il faut sans doute d'ailleurs nuancer les effets de socialisation à l'Europe que l'on peut attendre de l'école. Les sociologues ont en effet bien montré que l'institution éducative pouvait renforcer le conditionnement de l'enfant par ses groupes primaires d'appartenance (et notamment la famille) mais pas se substituer à ces derniers et encore moins aller à leur encontre[47].

Même Erasmus, véritable symbole générationnel d'une Europe sans frontières, prête à débat dès lors que l'on tente d'évaluer ses retombées politiques et sociales. Quelques études existant sur le sujet suggèrent qu'un séjour universitaire à l'étranger ne se limite pas à une simple phase d'apprentissage d'une langue étrangère pour améliorer son employabilité (même si cela fait partie intégrante des objectifs du programme et – le plus souvent – des étudiants qui choisissent de partir), mais que cela n'en fait pas pour autant un vecteur explicite de construction d'une identité

44. Hélène Baeyens, Les Stratégies de socialisation scolaire à l'unification européenne : une dynamique saisie à partir des programmes et manuels scolaires de géographie, d'histoire et d'éducation civique des années 1950 à 1998, thèse, IEP de Grenoble, décembre 2000. Voir notamment le chap. 3 : «Des années 1950 aux années 1980 : une socialisation scolaire à la CEE entre ajustement spontané et volontarisme confidentiel».
45. Ibid., chap. 5 : «La construction européenne au miroir de l'habitus national».
46. Hanna Schissler et Yasemin Nuhoglu Soysal, «Teaching beyond the National Narrative», dans Hanna Schissler et Yasemin Nuhoglu Soysal (eds), The Nation, Europe and the World. Textbooks and Curricula in Transition, New York (N. Y.), Berghahn Books, 2005, p. 1-9.
47. Annick Percheron, «L'école en porte-à-faux. Réalités et limites des pouvoirs de l'école dans la socialisation politique», Pouvoirs, 30, 1984, p. 15-28.

européenne. L'hypothèse serait plutôt, dans le meilleur des cas, le renforcement d'une citoyenneté duale. Les jeunes qui partent reviennent en majorité avec un sentiment accru d'être Européen, mais aussi avec une conscience et une fierté plus aiguisées de leur appartenance nationale pour avoir vécu la situation d'étranger et avoir mesuré la spécificité de leur patrimoine culturel sur lequel ils portent un regard à la fois plus positif et plus critique[48]. Au cours du séjour hors des frontières nationales, plusieurs strates d'expérience semblent se superposer[49]. Dans un premier temps, l'étudiant voyageur recherche la compagnie de ses homologues de son institution d'origine puis de ceux qui partagent la même langue (ce qui ne signifie pas toujours de la même nationalité) pour faire face ensemble aux défis de l'adaptation dans le pays d'accueil. Ces réseaux de solidarités et d'échange s'étendent ensuite, davantage sur le registre de la sociabilité, aux étudiants Erasmus d'autres provenances qui ont aussi en commun la situation d'étranger. Enfin, le dernier temps de l'intégration, qui ne survient pas toujours, consiste à reconstruire une appartenance à des catégories « indigènes » : étudiants de la même filière à l'université, etc. Des codes communs faits d'adaptations mutuelles et d'hybridations linguistiques et culturelles s'élaborent, surtout entre « les Erasmus ». Les distances s'érodent, les liens se créent, sans que cela signifie nécessairement qu'une catégorie identitaire globale et pérenne se dégage au-delà de l'expérience partagée.

Le programme semble ainsi renouer avec une grande tradition européenne d'éducation par le voyage, celle de jeunes gens privilégiés ou d'intellectuels nomades recherchant un accomplissement culturel et esthétique plus que des retombées concrètes[50]. Erasmus est aussi pleinement en phase avec l'esprit d'une modernité réflexive qui fait porter à l'individu la responsabilité croissante de sa propre réussite et porte à son passif tout ce qu'il ne fait pas pour y parvenir. La mobilité est l'un de ces impératifs contemporains qui jalonnent le chemin de la réalisation de soi, avec ce qu'elle implique de gains et de sacrifices à la charge du sujet. Erasmus s'inscrit dans cette recherche d'affirmation individuelle par le changement de lieux. L'expérience est vécue avant tout comme

48. *Elise Langar*, The European Union : Erasmus in Paris, *New York (N. Y.)*, *Nova Science Publishers, 2001, p. 93.*

49. *Melissa Härtel*, « *Erasmus*" ou la construction d'un espace culturel européen », Euryopa, 42, mai 2007 ; *Patricia Kohler-Bally*, Mobilité et plurilinguisme. Le cas de l'étudiant Erasmus en contexte bilingue, *Fribourg, Éditions universitaires, 2001.*

50. *Vassiliki Papatsiba*, Des Étudiants européens. « Erasmus » et l'aventure de l'altérité, *Berne, Peter Lang, 2003.*

une quête initiatique d'autonomie et d'enrichissement individuel. Les bénéfices escomptés en termes de professionnalisation passent au second plan[51]. Le rapport de l'étudiant au pays d'accueil reste en partie marqué par le modèle «touristique» (focalisation sur la haute culture, relatif isolement social[52]) et conserve une certaine extériorité, avec le risque non négligeable que la perception des autochtones évolue négativement du fait d'épisodes négatifs ou d'illusions déçues[53]. Au final, sur le plan sociopolitique, la confrontation à la diversité culturelle est un acquis incontestable mais dont les effets restent très complexes à apprécier. Cela conduit souvent à un renforcement de sa conscience et de sa fierté nationales du fait d'avoir vécu chez «l'Autre» et d'avoir été traité comme tel par les populations locales, du fait aussi d'avoir misé sur la solidarité de ses compatriotes expatriés[54]. L'influence d'Erasmus en faveur de la constitution d'une génération d'Européens dotés d'attributs communs et d'une conscience de groupe est donc incertaine, et plus encore sa contribution à l'émergence de leaders politiquement engagés en faveur d'une Europe démocratique active[55].

Sur ce bilan, la formule Erasmus a été reconduite dans la continuité de ses apports et de ses limites. Un récent rapport commandité par le Parlement européen[56] évaluait pour la période 2000-2006 les avancées vers un espace européen d'éducation. Les financements Erasmus, loin de toucher les 10% des étudiants européens qui étaient l'objectif initial, bénéficient à environ 3% d'entre eux. L'augmentation du budget sur 2007-2013 ne le met en aucun cas à la hauteur des ambitions affichées. Pour pleinement mesurer l'impact du programme, il conviendrait néanmoins de prendre en compte les effets indirects de la mobilité étudiante sur son pays d'accueil comme sur son pays de départ. Le développement des échanges, même minoritaire, pousse en effet au renforcement d'une

51. *Commission européenne (report by Ulrich Teichler and Friedhelm Maiworm),* «*The Erasmus Experience. Major Findings of the Erasmus Evaluation Research Project*», *Luxembourg, Opoce, 1997, p. 199-200.*
52. Vassiliki Papatsiba, Des Étudiants européens, op. cit., *p. 134-139.*
53. Ibid., *p. 264.*
54. Ibid., *p. 117, 186 et suiv., 171 et suiv.*
55. *Il serait ainsi très instructif et passablement complexe de mesurer dans la longue durée l'impact de l'expérience Erasmus sur la réussite professionnelle et surtout sur l'engagement politique et associatif en faveur de l'Europe. Il faudrait pour cela faire la part des autres critères qui prédisposent au choix d'aller étudier à l'étranger et qui renforcent l'orientation ultérieure vers le supranational, comme le milieu socioprofessionnel, une histoire familiale cosmopolite ou un militantisme avéré.*
56. *Center for European Policy Studies, «Citizenship & Education Policies – Value for Money?», Bruxelles, Parlement européen, 2006, p. 7.*

culture de l'ouverture et de la transparence dans le monde de l'éducation. Près de deux mille quatre cents universités ont ainsi signé la charte Erasmus qui les engage sur un certain nombre de principes à respecter pour s'ouvrir à l'international. De manière plus prosaïque, les experts conviés à réfléchir aux dispositions ayant le meilleur rapport sur investissement ont suggéré que les bourses accordées aux étudiants ne semblent pas être un élément décisif pour les encourager à partir à l'étranger. Elles couvrent en effet bien moins qu'avant les frais liés à l'expatriation (90 % en 1990-1991 contre un peu plus de la moitié à la fin des années 1990), et n'ont pourtant pas rebuté les bonnes volontés (même si 20 % des partants déclarent que leur départ les place dans de grosses difficultés financières et que peu de données sont disponibles sur l'effet d'éviction sociale qui peut éloigner certaines populations du départ). Des propositions ont donc été faites pour jouer surtout sur la réduction des obstacles non économiques à la mobilité, en insistant sur la reconnaissance des acquis académiques dans d'autres pays, la diffusion de l'information, etc. Allant encore plus loin, l'hypothèse a été émise dans une autre étude suscitée par le Parlement [57] qu'une « mobilité virtuelle » par le truchement des nouvelles technologies pourrait remplacer à moindre frais le déplacement physique et favoriser tout autant l'expérience interculturelle, consolidant ainsi la citoyenneté européenne (le même rapport dénonçant par ailleurs les apories d'une politique de citoyenneté active ayant misé largement sur Internet). Une « internationalisation dans son propre pays » est aussi mentionnée comme un outil particulièrement efficient sur le plan budgétaire. Enfin, il est déploré le caractère conservateur des politiques suivies consistant à continuer à miser sur les étudiants du fait de la visibilité et de la popularité du programme, lors même que l'encouragement de l'envoi d'adultes à l'étranger dans le cadre universitaire serait plus en phase avec la stratégie d'éducation tout au long de la vie pour bâtir une société de la connaissance [58]. Il ressort de ces propos, reflétant fidèlement certains débats en cours dans les milieux européens [59], que l'expérience Erasmus est très loin d'être considérée comme une réussite inconditionnelle sur le plan du vécu des

---

57. *Ute Lanzendorf et Ulrich Teichler, « La mobilité des étudiants », Bruxelles, Parlement européen, 2005, p. 46.*

58. *Center for European Policy Studies, « Citizenship & Education Policies », op. cit., p. 14.*

59. *Voir aussi à cet égard Jacqueline Brown et Victoria Joukovskaia, « The Bologna Process : Member States' Achievements to Date », Parlement européen, 2 avril 2008.*

étudiants, sans pour autant que les États membres s'engagent pour changer la donne. Même la valeur symbolique forte de cette éducation à l'Europe, en écho au rôle qu'ont pu jouer dans la constitution de la nation le mythe de «l'école de la République» en France ou l'idéal intellectuel d'«Oxbridge» en Grande-Bretagne, ne la met pas à l'abri des remises en cause au nom du réalisme budgétaire et des impératifs managériaux de performance.

La politique audiovisuelle constitue un dernier exemple d'action européenne en faveur de la constitution et du renforcement d'une communauté d'interactions à l'échelle du continent. Dans ce secteur[60], contrairement à la culture et à l'éducation, les premières initiatives communautaires n'émergent véritablement qu'au début des années 1980, moment où les technologies paraissent pouvoir jouer un rôle notable dans la construction d'une identité européenne. Il est d'abord tenté, dans le cadre de l'Union européenne de radiodiffusion, de mettre en chantier au stade expérimental des chaînes de télévision paneuropéennes. Eurikon (1982) constitue un échantillon de programmes télévisuels soumis à des panels choisis par les producteurs, mais le projet tourne vite court du fait des réactions négatives de l'audience et de multiples problèmes juridiques et financiers. L'échec est encore plus retentissant pour Europa TV (1984-1985), une chaîne là encore produite par les télévisions publiques mais qui a cette fois vocation à être disponible pour le grand public, même si sa diffusion est *de facto* réduite pour des raisons techniques. Le verdict est le même, et Europa TV est rapidement victime de ses difficultés en termes d'administration, de budget et d'audience. Le soutien politique fait défaut pour porter à bout de bras cette entreprise que ses visées didactiques et ses ambitions culturelles exigeantes condamnent en termes commerciaux. Mais les chaînes privées qui essaient de se construire sur une base paneuropéenne au cours des années 1980 disparaissent de même ou se replient sur un marché national.

Ces ratés marquent l'ouverture d'une nouvelle stratégie de la Commission européenne en matière audiovisuelle. Du soutien à d'improbables médias européens, on passe à l'encouragement à l'européanisation des productions audiovisuelles et surtout à leur circulation. Le programme Media qui démarre fin 1986 vise à rendre les œuvres de chaque pays

---

60. Thomas Theiler, Political Symbolism and European Integration, op. cit., p. 87-112 ; Jean-François Polo, «La politique audiovisuelle européenne : de l'incantation de l'identité européenne à la défense de la diversité culturelle», dans François Foret et Guillaume Soulez (dir.), «Europe : la quête d'un espace médiatique ?», Médiamorphoses, 3 (12), 2004, p. 82-85.

plus accessibles aux autres par le recours au doublage ou au sous-titrage, afin de développer la familiarité entre les cultures sans chercher l'harmonisation. La Commission appuie de même des programmes hors cadre communautaire comme Eureka (1989-2003) et Eurimages, qui s'attachent à favoriser les coproductions, tout en exprimant officieusement ses réserves sur les résultats d'une telle démarche. C'est tout le référentiel de la politique européenne de l'audiovisuel qui change, et la directive Télévision sans Frontières adoptée pour la première fois en 1989 en est l'expression paradigmatique. Il s'agit pour l'Europe de créer un marché interne unifié et de se doter d'une politique extérieure commune. Cette position est déterminée largement par opposition : les États-Unis, et à un degré moindre les pays d'Asie, sont érigés en « Autre » culturel hégémonique dont il faut se protéger (et il s'agit ici surtout – d'une manière croissante – de préserver les cultures nationales davantage qu'un fonds commun européen), et surtout en concurrents économiques et technologiques. En bref, la politique audiovisuelle suit la même évolution que les politiques en matière de culture et d'éducation en se coulant dans l'ornière de l'intégration par les mécanismes de l'économie et en reprenant les thèmes de mobilité et d'échange de préférence à ceux renvoyant à la construction d'une identité partagée. Cela représente une tactique beaucoup moins exposée politiquement, dont les résultats sont contrastés. De l'extérieur, l'Europe se définit comme un espace médiatique à travers l'exception culturelle qui fait figure de rempart contre l'extension d'une logique totale de marché. Les réglementations ont favorisé l'harmonisation des standards techniques et la convergence des formats médiatiques autour de quelques modèles de référence partagés[61] (sur la durée des fictions par exemple). Le type de contenu des émissions tend à se rapprocher par la circulation de concepts déclinés selon les contextes nationaux (même si ces concepts et ces formats ne sont pas nécessairement originaires d'Europe et ne s'y cantonnent pas). Des médias transnationaux existent, mais ils sont la plupart du temps spécialisés[62], s'adaptent au moins en partie aux spécificités nationales et touchent un public ciblé

---

61. *François Heinderyckx,* L'Europe des médias, *Bruxelles, Éditions de l'Université de Bruxelles, 1998.*

62. *Arte représente une exception intéressante de projet intergouvernemental généraliste ambitieux, porté à bout de bras par le politique et qui a permis d'inventer une pratique journalistique et programmatique qui n'annonce pas la naissance d'un média européen, mais montre plutôt comment « l'étranger » peut être graduellement intégré dans le prisme national sans traumatisme. Voir Jean-Michel Utard,* Arte. L'invention d'une télévision européenne, *Strasbourg, Presses universitaires de Strasbourg, 2008.*

résolument élitiste[63]. Les programmes s'adressant à une audience transfrontalière ou diasporique ne sont pas à négliger mais ne touchent que des minorités et contribuent peu au renforcement d'une communauté européenne. De manière générale, une multitude d'études confirment que le prisme stato-national reste l'unité de base de l'Europe médiatique, tant pour l'audiovisuel que pour les autres supports[64]. Les quelques rituels télévisuels paneuropéens comme les compétitions de football ou l'eurovision[65] sont frappés d'un sens culturel stigmatisant qui les assimile à une culture populaire peu valorisée (même si en pratique les catégories socioprofessionnelles favorisées s'y adonnent également...) et concourent au moins autant à la réactivation des appartenances nationales qu'au renforcement d'une identité européenne.

63. *Dominique Marchetti (dir.),* En quête d'Europe. Médias européens et médiatisation de l'Europe, *Rennes, Presses universitaires de Rennes, 2004 ; Olivier Baisnée et Dominique Marchetti, «Euronews, un laboratoire de la production de l'information européenne», dans Virginie Guiraudon (dir.), «Sociologie de l'Europe : mobilisations, élites et configurations institutionnelles»,* Cultures et conflits, *38-39, 2000.*

64. *Guillaume Garcia et Virginie Le Torrec (dir.), «L'Union européenne et les médias. Regards croisés sur l'information européenne»,* Cahiers politiques, *Paris, L'Harmattan, 2003 ; Olivier Baisnée,* La Production de l'actualité communautaire. Éléments d'une sociologie comparée du corps de presse accrédité auprès de l'Union européenne, *thèse, Université de Rennes-1, 2003 ; Deirdre Kevin,* Europe in the Media, *Londres, Lawrence Erlbaum Publishers, 2003 ; Martin Gleissner et Claes H. de Vreese, «News about the EU Constitution : Journalistic Challenges and Media Portrayal of the European Union Constitution»,* Journalism, *6 (2), 2005, p. 221-241.*

65. *Philippe Le Guern, «Entre sentiment national et culture globale. Le concours de l'Eurovision de la chanson», dans Dominique Marchetti,* En quête d'Europe, *op. cit., p. 105-129.*

Chapitre 3

INCARNER ET ORDONNER L'EUROPE

es dynamiques de l'Europe politique se comprennent de façon privilégiée à travers les logiques de rôles de ses principales figures de proue que sont les commissaires, les députés et les fonctionnaires européens. La notion de rôle, développée particulièrement par Erwing Goffman[1], désigne l'ensemble des attitudes et des comportements spécifiques dictés au détenteur d'une fonction sociale, ici celle d'incarnation de l'Europe. Elle renvoie aux attributs de cette fonction que sont les compétences, les ressources et les obligations de son détenteur. Mais elle recouvre aussi les attentes des autres acteurs à l'égard du titulaire de cette fonction. L'intérêt de la notion de rôle est double. Elle permet de mettre en exergue l'interaction entre la part codifiée du rôle, le comportement institutionnalisé qui obéit à un certain nombre de règles, et l'interprétation singulière qu'en fait celui qui l'exerce selon ses propres valeurs et intérêts. Il est ainsi possible de faire la part de la contrainte et de l'initiative dans la conduite de l'individu et du groupe. Par ailleurs, le rôle souligne la dimension théâtrale de toute activité sociale. Il s'inscrit en effet dans un répertoire global en fonction duquel il prend sens, comme dans un scénario de film. Il a une double dimension ostentatoire, à destination des autres et de soi-même, ainsi

---

1. *Erwing Goffman*, La Mise en scène de la vie quotidienne, *Paris, Éditions de Minuit, 1979.*

que l'a bien montré Goffman. Chaque acteur doit assumer son rôle vis-à-vis d'autrui, le donner à voir, le jouer de manière visible pour prendre sa place dans l'ordre social, politique et institutionnel. Mais il doit aussi l'assumer vis-à-vis de lui-même, l'endosser à ses propres yeux pour se distancier des comportements que sa fonction l'oblige à adopter, condition nécessaire pour éviter l'aliénation.

Il s'agit ici de comprendre comment les acteurs européens se saisissent de leurs fonctions en même temps qu'ils sont saisis par elles, et les processus par lesquels ils s'exposent au grand public pour produire une représentation de l'ordre politique européen. On commencera par caractériser les principaux rôles communautaires en inventoriant leurs déterminants internes et externes, avant d'étudier la manière dont ils s'articulent (ou non) en un rituel global. Le protocole européen, mise en scène et ordonnancement du système de pouvoir supranational, cristallise en les exacerbant les rapports de puissance et les interactions entre dirigeants communautaires *stricto sensu* et gouvernants nationaux. L'analyse de ce cérémonial renvoie à l'image d'un ordre européen qui s'institutionnalise avec une certaine autonomie, mais qui demeure durablement dominé.

—— Les grands rôles politiques européens

La lecture du rôle politique effectif des responsables politiques communautaires – en premier lieu les commissaires européens – et de leur capacité à incarner l'Europe découle très directement du prisme d'interprétation global de l'intégration dans lequel on s'inscrit. Les tenants d'une intégration toujours dominée par les États s'attacheront à minorer le poids des commissaires. Les partisans de la thèse de l'engrenage postulant une dynamique autonome de la construction européenne leur accorderont une marge d'influence, sans pour autant en faire des acteurs déterminants puisque l'enchaînement mécanique des intérêts est supposé se suffire à lui-même. Finalement, les appréciations portées par les différents courants des études européennes sur ces « entrepreneurs supranationaux informels », pour reprendre la formule de Moravscik, ne diffèrent pas radicalement. Ces derniers manquent des ressources politiques classiques dont disposent les dirigeants nationaux : le contrôle de l'agenda et des ressources financières, l'appel au suffrage universel, la capacité de coercition, etc. Leurs seules armes sont donc les idées et l'information, ce qui fait qu'ils vont évoluer essentiellement dans le registre de la persuasion. Ils peuvent exercer une fonction d'initiative, en identifiant des problèmes à résoudre et en formulant des pistes d'action. Ils peuvent encore de par leur position institutionnelle s'ériger en médiateurs pour construire des coalitions et favoriser le compromis. Ils peuvent enfin accompagner et susciter la mobilisation de soutiens dans les États membres pour faire pression sur les dirigeants nationaux ou les seconder. Mais ces entrepreneurs supranationaux restent intrinsèquement limités par leur incapacité à invoquer avec succès les valeurs suprêmes, une identité transcendante mobilisatrice. Ils ne sont pas les porte-parole les plus légitimes et les plus entendus de l'Europe, laissant ce rôle aux gouvernants nationaux. Dès lors, ils ne sont en mesure de peser sur le choix des États que dans des circonstances exceptionnelles [2].

Cela est vrai même de ceux qui, à l'instar de Jacques Delors, ont semblé constituer des figures de leadership. Delors a laissé au sein de la Commission le souvenir d'un président fort, dont l'aura médiatique rejaillissait de manière valorisante sur une institution traditionnellement mal aimée et sur ses fonctionnaires. Son bilan dans la gestion de l'administration, tâche dans laquelle il s'est peu investi, est néanmoins perçu de manière beaucoup plus mitigée [3]. Sur le plan externe, il a indiscutablement renforcé le statut de président de la Commission sur le plan politique et dans l'espace public, celui-ci étant désormais traité de la même manière qu'un chef d'État sur le plan protocolaire. Delors a su à l'occasion jouer des médias pour peser sur la décision des dirigeants nationaux. Lors du Conseil européen de Milan en juin 1985, il aurait ainsi poussé Bettino Craxi, alors président en titre du Conseil, à soutenir l'adoption du livre blanc préparant le Marché unique en 1992 en le provoquant par presse interposée [4]. Pourtant, il a manifesté le plus souvent une certaine réticence à en appeler directement aux citoyens par-dessus la tête de leurs représentants nationaux. Peu à l'aise avec les audiences généralistes, il préférait s'adresser avec un discours spécialisé à des publics ciblés tels que les syndicats, le patronat ou les intellectuels, dans la plus pure tradition de la communication européenne. Ses rares tentatives d'adopter une rhétorique « attrape-tout »

---

2. Andrew Moravcsik, « A New Statecraft ? Supranational Entrepreneurs and International Cooperation », International Organization, 2 (53), 1999, p. 271.
3. Charles Grant, Delors, architecte de l'Europe, Chêne-Bourg, Georg, 1995, p. 149 et suiv.
4. Alain Rollat, Delors, Paris, Flammarion, 1993, p. 276.

et émotionnelle n'ont guère été concluantes[5]. Au niveau politique, il a subi aussi de nombreux échecs, notamment dans les dernières années de son mandat. Surtout, son héritage apparaît bien précaire, preuve de la faible institutionnalisation du rôle de président de la Commission. Les gouvernants nationaux qui gardent le contrôle de la nomination à ce poste lui ont explicitement choisi un successeur avec un profil beaucoup moins affirmé en la personne de Jacques Santer, et ceux qui ont suivi n'ont pas retrouvé la même envergure politique. Romano Prodi a été l'instrument d'une restauration du pouvoir de la Commission dont même les États membres reconnaissaient la nécessité. Il nourrissait l'ambition de personnaliser et de politiser sa fonction mais s'est heurté à des obstacles structurels et a dû se circonscrire à un périmètre prédéterminé par l'agenda politique de l'UE, faute d'avoir pu se construire un profil public fort et d'avoir fait émerger une idée motrice pour servir de contrepoids et levier aux réformes internes qui visaient plutôt à consolider et mettre en cohérence une organisation amoindrie[6]. Dans l'histoire de l'institution, les présidents « forts » ont alterné avec les présidents « faibles », les premiers étant moins nombreux que les seconds et n'étant pas en mesure de constituer un capital politique cumulatif[7].

À l'avenir, des éléments nouveaux peuvent venir modifier la donne, sous réserve que les dispositions du traité de Lisbonne entrent en vigueur. Le renforcement de l'onction démocratique du président de la Commission[8] par le Parlement européen lui fournit une nouvelle légitimité, en même temps que cela l'expose à de nouveaux risques. La réduction des commissaires à un nombre correspondant aux deux tiers de celui des États membres à compter de 2014 peut aller en faveur d'une émancipation encore accrue des logiques nationales puisque toutes les capitales n'auront plus « leur » commissaire. La question est cependant apparue sensible lors de la campagne précédant le non irlandais en juin 2008. C'est un facteur d'affaiblissement potentiel si certains grands pays

5. *Helen Drake*, Jacques Delors. Perspectives on a European Leader, *Londres, Routledge, 2000, p. 17.*

6. *Dionyssis G. Dimitrakopoulos (ed.)*, The Changing European Commission, *Manchester, Manchester University Press, 2004.*

7. *Helen Drake*, Jacques Delors, op. cit., *p. 87-124.*

8. *Suivant les nouvelles dispositions, le président de la Commission est élu par l'Assemblée européenne à la majorité de ses membres, sur proposition du Conseil européen statuant à majorité qualifiée ; le Conseil, en accord avec le président désigné, adopte ensuite la liste des autres membres de la Commission sur la base des propositions des gouvernements nationaux ; le collège est soumis à l'approbation du Parlement européen ; enfin, la nouvelle Commission est nommée par le Conseil européen à la majorité qualifiée.*

se jugent insuffisamment représentés et pourvus en portefeuilles importants, comme dans le collège présidé par José Manuel Durao Barroso. L'expérience de ce dernier, fortement contesté dès sa désignation et investi de façon relativement médiocre par rapport à ses prédécesseurs, mis à rude épreuve lors de l'affaire Buttiglione[9] et encore discuté à l'occasion de l'intégration des commissaires roumain et bulgare en octobre 2006, crédité en outre d'un bilan plutôt piètre, incite à la circonspection.

Il serait erroné de mettre la faiblesse des commissaires européens en tant que locuteurs de l'Europe sur le compte de leur pratique technocratique. Ils constituent en effet des hommes et des femmes politiques de carrière au plein sens du terme. La logique de leur recrutement en atteste. Ils ont dans leur très grande majorité tous un passé politique, souvent dans les gouvernements nationaux et à des postes notables sans être prééminents. Leur avenir n'est cependant plus – sauf exception, Romano Prodi en constituant l'illustration – aux premières places de pouvoir à la fin de leur mandat[10]. Dans l'exercice de leur fonction, les commissaires marient constamment selon les nécessités les registres de l'expertise, de la diplomatie et de la politique pour maximiser leur potentialité d'influence. Plus que la nationalité ou le portefeuille, c'est la façon dont chaque individu sait mobiliser ces trois types de ressources de légitimation qui va décider de son plus ou moins grand succès[11].

Il n'en reste pas moins que, faute de pouvoir mobiliser les références symboliques les plus fortes[12], les responsables politiques communautaires sont condamnés à n'être que des leaders de second rang. La reconnaissance dont ils bénéficient en témoigne. Selon un sondage Louis Harris-*Le Monde* en 1998, Jacques Santer n'était connu que de 31 % des Européens. Ce faible score n'était pas dû seulement à la faible notoriété personnelle de l'homme car Jacques Delors lui-même, en 1994, n'était cité spontanément comme président de la Commission que par une minorité d'Allemands, d'Italiens, d'Espagnols et de Britanniques. Ces chiffres sont à comparer, dans le sondage de 1998, avec les 85 % d'Européens déclarant connaître Tony Blair et les 82 % Jacques Chirac et Helmut Kohl[13].

9. Voir *François Foret*, « *Une question d'ordres ? Discours religieux et intégration européenne à la lumière de l'affaire Buttiglione* », Les Cahiers du Cevipol, 3, 2007, p. 1-13.

10. *Edward C. Page*, People who Run Europe, *Oxford, Clarendon, 1997.*

11. *Jean Joana et Andy Smith*, Les Commissaires européens. Technocrates, diplomates ou politiques ?, *Paris, Presses de Sciences Po, 2002, p. 87-171.*

12. *Ce point est développé au chapitre 4.*

13. *Philippe Méchet et Romain Pache*, « *L'autre Europe que veulent les Européens* », dans *Bruno Cautrès et Dominique Reynié (dir.),* L'Opinion européenne, *Paris, Presses de Sciences Po, 2000, p. 171-173.*

La personnalisation de la communication européenne par l'implication accrue des commissaires pour jouer sur le *« human interest »*, nouvelle antienne de la stratégie de l'institution[14], s'annonce donc difficile. Le fait que les fonctions des « entrepreneurs supranationaux », et notamment celle de président de la Commission, soient très peu objectivées socialement et peu visibles aux yeux du plus grand nombre les laisse toujours à la merci des variations des rapports de force dans les milieux décisionnels.

Les conditions d'exercice du rôle de député européen se caractérisent à la fois par une généralité du mandat et une secondarité du statut. Tout d'abord, les ambiguïtés traditionnellement inhérentes à la notion de représentation sont amplifiées par le flou des traités européens sur la véritable nature du mandat des parlementaires, flou nécessaire compte tenu des diversités juridiques nationales et de la flexibilité requise par le système institutionnel communautaire[15]. Les membres du Parlement européen procèdent actuellement selon les textes des peuples des États membres de la Communauté et non du peuple européen pris comme corps politique unifié. En découlent deux options, entre lesquelles l'élu est contraint de se situer : agir au nom d'une communauté européenne non ressentie en « trahissant » ses mandants nationaux, ou exprimer le point de vue particulier de ses mandants nationaux, en violant alors l'intégrité de l'entité européenne qu'il est censé incarner[16]. La clarification introduite par le traité de Lisbonne qui consacre les membres de l'Assemblée européenne comme « représentants des citoyens de l'Union » constitue une avancée potentiellement importante. De la même manière, après de longs atermoiements dus à l'opposition de certains États membres, un statut unique du député européen harmonisera à partir de 2009 les régimes de rémunérations en mettant fin aux inégalités entre les élus qui brouillaient souvent l'image de l'Assemblée.

Pour l'heure, la fonction de député européen reste le plus souvent considérée comme un second choix. Elle est marquée par une forte instabilité, ses détenteurs ne revendiquant ou n'obtenant souvent pas le renouvellement de leur mandat au scrutin suivant. Depuis l'introduction

---

14. *Plan d'action sur la culture de communication de la Commission en interne, SEC (2005) 985 final du 20 juillet 2005, p. 5 ;* Livre blanc sur une politique de communication européenne, *Commission européenne, COM (2006) 35 final, 1er février 2006, p. 10.*

15. *Voir Olivier Costa,* Le Parlement européen, assemblée délibérante, *Bruxelles, Éditions de l'Université de Bruxelles, 2000, notamment p. 263-273.*

16. *Marc Abélès, « À la recherche d'un espace public communautaire »,* Pouvoirs, *69, 1994, p. 120.*

du suffrage universel direct en 1979 et la montée en puissance de l'institution, cette fonction a certes été revalorisée. On a assisté à une véritable professionnalisation des élus, en partie du fait de la nécessité croissante d'une expertise *ad hoc* que seule l'expérience permet d'acquérir. Le scrutin de 2004 traduit une institutionnalisation du rôle [17], de plus en plus de députés européens mettant à profit leur expérience à Bruxelles et Strasbourg pour mener de véritables carrières et assurer leur réélection. Ce phénomène est cependant récent, inégal selon les pays, et il reste à voir s'il se vérifiera aussi dans les nouveaux États membres lors des consultations futures. Cette professionnalisation européenne ne signifie pas nécessairement une conversion de l'élu à la cause de l'intégration [18] et peut en outre être synonyme de relative marginalisation sur la scène politique nationale. Elle continue par ailleurs à se traduire par des pratiques politiques très différentes, selon la conception que l'élu se fait de son mandat. On peut distinguer cinq façons idéales typiques d'être député européen [19], selon l'accent mis préférentiellement par le détenteur du poste sur telle ou telle dimension de sa fonction. L'« animateur » entend faire vivre l'espace politique européen par sa contribution intellectuelle au débat d'idées et ses efforts de coordination de diverses forces politiques. Le « spécialiste » insiste sur l'influence du Parlement dans le processus décisionnel européen en mettant en avant l'expertise qu'il apporte. L'« intermédiaire » se définit avant tout par la défense des intérêts de ses mandants. Le « contestataire » adopte résolument une posture générale de protestation contre le fonctionnement des institutions européennes. Enfin, le « dilettante » traduit surtout son rapport distant à son poste, avec une stratégie d'évitement du travail parlementaire. Ces cinq modèles se cumulent et s'articulent dans des proportions variées, les trois premiers étant naturellement les plus revendiqués et les plus en phase avec les compétences réelles de l'Assemblée.

Les conditions d'exercice du rôle de député européen pèsent lourdement sur la manière dont il va être donné à voir. La régionalisation du mode de scrutin (chaque État étant partagé en plusieurs grandes circonscriptions) a favorisé la sélection de politiciens avec des attaches

17. Renaud Payre, « *Des carrières au Parlement. Longévité des eurodéputés et institutionnalisation de l'arène parlementaire* », Politique européenne, *18, mai 2006, p. 69-104.*
18. *Roger Scully,* Becoming Europeans ? Attitudes, Behaviour and Socialization in the European Parliament, *Oxford, Oxford University Press, 2005.*
19. *Julien Navarro,* Les Députés européens et leur rôle. Analyse sociologique de la représentation parlementaire dans l'Union européenne, *thèse, IEP de Bordeaux, 2007, p. 384.*

territoriales plus fortes qu'auparavant et les a incités à mettre davantage l'accent sur leurs activités de communication[20]. Pour le reste, la culture politique nationale continue à être structurante. Les Britanniques, habitués de longue date à rendre des comptes aux lobbies locaux et mus par une conception pluraliste de l'intérêt général, se signalent par leur assiduité dans les séances de questions à la Commission, questions qui leur serviront ensuite à témoigner de leur activisme auprès des groupes sociaux qui les appuient. Au-delà de ces spécificités, tous les membres du Parlement européen se trouvent néanmoins confrontés aux mêmes difficultés pour émerger dans l'espace public. Le contact avec le citoyen est rendu beaucoup plus problématique qu'au niveau national du fait de la taille des électorats à représenter et de la distance géographique entre Bruxelles et les terres d'élection et du nomadisme entre les deux capitales européennes[21]. Ce nomadisme entre Belgique et Alsace constitue une contrainte matérielle et symbolique dont il est souvent fait grief aux représentants communautaires, même si ces derniers manifestent régulièrement leur souhait d'y mettre fin.

Le député européen doit par ailleurs composer avec sa faible notoriété personnelle[22] et l'ignorance de ses administrés sur la nature exacte de ses compétences. Il est en outre moins en mesure de s'offrir comme médiateurs auprès de l'administration que ses homologues nationaux, qui nouent fréquemment une relation de type clientéliste avec leurs électeurs[23]. L'Européen moyen n'a en effet pas tous les jours quelque chose à demander à la Commission[24]. Enfin, l'élu bruxellois ne peut pas véritablement se constituer en porte-parole efficace et donner à ses électeurs le sentiment gratifiant d'avoir trouvé un relais dans la sphère médiatique tant la reconnaissance dont il bénéficie y est médiocre. La couverture par la presse du Parlement européen obéit à des logiques différentes dans chaque État membre, mais elle est presque systématiquement très discrète. Dans les pays relativement satisfaits du fonctionnement de l'Union européenne comme en Belgique, on en parle peu parce qu'il n'y a pas sujet de s'en plaindre. En Grande-Bretagne au contraire, les journaux évitent souvent le sujet parce que la construction européenne dans son

---

20. *Ibid., p. 394.*
21. *Olivier Costa, Le Parlement européen, op. cit., p. 294 et suiv.*
22. *On sait l'importance au niveau national de la notoriété, souvent assise sur un héritage politique, legs d'un mentor ou nom de famille connu. Voir Olivier Costa et Éric Kerrouche, Qui sont les députés français ? Enquête sur des élites inconnues, Paris, Presses de Sciences Po, 2007, p. 79.*
23. *Ibid., p. 127.*
24. *Olivier Costa, Le Parlement européen, op. cit., p. 296.*

ensemble est un sujet conflictuel, et lorsqu'il l'aborde c'est avec une tonalité négative [25]. Certains députés européens, à l'image de Daniel Cohn-Bendit, peuvent certes acquérir une audience médiatique propre, mais davantage en raison d'une notoriété personnelle conquise sur d'autres terrains et d'une action débordant leur fonction, et cela ne rejaillit pas nécessairement sur l'ensemble de l'institution.

Les raisons avancées pour expliquer la faible visibilité médiatique du Parlement européen sont nombreuses [26]. L'une d'entre elles est que l'institution dans sa globalité serait trop compliquée pour pouvoir être racontée dans la presse autrement que par des traits pittoresques, à l'exemple des happenings des députés écologistes dans les années 1980 à grands renforts de banderoles et de déguisements. Ces manifestations « non conventionnelles », dont on a vu un certain regain dans les années 2000 de la part d'élus eurosceptiques, ne sont pas jugées conformes à la dignité démocratique et au bon renom de l'Assemblée, à tel point que des sanctions financières d'une sévérité inédite ont été prises début 2008 contre les fauteurs de trouble. D'autres circonstances exceptionnelles peuvent offrir un spectacle attrayant, à l'occasion de grands discours de gouvernants nationaux ou d'invités prestigieux [27], ou encore quand tous les élus d'une même nationalité font bloc, les médias pouvant alors appliquer à l'institution le prisme simplificateur et mobilisateur de l'intérêt national [28]. Mais au quotidien, le fonctionnement du Parlement et des rapports de force en son sein semble décourager toute mise en scène intelligible. L'absence de bipolarisation claire autour du clivage droite-gauche et/ou majorité-opposition prévient toute organisation du débat sur le mode d'un conflit structurant, et le prive d'un puissant ressort de dramatisation des enjeux. Les élections européennes sont perçues comme n'ayant pas d'incidence directe sur le mode de gouvernement de l'UE, et les votes du Parlement européen prennent place dans un processus interinstitutionnel de décision dont ils ne constituent dans l'immense

25. *David Morgan*, The European Parliament, Mass Media and the Search for Power and Influence, *Aldershot, Ashgate, 1999, p. 91.*
26. *La question spécifique des campagnes électorales est développée dans le chapitre 5.*
27. *Les happenings et les invités ne font pas toujours bon ménage. En 2005, il s'est révélé impossible d'organiser une visite du président George Bush à l'Assemblée car la diplomatie américaine craignait des manifestations d'hostilité ostentatoires de certains députés européens. Voir Lucia Kubosova, « MEPs Renew Calls to Scrap Strasbourg Seat », www.euobserver.com, 22 février 2005.*
28. *David Morgan*, The European Parlement, op. cit., *p. 86.*

majorité des cas qu'une étape essentielle mais pas immédiatement et exclusivement décisive.

Plus prosaïquement, l'aridité du spectacle de l'Assemblée européenne en délibération découle également des modalités pratiques de son fonctionnement. L'impératif démocratique impose le plurilinguisme, chaque représentant devant pouvoir s'exprimer dans sa langue en séance plénière tout au moins. En découlent des échanges où les ressources de l'éloquence sont rendues inopérantes par le dispositif de traduction. Les références normatives et l'humour, le plus souvent ancrés dans une culture particulière, produisent des résultats très aléatoires. Le temps de parole est strictement décompté du fait d'un agenda minuté, les micros sont impitoyablement coupés pour tout contrevenant et les interactions directes entre les intervenants sont bannies[29]. La logique de régulation de l'institution par la négociation permanente fait enfin que les textes mis au vote sont fréquemment l'objet de compromis techniques fixés à la virgule près sur lesquels il est exclu de revenir en séance, et l'orateur qui les défend au nom d'une coalition conjoncturelle de forces disparates doit donc s'y tenir avec le plus grand soin. Tant dans la forme que dans le contenu, le débat parlementaire européen est donc peu susceptible de séduire médias et citoyens.

Le député européen souffre donc d'un manque de visibilité et de lisibilité pour s'imposer pleinement comme incarnation de l'Europe. Il convient néanmoins de noter que c'est le statut même de représentant et de législateur qui semble aujourd'hui mis en question par une gouvernance qui fait la part belle à l'expertise et à la démocratie participative. Nonobstant les conditions particulières d'exercice au niveau communautaire, parlementaires européens et nationaux semblent en effet arborer les mêmes symptômes de perte de contrôle sur la décision politique, de marginalisation dans l'espace médiatique et de quête constante de légitimité et reconnaissance[30].

Pour conclure sur le visage de l'Europe que peuvent présenter les députés européens, on peut se référer à l'éclairage utile que fournissent les enquêtes d'opinion. Dans ce tableau comparatif, le Parlement jouit

---

29. Marc Abélès, La Vie quotidienne au Parlement européen, *Paris, Hachette, 1992.*

30. *Enquêtant à l'Assemblée nationale française, Marc Abélès en dresse un portrait qui, poids de la tradition et logique de fonctionnement mis à part, ne diffère pas tant du Parlement européen sur le plan du rôle politique effectif des élus par rapport à l'exécutif et aux citoyens. Voir Marc Abélès,* Un Ethnologue à l'assemblée, *Paris, Odile Jacob, 2000.*

d'un *a priori* favorable indéniable, conséquence probable de la symbolique forte de l'Assemblée dans la tradition politique européenne et de l'effet d'exposition – relatif – lié aux élections européennes. Il est ainsi plus connu que les autres institutions. En novembre 2005, 89 % des Européens déclarent en «avoir déjà entendu parler», contre 79 % de la Commission (68 % de la Banque centrale européenne, 65 % de la Cour de justice et 62 % du Conseil des ministres[31]). Le Parlement européen suscite aussi davantage la confiance. En avril 2006, 52 % des personnes interrogées disent avoir plutôt confiance en lui, contre 47 % à la Commission et 43 % au Conseil[32]. L'Assemblée suscite ainsi un certain soutien populaire, qui n'est pas pour autant inconditionnel. Au fil des enquêtes *Eurobaromètres*, seule une petite majorité relative soutient l'hypothèse de lui voir prendre un rôle accru, contre une importante minorité privilégiant le statu quo, préconisant une diminution de ses pouvoirs ou ne se prononçant pas. C'est dire que sa représentativité n'est pas totale. Fin 1999, 37 % des citoyens estiment que le Parlement européen défend très ou assez bien leurs intérêts contre 33 % qui pensent qu'il le fait assez ou très mal, alors qu'un tiers de l'échantillon est incapable de se prononcer[33]. En 2006, près de six personnes sur dix ont le sentiment que leur voix n'est pas prise en considération dans l'Union européenne[34]. Ces indicateurs renforcent l'image d'une institution jouissant d'une grande notoriété mais pourtant assez mal connue dans ses missions, d'une Assemblée suscitant la confiance mais à la représentativité limitée et qu'on investit d'attentes relativement modérées. Il s'agit là d'une forte incitation à nuancer les discours optimistes sur la parlementarisation de l'Union comme solution à ses problèmes de légitimité. Le traité de Lisbonne a repris cette antienne, par le renforcement du Parlement européen ou des parlements nationaux (pour ces derniers, essentiellement dans un rôle de circonscription de l'Europe par le contrôle de subsidiarité et un encadrement de la clause de flexibilité), en ignorant de manière volontariste la corrélation durant les vingt dernières années entre la montée en puissance de l'Assemblée communautaire et la perception croissante d'un déficit démocratique de l'UE. La tyrannie des conditions

31. Eurobaromètre, *64, publication juin 2006, terrain octobre-novembre 2005*, http://europa.eu.
32. Eurobaromètre, *65, publication premiers résultats juillet 2006, terrain mars-avril 2006*, ibid.
33. Eurobaromètre, *51, publication juillet 1999, terrain mars-avril 1999*, ibid.
34. Eurobaromètre, *64*, op. cit.

d'exercice du rôle de député européen comme médiateur symbolique de l'Europe rend, là encore, les effets produits incertains.

La dernière grande figure institutionnelle de l'Europe est le fonctionnaire européen, couramment dénommé eurocrate[35]. Il travaille essentiellement à la Commission européenne[36], qui compte environ vingt-deux milles membres du personnel interne et huit milles membres du personnel externe (dont notamment les experts nationaux détachés[37]). De par ses fonctions, d'«exécutif communautaire», d'inspiratrice du processus d'intégration, de gardien des traités et d'artisan de la construction des consensus, la Commission[38] est l'interface du système communautaire auprès des autres institutions, des groupes d'intérêt et des citoyens, et ses employés sont les visages de l'UE au quotidien. Ces derniers restent cependant des personnages virtuels pour le plus grand nombre de leurs administrés, dans la mesure où l'Europe n'a pas de guichet où elle assurerait la mise en œuvre concrète de ses politiques et, partant, une interaction directe avec la population. Dans ses relations avec les autres acteurs, ils ont cependant une fonction politique majeure de par les compétences d'initiative, de mise sur agenda et de contrôle de la Commission. L'eurocrate s'écarte ainsi de l'idéal-type du fonctionnaire weberien agent de la domination rationnelle-légale[39] sur de nombreux points, tout comme d'ailleurs ses homologues étatiques d'aujourd'hui. Le facteur national vient mettre à mal la fiction de sa neutralité, notamment sur les fameux «postes à drapeaux» assignés tacitement à une nationalité dans un système global d'équilibres entre États membres. Il en va de même pour certaines fonctions comme celles de cabinet, qui servent ensuite de tremplins pour progresser dans l'institution. Enfin, la force des réseaux est un élément essentiel de réussite d'une carrière en interne et de construction de coalitions en externe, et ces réseaux sont d'abord nationaux.

35. L'appellation ne revêt ici aucun caractère péjoratif, contrairement à certains usages courants.

36. À titre de comparaison, le Parlement européen compte quatre mille fonctionnaires qui présentent un profil plus politisé et généraliste que leurs homologues de la Commission. Ils travaillent en effet en lien direct avec les élus et doivent intégrer la dimension politique dans leur activité. Ils sont d'ailleurs plus nombreux à se présenter eux-mêmes devant les électeurs.

37. Comref, http://ec.europa.eu/, 1ᵉʳ octobre 2006.

38. Michele Cini, The European Commission. Leadership, Organization and Culture in the European Administration, Manchester, Manchester University Press, 1996, p. 14 et suiv.

39. Max Weber, Économie et société. Les catégories de la sociologie, Paris, Pocket, 1995, p. 294-295.

Le fonctionnaire européen est inscrit dans une hiérarchie stricte dont la rigidité est souvent décriée. Mais celle-ci est contrebalancée par un haut niveau de délégation et des pratiques informelles de court-circuitages des procédures officielles. La structure verticale héritée du modèle administratif français est corrigée au quotidien par d'autres cultures bureaucratiques plus souples et flexibles, ce qui confère aux agents une marge d'initiative notable dans le choix de leurs outils juridiques et techniques[40]. L'évolution de ces dernières années, accélérée par la crise de 1999, traduit une prégnance croissante des modes de management à l'américaine passant notamment par l'évaluation et la planification stratégique[41]. L'administration européenne suit ainsi, en la devançant sur un certain nombre de points, la mutation des appareils des États membres.

La spécialisation y est de rigueur. Cela est imposé par le mode de recrutement : après un concours généraliste, l'impétrant doit trouver lui-même son service d'affectation en activant ses réseaux, et son employeur potentiel attend un praticien opérationnel immédiatement sur la base d'une expérience préalable. C'est aussi un critère indispensable (mais pas suffisant) de progression dans une institution où l'avancement est difficile et aléatoire compte tenu des impératifs d'équilibres nationaux et où une stratégie de « niche » peut se révéler payante. Cette spécialisation se construit surtout par un vécu professionnel acquis fréquemment hors du monde administratif. La formation des eurocrates ne passe en effet pas par des instances particulières du type ENA où la réussite à un concours équivaut à une embauche. Il existe des établissements qui fonctionnent comme des matrices identitaires et des nœuds de réseau pour les acteurs de l'Europe au sens large, à l'exemple du Collège de Bruges et de Natolin[42] et des instituts d'études européennes comme celui de l'Université libre de Bruxelles. Les diplômés de ces institutions présentent un capital scolaire et social élevé, conforme aux formations suivies par les élites nationales. S'y ajoutent des ressources atypiques comme le plurilinguisme ou un vécu à l'étranger, ressources souvent héritées d'une histoire familiale ou individuelle marquée du sceau de l'international.

---

40. *Irène Bellier, « La Commission européenne : hauts fonctionnaires et "culture du management" »,* Revue française d'administration publique, *70, juin 1994.*
41. *Anne Stevens,* Brussels Bureaucrats ? The Administration of the European Union, *Basingstoke, Palgrave Macmillan, 2001.*
42. *Sur la réalité et les limites du rôle de cet établissement, voir Virginie Schnabel, « Élites européennes en formation. Les étudiants du "Collège de Bruges" et leurs études »,* Politix, *43, 1998 ; « La "mafia de Bruges" : mythe et réalités du networking européen », dans Didier Georgakakis (dir.),* Les Métiers de l'Europe politique. Acteurs et professionnalisations de la construction européenne, *Strasbourg, Presses universitaires de Strasbourg, 2002, p. 243-270.*

Ces élites européennes en devenir s'orientent massivement après leurs études vers le secteur privé ou des bureaucraties étatiques ou infra-étatiques, avant qu'une minorité d'entre elles ne finissent par intégrer l'administration communautaire. Il y a donc bien une prédisposition sociologique à une carrière supranationale, mais la socialisation secondaire par l'itinéraire professionnel est de plus en plus variée.

Dans ces conditions, une question déterminante pour comprendre la façon dont le fonctionnaire européen s'investit du rôle d'incarnation de l'Europe est celle de son identification à un intérêt général européen ou, au contraire, de la rémanence du référent national dans l'exercice de ses fonctions et son discours. Les analyses divergent sur ce point. Dans le passé, on a beaucoup insisté sur la capacité des institutions européennes à convertir les individus qu'elles accueillent en leur sein à l'ethos communautaire. Cela va de pair avec la légende d'une administration de mission telle que l'avaient voulu les pères fondateurs. Dans ses *Mémoires*, Jean Monnet dépeint ainsi son équipe comme une génération de pionniers qui se cooptent parcimonieusement par souci de conserver un noyau restreint doté d'une fonction d'animation et d'organisation, s'appuyant sur les administrations nationales sans les concurrencer. L'idée est que l'Europe doit progresser sous la houlette d'un petit nombre d'acteurs militants qui n'ont pas vocation à faire carrière à son service et qui céderont la place à d'autres une fois leur service effectué pour aller ailleurs porter la semence communautaire. L'ambition élitiste d'exemplarité est clairement affichée par Jean Monnet : « Nos visiteurs d'un jour repartaient avec le sentiment d'avoir vu un chantier de pionniers et ils en faisaient en rentrant le récit autour d'eux. Ce récit multiple et concordant répandait la légende qu'un nouveau type d'homme était en train de naître dans les institutions du Luxembourg comme dans un laboratoire[43]. »

Les pionniers ont depuis fait souche et se sont multipliés. Ils ont été dotés d'un statut administratif plutôt avantageux. Reste à voir si la dimension messianique du début prévaut toujours dans le discours et nourrit la capacité des organisations européennes à inculquer à leurs agents les représentations *ad hoc* pour cimenter leurs allégeances. Les exemples ne manquent pas en ce sens. Déjà en leur temps, les institutions internationales comme la SDN ou l'ONU ont fonctionné comme des instances de socialisation mutuelle des élites dont certaines devinrent les

---

43. Jean Monnet, Mémoires, *Paris, Fayard, 1976, p. 440-441.*

maîtres d'œuvre de l'intégration européenne[44]. Les institutions inter-gouvernementales elles-mêmes, à l'exemple du Coreper, conduisent leurs membres à développer des codes de conduite et des solidarités qui les amènent parfois à faire front contre leurs appareils étatiques respectifs[45]. Cela ne signifie pas que les identités et loyautés nationales deviennent inopérantes, mais plutôt qu'elles se doublent d'une référence européenne qui entre en interaction avec elles[46]. Les acteurs directement actifs dans le processus d'intégration communautaire sont d'ailleurs, plus que les simples citoyens, exposés à voir leurs allégeances nationale et euro-péenne entrer en conflit du fait qu'ils sont les décisionnaires ou les instruments d'arbitrage constants entre les deux niveaux[47]. Derniers arrivés, les fonctionnaires des nouveaux États membres suite aux élar-gissements de 2004 et 2007 présentent la particularité d'avoir vécu et travaillé principalement – plus encore que leurs homologues d'autres nationalités – dans les milieux internationaux plutôt que dans leur pays d'origine. Ils s'adaptent ainsi rapidement aux pratiques et valeurs préva-lant au sein de la Commission, mais ne sont pas forcément en mesure de faire le lien de manière efficace avec leurs sociétés nationales pour travailler à la légitimation de l'entité communautaire[48].

Pour reconstituer la vision du monde des fonctionnaires européens de la Commission et l'influence dans leurs arbitrages de leur intérêt personnel et des effets de socialisation au sein de leur institution, les travaux de Liesbet Hooghe apportent un éclairage précieux. Son enquête par entretiens sur un substantiel échantillon d'eurocrates de catégorie A dresse un tableau très contrasté des allégeances et des préférences de ces derniers. La Commission y apparaît comme un univers organisa-tionnel trop composite pour être en mesure d'exercer une influence homogénéisante sur ses agents, les expériences pratiques de ces derniers différant radicalement selon que leur domaine d'exercice est régi par des

44. *Gilbert Trausch, « L'identification et la structuration de l'Europe à travers les institutions européennes », dans René Girault (dir.),* Identité et conscience européenne au vingtième siècle, *Paris, Hachette, 1994, p. 125-129.*
45. *Christian Lequesne,* Paris-Bruxelles. Comment se fait la politique euro-péenne de la France, *Paris, Presses de Sciences Po, 1993, p. 216.*
46. *Morten Egeberg, « Transcending Intergovernementalism ? Identity and Role Perceptions of National Officials in EU Decision-Making »,* Arena Working Papers, WP 98/24, *Oslo, 1998, p. 16.*
47. *Thomas Risse, « European Institutions and Identity Change : What Have We Learned ? », dans Richard K. Herrmann et al.,* Transnational Identities. Beco-ming European in the EU, *Lanham (Md.), Rowman and Littlefield, 2004, p. 249.*
48. *Cette remarque, issue de nos observations, doit beaucoup aux échanges avec Carolyn Ban (université de Pittsburgh) qui prépare un livre sur le sujet.*

compétences européennes propres ou par l'intergouvernemental[49]. Dès lors, les fonctionnaires européens vont développer une conception pragmatique de leur métier, structurée par la recherche de la maximisation de leur intérêt personnel dans le cadre de leur carrière. S'ils se sentent investis d'une mission à l'égard de la cause européenne, c'est de façon très modérée, sous l'influence notamment de facteurs personnels (famille multinationale, expérience de vie dans plusieurs pays, engagement politique). L'idéal de paix est un moteur qui fonctionne essentiellement chez les générations les plus anciennes, la consolidation de la démocratie prenant parfois le relais pour les ressortissants de nouveaux États membres avec un passé autoritaire[50]. Lorsqu'ils sont sollicités sur leur vision de l'avenir de l'Union européenne, une petite majorité se prononce en faveur d'un supranationalisme tempéré préservant des institutions européennes puissantes et autonomes dans le respect des intérêts des États membres. Ils préconisent le maintien de l'équilibre entre logique technocratique et démocratique d'intégration pour assurer à la fois la viabilité et l'efficacité de l'édifice communautaire. Ils privilégient un repli de leur institution sur ses missions fondamentales, l'humilité leur apparaissant être une stratégie plus apte à leur concilier les bonnes grâces du citoyen qu'une ambition programmatique hors de propos. Enfin, ils militent pour une régulation par le politique plutôt que par le marché de l'économie[51]. On est très loin du dogmatisme fédéraliste et dérégulateur volontiers prêté au fonctionnaire européen qui présente un profil de plus en plus désenchanté et banalisé.

Cette adhésion raisonnée à l'entité européenne dont ils sont les serviteurs ne prédispose pas naturellement les agents communautaires à en devenir les porte-parole efficaces. La chose n'est pas nouvelle. On a vu qu'il convient de ne pas exagérer l'idéalisme des premiers maîtres d'œuvre de l'Europe et que le tropisme élitaire de l'intégration découlait de ses structures mises en place dès les origines. Encore aujourd'hui, la tentation se fait jour de se replier sur le message européen dans son intégrité et de refuser de le galvauder. Cela amène à privilégier les contacts avec des audiences initiées dont les réactions n'entraîneront pas de réaction déstabilisante et avec lesquelles il sera possible d'interagir dans un cadre codifié par une expérience commune de l'Europe. On discerne une telle posture dans le scepticisme marqué dont font preuve les

49. *Liesbet Hooghe*, The European Commission and the Integration of Europe. Images of Governance, *Cambridge, Cambridge University Press, 2001, p. 6-30.*
50. Ibid., *p. 51-52.*
51. Ibid., *p. 67-92.*

fonctionnaires du protocole du Conseil de l'Union européenne, organisateurs des sommets du Conseil européen, à l'égard des journalistes non
initiés qui viennent des capitales nationales. Ces témoins sont peu au
fait de l'actualité communautaire et s'intéressent souvent quasi exclusivement à la délégation de leur État membre. Ils ont néanmoins une
notoriété et une audience bien supérieure aux correspondants permanents à Bruxelles et peuvent ainsi contribuer à une médiatisation accrue
des affaires européennes, dans un prisme certes très national. Les agents
européens leur préfèrent résolument les correspondants permanents à
Bruxelles, fins connaisseurs des arcanes communautaires et relais plus
confidentiels mais jugés plus fiables [52].

L'impératif grandissant de transparence et d'ouverture proclamé depuis
le milieu des années 1980 par toutes les institutions n'a pas suffi à inver-
ser la tendance. Les fonctions de communication au sens large restent
peu valorisées dans les plans de carrière des eurocrates [53]. L'exercice
de vulgarisation qu'elles impliquent déconcerte, et souvent rebute. Nos
enquêtes successives menées auprès des agents en charge de mettre en
scène l'Europe aux yeux des citoyens font ressortir les mêmes caractéristiques : identité floue de la fonction de médiateur symbolique
communautaire, sentiment d'incompétence et d'impuissance, résignation
à des tâches qui ont dans un nombre significatif de cas été attribuées
par les circonstances ou la hiérarchie davantage que choisies, absence
de retour sur l'impact réel des opérations effectuées. La spécialisation
fonctionnelle dans la communication ne découle pas d'une formation
préalable en la matière et la pratique ne permet que partiellement de se
construire une expertise. Cela explique que la conceptualisation et la
production technique du message soient souvent déléguées à des tiers
(l'écriture des publications à des journalistes, certaines conférences à des
intervenants extérieurs). Cette externalisation correspond dans bien des
cas à un transfert de la responsabilité et des incertitudes inhérentes au
fait de devoir « vendre l'Europe ». Au rebours, la pratique récemment initiée par la commissaire Margot Wallstrom d'envoyer des fonctionnaires
en charge de dossiers « techniques » sur le terrain pour parler de leur
mission suscite quelques réserves chez les intéressés mal préparés à la

---

52. François Foret, « "Espace public européen" et mise en scène du pouvoir.
L'exemple des sommets européens », dans Éric Dacheux (dir.), L'Europe qui se
construit, op. cit., p. 67-82.
53. Il est encore trop tôt pour évaluer ce que donnera la mise en place de
procédures de recrutement spécifiques de professionnels de la communication
au sein des institutions européennes.

prise de parole devant des profanes et, selon nos sources, également chez les audiences touchées. La mise en scène par des publications grand public d'agents de la Commission dans l'exercice de leurs fonctions par secteur d'activité semble rencontrer plus de faveur auprès des eurocrates, mais leur impact reste confidentiel et leur contenu semble finalement les destiner en priorité aux candidats à l'embauche[54].

Faute d'une doctrine claire et stable des institutions européennes en matière de communication, les agents qui en ont la charge en sont réduits à se doter d'un ethos de substitution. De façon récurrente, c'est la figure du pédagogue qui est invoquée comme modèle. Il s'agit d'expliquer la construction européenne au citoyen et de le convaincre plutôt que de le séduire. La raison est un registre plus en phase avec le postulat fonctionnaliste qui domine à Bruxelles, et la légitimité de l'UE est trop incertaine pour que ses porte-parole soient habilités à user d'un discours normatif. Mais la pédagogie induit un rapport inégalitaire de maître à élève. Il est tenté d'éveiller le non-initié à une Europe révélée plutôt que de le gagner à une Europe argumentée dans un débat contradictoire. Ce travers didactique du discours des organisations communautaires est souvent dénoncé. La référence à la figure de pédagogue ne suffit en outre pas à pallier l'absence de soutien institutionnel et le risque d'anomie ressentis par les « communicants » européens, qui laissent périodiquement sourdre leur amertume. Témoignant de l'importance de leur mission de légitimer l'Europe, ils traduisent dans le même temps leur conscience de ne pouvoir la remplir correctement et, souvent, leur désir de la laisser à d'autres à la première occasion. Voués à incarner un système dont ils se voulaient initialement en tant que fonctionnaires les rouages efficaces, ils balancent au quotidien entre gratification occasionnelle retirée du contact direct ou indirect avec le public en guise d'ersatz à l'épanouissement immédiat de leurs aspirations de carrière, soumission de convenance à leur devoir professionnel et frustration née d'un challenge trop exigeant à l'extérieur des institutions et insuffisamment reconnu à l'intérieur.

Une façon de se vivre comme une incarnation de l'Europe pour le fonctionnaire communautaire peut être d'endosser les stéréotypes négatifs à son encontre qui circulent dans les sociétés des États membres. Si les composantes de l'UE obtiennent des scores de confiance plutôt supérieurs aux appareils nationaux dans les enquêtes d'opinion, elles n'en

---

54. « *Au service des citoyens européens. Fonctionnement de la Commission européenne* », 2002 ; « *Serving the People of Europe. What the European Commission Does for you* », 2005.

sont pas moins sujettes à des critiques incessantes. Focaliser les reproches sur un acteur équivaut à reconnaître sa centralité, et l'attribution de tous les maux du quotidien à la bureaucratie pour se déresponsabiliser est un trait classique de la culture politique européenne[55]. À cet égard, une sorte d'imputation négative s'exerce bien à l'égard de l'UE, notamment de la Commission, et renforce sa visibilité, comme l'a montré la crise de 1998-1999 qui traduit un déplacement du jeu politique vers les instances supranationales[56]. Plus largement, l'image de marginalité volontiers attachée à l'eurocrate dans le sens commun fait l'objet d'un travail d'inversion des stigmates pour être vécue comme un signe de sa spécificité. Les fonctionnaires européens se définissent en effet contre le modèle du fonctionnaire traditionnel en opposant mobilité à immobilisme, innovation à routine, etc. Ils réinterprètent leur différence pour se présenter comme une avant-garde moderniste, mais ce faisant contribuent encore à creuser la distance[57].

La littérature constitue un miroir très utile de l'image des acteurs européens (commissaires, députés, fonctionnaires) véhiculée dans l'espace social et de la façon dont ces derniers se perçoivent eux-mêmes, un grand nombre de fictions décrivant l'univers politico-bureaucratique communautaire étant l'œuvre de praticiens. Des constantes émergent systématiquement de la lecture de romans ou chroniques imaginaires de la vie bruxelloise[58]. Les héros n'intègrent guère la Commission ou le Parlement par vocation, mais plutôt par hasard ou par déterminisme familial en reproduisant la trajectoire professionnelle de leurs parents.

---

55. *Michael Hertzfeld,* The Social Production of Indifference. Exploring the Symbolic Roots of Western Bureaucracy, *New York (N. Y.), Berg Publishers, 1992, p. 4.*

56. *Didier Georgakakis, « La démission de la Commission européenne. Scandale et tournant institutionnel (octobre 1998-mars 1999) »,* Cultures et conflits, *38-39, 2000, p. 39-71.*

57. *Didier Georgakakis, « Les réalités d'un mythe. Figure de l'eurocrate et institutionnalisation de l'Europe politique », dans Delphine Dulong et Vincent Dubois (dir.),* La Question technocratique, *Strasbourg, Presses universitaires de Strasbourg, 1999, p. 123 et suiv.*

58. *Jean-Jacques Roche,* L'Agenda de Rome, *Paris, Stock, 2005 ; Bill Newton Dunn,* The Devil knew not, *Londres, Allendale, 2000 ; Henri-François Van Aal,* Jouer dans la cour des grands, *Paris, Jean Picollec, 1993 ; Max Gallo,* Le Regard des femmes, *Paris, Robert Laffont, 1991 ; Vassilis Pesmazoglou, 1993 ou le chant du rouage, Boulogne, Éditions du Griot, 1993 ; Pierre-Jean Rémy,* Désir d'Europe, *Paris, Albin Michel, 1995 ; François Nizery,* Le Manteau blanc du Berlaymont, *Bruxelles, Bernard Gilson, 2000 ; Françoise Laborde,* Dix jours en mars à Bruxelles, *Paris, Ramsay, 2000 ; J. L. Kramer,* When Duty Calls, *Galway, Cappuccino Books, 2002 ; Pierre Cros,* Les Dix Commandements de l'expert, *Bruxelles, Le Cri, 1986.*

Leur histoire personnelle finit cependant immanquablement par ramener à la deuxième guerre mondiale, renvoyant sans cesse le processus de construction européenne à ses racines. L'expatriation à Bruxelles bouleverse la vie privée des principaux personnages des fictions et met en scène un désarroi amoureux généralisé qui va de pair avec la licence de mœurs prêtée aux milieux communautaires. L'univers communautaire est dépeint de façon peu complaisante comme marqué par la corruption, le népotisme, le cynisme et le laxisme. Il est parfois le lieu où s'abritent des complots visant à restaurer les ordres politiques passés (notamment le Saint Empire romain germanique) en détruisant les États-nations. Il en émerge certes parfois des figures individuelles compétentes et désintéressées au service d'un idéal de paix et de justice. Mais l'élément le plus frappant est l'écart perpétuel mis en scène entre l'idée d'Europe, abstraite et évanescente, qui finit souvent par se diluer dans la quête éperdue qu'en font les héros, et la réalité matérialiste et désenchantée de la bureaucratie bruxelloise. Les jeunes individus pétris de haute culture classique et rêvant d'un continent où les élites circulent sans connaître de frontières et de clivages semblent se heurter de plein fouet à un édifice intergouvernemental où les masses prennent subitement corps et font obstacle. Sous la plume de certains auteurs militants comme Max Gallo, la sphère supranationale déshumanisée concentrant tous les maux de la modernité est opposée explicitement aux sociétés nationales empreintes de la chaleur de la tradition.

La fiction ne fait que restituer de façon exacerbée la représentation dominante d'une Europe politique comme d'un « ailleurs », et c'est de cet « ailleurs » que ses médiateurs doivent parler pour tenter de convaincre les citoyens d'y adhérer. Leur étrangeté supposée ne découle pas seulement d'une représentation fantasmée, somme toute relativement ordinaire, d'un pouvoir marqué du sceau de l'altérité et émancipé des règles de la morale et de la nécessité qui s'imposent au plus grand nombre. Leur positionnement marginal n'est en effet guère corrigé par les processus d'identification du citoyen au système institutionnel tels qu'ils peuvent exister au niveau national, ancrés dans la culture et la tradition. Le défaut d'incarnation, condition de l'émergence d'une instance clairement identifiable pouvant endosser la responsabilité des échecs comme des succès et vers qui se tourner pour demander compte de la destinée collective par des processus démocratiques, est ici patent.

Le protocole européen, institutionnalisation d'un ordre politique faible

Les faiblesses de l'incarnation de l'Europe rejaillissent sur la façon dont elle peut être mise en scène comme ordre politique. Les modalités d'exercice contingentes des rôles politiques européens et leur subordination à des déterminants nationaux font qu'ils n'assurent qu'une place de second choix et inégale dans le protocole qui donne à voir les acteurs du jeu communautaires aux citoyens.

Le protocole, c'est d'abord une hiérarchie qui classe les acteurs et leur prescrit des comportements ; c'est ensuite une mise en scène qui invite le spectateur à faire allégeance à ces acteurs dans une proportion adéquate à la dignité qui leur est conférée. Le protocole est en ce sens la formalisation d'un rapport de force et la projection d'une représentation structurée des relations entre dirigeants et dirigés. Il peut être défini comme l'ordre symbolique exprimant l'ordre politique. « Parce qu'il fixe la liste des "rangs et des préséances", la hiérarchie des fonctions politiques, parce qu'il rappelle à chacun la place qui est la sienne, les gestes qu'il doit accomplir, parce qu'il justifie la distribution des corps dans l'espace politique, parce qu'il règle le mouvement et le rythme des cérémonies, le protocole garantit l'expression de l'ordre politique [59]. »

Les modalités et le champ d'expression de cet ordre ont évolué au cours de l'histoire. Dans la société de cour décrite par Norbert Elias, l'étiquette constitue un système de statuts réglant l'allocation des ressources ; chaque acte protocolaire de la part du monarque ou des « grands » est le moyen de dispenser une faveur, de signifier une dignité, et l'obtention de ces marques de distinction entretient une émulation entre les courtisans qui constitue la dynamique de la vie politique et du rapport au pouvoir [60]. Avec le développement de formations sociales plus larges et plus diversifiées, le protocole se transforme. Il traduit la mutation des formes du pouvoir en devenant un processus d'institutionnalisation d'une domination rationnelle et impersonnelle. Par cette action de normalisation des préséances et des cérémonies, l'État affirme sa prétention à se différencier du reste de la société en se dotant de façon ostentatoire de règles propres. Il s'agit de hiérarchiser ses agents et de l'afficher aux yeux des citoyens.

59. *Yves Déloye* et al., « *Protocole et politique : formes, rituels, préséances* », *dans Yves Déloye (dir.)*, Le Protocole ou la mise en forme de l'ordre politique, *L'Harmattan, Paris, 1996, p. 15.*
60. *Norbert Elias,* La Société de cour, *Calmann-Lévy, Paris, 1974 [1969].*

Aujourd'hui, les étiquettes minutieuses et compassées ne sont plus de mise, tant sur le plan interne qu'externe. Il est de bon ton pour les dirigeants politico-administratifs de professer leur indifférence en la matière et d'afficher décontraction et simplicité dans l'exercice de leur fonction. En cas de besoin, ils sont néanmoins prompts à s'appuyer sur leurs prérogatives cérémonielles en alléguant qu'il y va du prestige du corps social qu'ils incarnent[61]. Si le protocole est assoupli et s'il n'est plus affiché de manière ostentatoire, c'est là le signe de son efficacité dans une société qui mise au quotidien sur le contrôle de soi des individus et leur capacité à se conformer d'eux-mêmes aux règles implicites pour huiler les rouages de la vie en collectivité[62]. Un manquement aux formes ou une volonté de s'y soustraire peut cependant ouvrir une crise, dans la mesure où cela constitue une remise en cause de l'ordre établi. Dans un contexte nouveau ou dans une situation de conflit, l'ordre protocolaire reprend toute son importance. Cela a par exemple été le cas lors de la première cohabitation en France, où le protocole a fonctionné comme réducteur d'incertitude et comme ressource stratégique pour permettre aux chefs de l'État et du gouvernement de définir leurs attributions cérémonielles respectives et de les protéger contre tout empiétement de leur rival[63]. La mutation et l'effacement du protocole sont donc loin de signifier son obsolescence et ne font que signaler l'évolution des principes de structuration et d'exposition d'un ordre politique.

À cet égard, l'Union européenne constitue un cas d'étude particulièrement intéressant car elle semble défier tous les principes constitutifs du protocole. Elle peut être définie comme un système de pouvoir à multiples niveaux qui ne cessent de s'enchevêtrer, où les acteurs composent des configurations mouvantes sans que des hiérarchies claires se

---

61. Ainsi de Gaulle justifie-t-il son attention aux formes : « Le devoir, l'État, la mission [...]. Comme tout compte s'il s'agit du prestige de la France, je tiens pour important qu'à cet égard les choses se passent avec ampleur et mesure, bonne grâce et dignité. » Ses successeurs à la présidence de la République française adoptent à des degrés divers la même attitude de détachement par rapport à la gratification personnelle retirée du protocole et la même intransigeance concernant les marques de statut attachées à leur fonction. Voir Stéphane Monclaire, « L'usage du protocole. Mise en scène rituelle et travail d'institutionnalisation », dans Bernard Lacroix et Jacques Lagroye (dir.), Le Président de la République. Usage et genèse d'une institution, Presses de Sciences Po, Paris, 1992, p. 152 et suiv.

62. Norbert Elias, La Dynamique de l'Occident, Calmann-Lévy, Paris, 1975 [1969].

63. Stéphane Monclaire, « L'usage du protocole », art. cité, p. 141 et suiv. Le même phénomène de retour à la norme protocolaire s'est reproduit lors de la cohabitation entamée en 1997. Voir Denis Fleurdorge, Les Rituels du président de la République, Paris, PUF, 2001, p. 218-221.

dégagent. La fluidité de l'ordre politique communautaire soulève des interrogations sur la manière dont peut s'institutionnaliser et se pérenniser une pratique cérémonielle. Le polycentrisme de l'UE ne fournit pas de principe d'organisation global fondant l'agencement de ses composantes. C'est dès lors la logique et le principe même de mise en scène du système qui est en cause. La question est de savoir dans quelle mesure les institutions européennes peuvent définir et contrôler les conditions dans lesquelles elles sont constituées en spectacle politique, et ce que cela traduit en termes de relations de pouvoir et de principes de justification.

Le protocole européen prend la forme d'une coutume réduite au strict minimum qui ne fait pas l'objet d'une codification stricte. Cette sobriété cérémonielle résulte de la nécessité de composer en permanence avec les diversités nationales et les changements incessants de la configuration politique communautaire. Elle découle aussi d'une stratégie délibérée d'afficher une manière moderne et fonctionnelle de faire de la politique. S'ensuit une pratique consistant à niveler beaucoup plus qu'à hiérarchiser, qui donne libre cours aux acteurs. Ce «laisser-faire» tend à profiter avant tout aux dirigeants nationaux, les mieux dotés en ressources symboliques et les plus visibles, au détriment des représentants communautaires *stricto sensu* (commissaires, députés européens, hauts fonctionnaires). Ces derniers se voient réservés un statut très inégal et toujours subordonné par les cérémonials des États membres qui restent structurants. La timidité du protocole communautaire souligne somme toute la faiblesse de l'ordre politique européen et de la difficulté intrinsèque de le donner à voir.

La fixation de l'ordre des préséances au niveau communautaire ne fait l'objet d'aucun texte juridique. Cela rapproche l'Union européenne d'États comme l'Allemagne, les Pays-Bas ou le Danemark, et l'éloigne de pays tels que la France ou la Grèce qui ont défini la hiérarchie protocolaire dans un règlement. Plus largement, le cérémonial déployé par les institutions communautaires n'a guère donné lieu à codification, sous la forme par exemple de manuels rédigés par d'anciens fonctionnaires comme cela se pratique souvent à l'échelon national. Selon le témoignage des agents du protocole européen, trop de divergences [64] et d'incertitudes

---

64. *Un ancien chef du protocole du Parlement européen témoigne qu'une mise par écrit des pratiques communautaires fut envisagée mais dut être abandonnée devant les réticences de certaines délégations attachées à leurs ordonnancements nationaux, ordonnancements dans lesquels les représentants communautaires occupent des places peu favorisées. Voir Maurice Mestat,* Mémoires et libres propos, *Remich, Schomer-Turpel, 2001, p. 31.*

existent pour pouvoir parvenir à une norme consensuelle et pérenne. La tradition orale reste donc la seule référence en matière cérémonielle. Reste à savoir dans quelle mesure elle peut se révéler structurante.

L'exemple du Conseil européen, événement le plus médiatique de la vie politique communautaire, constitue un bon indicateur de la capacité de l'ordre institutionnel européen à dégager un *modus vivendi* intégrant ses particularismes et présentant une certaine stabilité. La coutume fixe les grandes lignes des sommets des chefs d'État et de gouvernement. Dès lors, les agents du secrétariat général du Conseil de l'Union européenne, organe qui assure le secrétariat administratif de la manifestation, se sont imposés au fil du temps comme les individus-mémoire d'une institution vieille d'une trentaine d'années. Au fil des présidences tournantes, les fonctionnaires communautaires apparaissent comme les garants de la pérennité d'une pratique fonctionnant comme réducteur d'incertitude sur le plan organisationnel, ce qui permet la ritualisation d'un dialogue au plus haut niveau dans un cadre tacitement « naturalisé » que ne remettent pas en question les divergences du moment.

Le rôle de ces agents du protocole européen demeure cependant purement consultatif. Dès lors qu'il faut trancher sur un point de protocole, ce sont les États membres sous l'égide de la présidence qui sont décisionnaires. Les ajustements à apporter sont nombreux du fait des révisions régulières du périmètre et des principes de fonctionnement de l'UE. C'est une incitation forte à limiter le formalisme pour faciliter les adaptations. Un bon exemple de cette flexibilité accommodante est le rituel de la « photo de famille » qui marque immanquablement chaque sommet et fournit à la presse une illustration parlante de l'unité européenne. L'habitude veut que les ministres des Affaires étrangères se placent en retrait vis-à-vis des chefs d'État et de gouvernement, les chefs d'État figurant aux côtés du président en exercice de l'Union européenne au premier rang au centre. Toutefois, le soin est laissé aux participants de respecter plus ou moins scrupuleusement cette répartition. L'analyse d'un échantillon de ces « photos de famille » entre juin 1993 et décembre 1998 montre la part d'aléatoire dans la disposition des participants au sommet, selon leur nombre total, la présence d'invités extérieurs ou les hasards du moment. Présidents et invités se situent toujours au premier rang, mais dans des configurations les plus variables, attestant que les conventions s'appliquent plus dans l'esprit que dans la lettre. Les choses ont changé après l'élargissement de 2004, qui a fait exploser le nombre des participants des sommets figurant sur les clichés. L'agencement reste le même qu'avant : les présidents au centre au premier rang autour du président en exercice de l'UE ; les représentants des institutions européennes à leurs côtés, le président du Parlement européen ayant obtenu d'être aux côtés des chefs d'État lorsqu'il est invité, ce qui est presque toujours le cas ; les premiers ministres par ordre futur de présidence. Mais désormais, chacun se voit assigné sa place par un marquage au sol aux couleurs de chaque État membre [65].

Les « manquements » à l'étiquette tendent donc à se réduire au prix de sa rigidification. Ils constituent néanmoins toujours en certaines occasions un moyen concerté pour s'adapter aux particularités de la vie politique interne des États membres sans remettre en cause l'ensemble de l'édifice commun. À titre d'exemple, lors de la première cohabitation en France en 1986, un problème nouveau surgit suite à la volonté du Premier ministre Jacques Chirac de participer aux Conseils européens aux côtés du président François Mitterrand. Les autres pays entérinèrent ce choix, au nom de la liberté de chaque État de se faire représenter comme il l'entend au niveau politique [66], mais à la condition qu'il n'entraîne pas la présence d'un Français supplémentaire autour de la table. Le ministre des Affaires étrangères fut donc sacrifié, et la coutume devint qu'il s'efface à chaque période de cohabitation. Cela n'est pas sans soulever une difficulté d'ordre juridique, puisque les traités stipulent que le Conseil européen est composé des chefs d'État et de gouvernement et des ministres des Affaires étrangères. L'acceptation par les autres États membres de cette particularité française crée un précédent qui entraîne d'autres pays comme la Finlande, Chypre ou la Roumanie à suivre l'exemple. Nécessité fait loi, mais il n'est cependant pas possible de revenir sur des dispositions particulièrement symboliques consacrées par l'histoire. Lorsque, pour trouver une solution à la confusion née de l'accroissement du nombre des individus qui se bousculaient sur les clichés, il a été tenté, de réaliser deux « photos de famille » distinctes des chefs d'État et de gouvernement et des ministres des Affaires étrangères, ces derniers ont résisté à ce qui apparaissait comme une trahison du sens même de l'image unitaire [67].

---

65. *Entretien avec Hans Brunmayr, chef du protocole du Conseil de l'UE, directeur général de la DG Presse, Communication, Protocole, 17 octobre 2005.*
66. *Ce principe prévaut depuis les origines au sein du Conseil des ministres. Au cours d'un conseil Affaires générales par exemple, un pays peut déléguer son ministre de la Jeunesse en lieu et place de son ministre des Affaires étrangères. On en a vu une illustration le 9 juillet 2007 avec la venue de Nicolas Sarkozy, président de la République française, à une réunion de l'Eurogroupe réunissant les ministres de l'Économie de la zone euro.*
67. *Entretien avec Hans Brunmayr, art. cité.*

L'adaptabilité requise du rituel communautaire s'est aussi manifestée lors de l'entrée en fonction de Javier Solana comme haut représentant pour la politique étrangère et de sécurité commune (PESC) et comme secrétaire général du Conseil. La Commission ne voulait initialement pas que ce dernier ait préséance sur son vice-président, mais les États membres ont imposé cet état de fait. Désormais, dans les plans de table et autres classements, Javier Solana arrive devant les ministres des Affaires étrangères des États membres, même celui qui détient la présidence. Quand, dans les conseils européens, on sépare les chefs d'État et de gouvernement et les ministres, il va avec les premiers en tant que représentant européen. À chaque fois, ce sont les acteurs intergouvernementaux qui décident.

Le choix de la sobriété ne renvoie pas seulement à une nécessité fonctionnelle. C'est aussi une stratégie explicite de mettre en scène un ordre politique rationalisé plutôt que théâtralisé. L'objectif affiché est de réduire au maximum les procédures, comme lors de la cérémonie de présentation des lettres de créance d'un nouvel ambassadeur auprès des communautés dont la simplicité contraste avec les fastes déployés en la même circonstance par certains États[68]. Il s'agit de trouver le plus petit dénominateur commun pour concilier les différentes traditions et susceptibilités nationales. Les acteurs communautaires ne disposent de toute façon que d'un registre symbolique relativement pauvre, dépourvu des ressources classiques en la matière que sont les honneurs militaires, les remises de décoration, etc.[69]. Mais l'absence apparente de protocole est aussi signifiante que le cérémonial le plus pompeux. Ce sont les effets recherchés qui varient. Le caractère permissif du cadre physique et relationnel d'un événement découle d'une organisation du spectacle politique qui fait du libre jeu des acteurs son principe structurant, dans le but de promouvoir l'image de la convivialité et de la bonne entente entre les dirigeants[70]. La faiblesse du cérémonial européen ne marque donc pas une indifférence en la matière, mais plutôt un mode de mise en représentation visant à insister sur sa modernité. L'objectif implicite, c'est de se démarquer du passé, des conflits de préséance et des affrontements des orgueils nationaux. La référence au deuxième conflit mondial, et plus généralement à la guerre, est récurrente dans le discours des agents communautaires.

---

68. *Pour une description de cette procédure, voir « Vade-mecum à l'usage du corps diplomatique », Commission européenne, Luxembourg, Opoce, 1999, section IV.14-15, p. 284-285.*
69. *Entretien avec Wilfried Baur, chef du protocole du Parlement européen, 29 avril 1999.*
70. *Murray Edelman*, The Symbolic Uses of Politics, *Urbana (Ill.), University of Illinois Press, 1985, chap. 5 [1re éd. 1964].*

Le protocole dans la diplomatie internationale – notamment à travers les honneurs militaires qui consistent en une neutralisation symbolique des armes (montrer les armes dont on ne se servira pas) visait à assurer la sécurité des envoyés diplomatiques. Le dépassement de ces « formalités » constitue un signe que le risque de conflit qu'elles étaient censées conjurer n'est plus de mise et qu'il est désormais possible d'afficher une nouvelle manière de faire de la politique.

Le protocole communautaire est de ce fait un simple outil destiné à créer le contexte propice à la décision politique, et l'utilité prévaut. Les impératifs de représentation cèdent le pas aux considérations pratiques, comme l'exprime un agent du Conseil :

> « Nous ne voulons pas avoir un protocole du XVIIIe siècle. Nous estimons qu'il est beaucoup plus important que les gens arrivent de bonne humeur aux réunions pour faire avancer la construction européenne, que de se perdre dans de petits détails du type : est-ce qu'il faut avoir un trafic de motocyclettes autour des voitures ou des fanions... Nous n'avons pas de fanion par exemple... Pourquoi ? Mais pour des raisons de sécurité. C'est plus difficile de tirer sur un Premier ministre dans une voiture sans fanion que dans une voiture avec fanion[71]. »

Dès lors qu'il s'agit avant tout de dégager un *modus vivendi* acceptable par tous, l'amour-propre est censé céder le pas à la raison. L'invocation du « bon sens » comme principe d'action fondamental est un leitmotiv dans le discours des chefs du protocole communautaire, suggérant que les solutions doivent s'imposer d'elles-mêmes avec la force de l'évidence. Ils définissent ainsi la mise en forme du cérémonial davantage comme une activité bureaucratique à caractère technique et uniformisant que comme une dimension politique traduisant des choix potentiellement générateurs de conflits. La relocalisation du Conseil européen à Bruxelles, dans le bâtiment du Consilium qui se prête peu au déploiement cérémoniel, a encore accentué le dépouillement de la mise en scène. La seule tentative de solenniser l'événement, une arrivée des délégations par ordre inversé des présidences avec un accueil marqué de chacune d'elle par la présidence danoise alors en exercice fin 2002, s'est soldée par un échec du fait de la longueur de la procédure. Le rituel

---

71. *Entretien avec Anastassios Vikas, chef du protocole du Conseil de l'Union européenne, 3 février 1999.*

européen va donc niveler davantage que hiérarchiser. Cela passe d'abord par une concertation semestrielle entre les services du protocole nationaux pour harmoniser les pratiques d'accueil dans le cadre des relations bilatérales entre États membres. À l'échelon communautaire proprement dit, cela se traduit surtout par le souci de minorer toutes les distinctions de statut. L'égalité entre États est érigée en dogme, même si quelques aménagements ont été apportés au principe d'indifférenciation entre grands et petits pays[72]. Au niveau des dirigeants politiques de même, leur dignité de chef d'État ou de gouvernement n'influe guère sur les prérogatives dont ils jouissent[73], ce qui permet d'éviter que les différents régimes d'organisation des pouvoirs parmi les États membres ne créent des asymétries problématiques.

L'absence de codification trop précise des formes et le principe d'égalité suscitent une attention accrue prêtée au comportement des acteurs, comportement d'autant plus significatif qu'il est peu encadré. Le dispositif protocolaire européen repose sur l'acquis communautaire en matière cérémonielle ; il postule que la tradition de « diplomatie de l'intimité[74] » héritée du cénacle chaleureux des « pères fondateurs » est suffisamment

72. *À titre d'exemple, le plan de table des réunions de travail comme l'agencement des drapeaux suivent l'ordre alphabétique déterminant la rotation de la présidence. Cet ordre alphabétique hiérarchise les pays selon la succession de leur nom dans leur propre langue. La Grèce (Ellas) précède ainsi l'Espagne (Espania) et suit l'Allemagne (Deutschland). Ce classement, initialement unique, a été dédoublé après l'élargissement de 1995 pour éviter que la présidence échoie plusieurs fois successivement à de petits États au risque d'affaiblir la cohésion interne et l'autorité internationale de l'Union. La rotation de la présidence est désormais dictée par le croisement d'un ordre alphabétique pour les grands pays et d'un autre pour les petits, ce qui constitue une adaptation plutôt qu'une remise en cause du principe d'égalité.*

73. *Comme dit précédemment, lors des Conseils européens, les chefs d'État ne jouissent d'aucune préséance selon les textes. Leur statut n'influence pas l'agencement du plan de table ou la disposition des drapeaux. Il est convenu qu'ils se placent au centre de la photo de famille au premier rang, ce qui n'est pas toujours respecté. Ils peuvent, à la discrétion de la présidence, se voir réserver les dernières positions honorifiques dans l'ordre d'arrivée sur le site de la rencontre. Ils bénéficient enfin d'un bureau particulier en sus de l'espace dévolu à chaque délégation et d'une place réservée pour leur assistant personnel (« Memo on the Organization », secrétariat général du Conseil de l'Union européenne, p. 6). Les quelques avantages concédés à leur personne restent donc mineurs et ne rejaillissent en rien sur leur rôle effectif.*

74. *La personnalisation des contacts est un procédé classique en diplomatie, et les institutions européennes l'emploient aussi depuis leurs origines dans leurs relations avec d'autres régions du monde comme l'Afrique sans pour autant lui conférer le même sens. Voir Véronique Dimier, « Du bon usage de la tournée : propagandes et stratégies de légitimation au sein de la direction générale développement, Commission européenne (1958-1970) », Pôle Sud, 15, octobre-novembre 2001.*

prégnante pour faire adopter aux gouvernants nationaux les attitudes de commensalité souhaitées en pareilles circonstances. Dans le cadre particulièrement médiatisé des sommets européens[75], le pari est que la liberté laissée aux participants confortera l'image de la famille européenne se réunissant périodiquement et affichant son unité au-delà des crises passagères. Le langage des corps parle alors autant que les mots, et le moindre geste devient l'objet de commentaire dans la presse. Ce régime d'autorégulation des acteurs fonctionne habituellement sans heurts majeurs et avec une certaine efficacité. L'accroissement du nombre de participants aux sommets suite aux élargissements a toutefois altéré la cordialité et la spontanéité des échanges. Le protocole a dû être renforcé pour gérer au mieux la massification de l'événement, et il est parfois reproché aux représentants des nouveaux États membres de ne pas respecter les manières policées d'exprimer ses différends qui sont – théoriquement – de mise. Il a ainsi été fait grief par les autres participants et par la presse internationale aux gouvernants polonais d'afficher leur fierté et leur intérêt national d'une manière trop virulente lors de la renégociation du traité constitutionnel en juin 2007.

La codification du cérémonial ressurgit à la moindre crise grave qui met en cause les fondements de la «famille européenne» et l'appartenance d'un de ses membres. Le retour à des formes prescrites est alors le moyen de restaurer ou de maintenir l'ordre politique communautaire dont les principes semblent menacés en replaçant les acteurs dans un cadre normé pour prévenir le conflit. Ce fut le cas par exemple lors du sommet de Lisbonne en mars 2000, où les organisateurs portugais devaient gérer le conflit entre le chancelier autrichien Wolfgang Schüssel et ses quatorze partenaires communautaires après l'entrée dans son gouvernement du parti de Jörg Haider. Les représentants français et belges refusant d'apparaître aux côtés de leur homologue autrichien pour la traditionnelle photo de famille, ce fut une simple «photo de groupe» qui fut réalisée, l'invité du moment en la personne du président mexicain Ernesto Zedillo servant opportunément d'alibi. Encore la présidence portugaise jugea-t-elle nécessaire de déterminer au préalable la place de chacun pour éviter tout incident, le chancelier autrichien étant situé au deuxième rang à l'extrême droite, éloigné au maximum de ses opposants les plus irréductibles. Cela ne suffit pas à convaincre le ministre des

---

75. *On retrouve ce même dosage subtil d'informalité et de pratiques institutionnelles et diplomatiques bien réglées dans cette autre construction symbolique européenne majeure qu'est le couple franco-allemand. Voir Christelle Nourry,* Le Couple franco-allemand. Un symbole européen, *Bruxelles, Bruylant, 2005.*

Affaires étrangères belge, qui boycotta la séance de pose en laissant à son Premier ministre le soin de représenter son pays[76]. D'autres cas analogues se sont présentés. Après le refus par Chypre du plan de Kofi Annan de pacification du conflit avec la Turquie, le secrétaire général de l'ONU a été l'invité d'un Conseil européen et il a été fait en sorte qu'il ne côtoie pas le président chypriote. Ce dernier est, en tant que chef d'État, toujours placé au premier rang sur les «photos de famille», ce qui lui assure de ne pas être en contact avec le Premier ministre turc qui figure au deuxième rang.

Le protocole n'est donc occulté que dans la mesure où l'ordre politique qu'il exprime n'est pas mis en question, et il est toujours susceptible d'être réactivé quand cet ordre est menacé. Un détail peut en outre toujours venir modifier le déroulement normal des rencontres. Il est ainsi devenu habituel de marquer au sol la place de chaque dirigeant sur les prises de vue en associant son drapeau national et son nom. Les représentants des États membres se plient sans difficulté à ce procédé. Pour deux invités néanmoins, Georges Bush et Recep Tayyip Erdogan, il se révéla inacceptable de fouler au pied leurs couleurs, traduisant ainsi un rapport beaucoup moins décontracté que leurs homologues communautaires à leur identité nationale[77].

Le protocole, expression d'un ordre politique, constitue aussi historiquement un mode de mise en forme d'une territorialité. Son périmètre d'application fixe les limites de la zone que contrôle le pouvoir qui l'énonce. Le système de rangs qu'il établit entre les représentants politico-administratifs articule les différents niveaux territoriaux du centre aux périphéries. On peut parler à cet égard de l'existence d'une véritable sphère domestique communautaire qui tranche avec les normes diplomatiques des relations internationales. Le niveau supranational est érigé en prolongement du niveau national où l'on ne s'embarrasse pas de façons superflues. De même, le président de la Commission en voyage dans les États membres est considéré en visite de travail et accueilli sans fastes. Jacques Santer s'étonnait d'ailleurs un jour de devoir se frayer par lui-même un chemin dans les encombrements de la circulation parisienne lorsqu'il venait en visite en tant que président de la Commission, en regrettant le temps où, Premier ministre du Luxembourg, il était escorté de motards qui lui ouvraient la voie[78]. Cette sphère domestique communautaire reste cependant structurée par la diversité des protocoles

---

76. Le Monde, *24 mars 2000*; Libération, *24 mars 2000*.

77. *Entretien avec Hans Brunmayr, art. cité.*

78. *Jean-Louis Quermonne,* L'Europe en quête de légitimité, *Paris, Presses de Sciences Po, 2001, p. 74.*

nationaux. Les institutions européennes demeurent subordonnées à la pratique de l'État souverain qui les accueille sur son sol. Les invités qu'elles reçoivent à Bruxelles sont toujours tenus de passer d'abord par l'intermédiaire des autorités nationales belges. Cela se vérifie à plus forte raison dans le cadre des rencontres des Conseils européens se tenant dans l'État membre exerçant la présidence. Les invités venant de pays tiers le sont au nom de l'Union européenne mais sont accueillis par l'autorité nationale, sans pour autant que s'applique le cérémonial des relations bilatérales. Les institutions européennes se plient aux règles du pays sur le territoire duquel elles sont implantées, et les acteurs qui leur sont liés s'y conforment du même coup. En matière de pavoisement par exemple, les missions diplomatiques accréditées auprès des Communautés et établies à Bruxelles arborent leur drapeau national sur l'immeuble de leur chancellerie selon les usages et dispositions de leur propre pays ; elles doivent aussi le hisser à l'occasion de la Journée de l'Europe le 9 mai ; mais elles ont encore à pavoiser le 21 juillet, fête nationale de la Belgique, et le 15 novembre, fête de la dynastie[79]. Elles sont donc sujettes à respecter trois calendriers, celui de l'État qu'elles représentent, de l'entité communautaire et de la puissance qui abrite cette dernière.

Cette secondarité du protocole communautaire par rapport aux protocoles nationaux fait que les représentants politiques et administratifs de l'Union européenne se voient réserver des statuts différents dans chaque État membre. Chaque contexte national fonctionne selon ses règles propres, découlant d'un texte juridique ou de la tradition. Quelques exemples peuvent être tirés de la comparaison des pratiques des États membres, tant sur l'observation des préséances entre institutions européennes que sur le statut réservé aux membres des institutions européennes par rapport à leurs homologues nationaux. L'ordre élémentaire de préséance interinstitutionnel européen Parlement européen Conseil de l'Union européenne-Commission n'est pas toujours respecté dans sa lettre stricte. La Grèce place ainsi son commissaire avant un vice-président du Parlement européen, alors que ce dernier se situe dans la liste utilisée par les protocoles des institutions européennes sur le même rang qu'un vice-président de la Commission mais cinq places devant un simple commissaire. La mise en équivalence des représentants de l'Union européenne et des représentants nationaux est également très variable. Députés nationaux et européens sont établis sur un pied d'égalité en

---

79. *« Vade-mecum à l'usage du corps diplomatique accrédité auprès des Communautés européennes », Commission européenne, janvier 1999, p. 291-292.*

Allemagne ; les premiers précèdent immédiatement les seconds en Grèce ; en France, les élus qui siègent au Palais Bourbon figurent en onzième position alors que ceux qui officient à Strasbourg et Bruxelles n'arrivent qu'en vingt-troisième place. Les commissaires connaissent les mêmes aléas de fortune. La Belgique accorde préséance aux représentants de la Commission sur ceux des États membres quand ces derniers ne figurent pas au titre de membres du Conseil, contrairement à la France ou à l'Allemagne. Le commissaire grec est quant à lui dans un cas particulier. Il ne figure dans son protocole national qu'en dix-huitième position derrière les ambassadeurs étrangers, alors que ses collègues du collège prennent rang aux côtés des ministres nationaux. Cette relative disgrâce est expliquée par les diplomates de la représentation permanente grecque à Bruxelles comme la résultante du peu d'empressement des autorités gouvernementales grecques à faire une place privilégiée à un acteur politique qui se poserait potentiellement en rival.

Le statut des dignitaires communautaires varie au sein d'un même espace national selon que l'on se situe au centre ou en périphérie. En France, par exemple, les députés européens figurent au vingt-troisième rang en cas d'événement officiel à Paris, derrière le préfet de police, le maire de Paris et le président du Conseil régional d'Île-de-France, loin derrière les parlementaires nationaux qui pointent en onzième et douzième positions. Mais les élus communautaires sont, de manière beaucoup plus flatteuse, situés au septième rang lors des cérémonies publiques dans les autres départements, apparaissant même au quatrième échelon des préséances à Wallis-et-Futuna, juste derrière les députés et sénateurs nationaux [80]. L'affirmation symbolique de l'Europe trouve des conditions plus favorables dans les provinces que dans les capitales. La seule tradition née de la pratique communautaire ne suffit donc pas à assurer aux représentants de l'Union européenne une reconnaissance égale et forte dans les États membres. Les dirigeants nationaux trouvent dans la flexibilité du cérémonial européen un moyen de maintenir ou renforcer leur prédominance et continuer à offrir les incarnations les plus parlantes de l'Europe.

Depuis sa naissance, l'Union européenne s'est incontestablement affirmée comme ordre politique, sur le plan protocolaire comme sur les autres plans. Il suffit pour s'en convaincre de se remémorer les contestations de de Gaulle contre les prétentions de Walter Hallstein et de la

---

80. *Décret 95-1037 du 21 septembre 1995 relatif aux cérémonies publiques, préséances, honneurs civils et militaires.*

Commission à utiliser un rituel diplomatique proche de celui des États au milieu des années 1960 pour mesurer le chemin parcouru. Les institutions communautaires ont dégagé une pratique cérémonielle *ad hoc* fonctionnelle et évolutive qui reflète leurs spécificités structurelles et les contraintes externes qui pèsent sur elles. Ponctuellement aussi, des choix symboliques lourds ont été faits qui ont creusé une ornière profonde susceptible de peser sur le comportement des acteurs, comme lorsque les parlementaires européens décident de siéger par affinité politique[81] ou que les membres de la Convention pour l'avenir de l'Europe se disposent dans l'hémicycle par ordre alphabétique pour s'émanciper de leurs déterminations nationales ou partisanes[82]. Dès lors, le protocole a-t-il pu jouer le même rôle de processus d'institutionnalisation que dans le contexte de l'État-nation ? Il constitue selon Olivier Ihl un vecteur de construction de la bureaucratie étatique sur trois dimensions : il marque le passage d'un État-personne à un État conçu comme la propriété collective d'un être collectif (les honneurs sont attachés à la fonction et non à l'individu qui la détient) ; il favorise le développement de la loyauté professionnelle des fonctionnaires par la mise en forme d'un imaginaire bureaucratique et l'imposition de comportements réglés ; il contribue à intégrer toutes les composantes administratives à un schéma institutionnel unique dominé par un centre[83]. Si l'on reprend ces trois facteurs pour les appliquer à l'UE, le culte de l'informel et de la sobriété marquant le cérémonial communautaire a pu en premier lieu alimenter un imaginaire bureaucratique spécifique, celui d'une administration qui se définit volontiers dans sa communication comme une avant-garde éclairée se plaçant au-delà des conventions de la politique nationale et internationale pour viser à l'utilité maximale. Mais la légèreté de la contrainte formelle sur les comportements va de pair avec l'incapacité grandissante des institutions européennes à structurer en profondeur les préférences de leurs agents sur le plan identitaire et idéologique. Sur ce point, le protocole constitue un révélateur fidèle des logiques cachées des rapports

81. Antonin Cohen, « La "Révolution des fauteuils" au Parlement européen. Groupes d'institution et institution du groupe », Scalpel. Cahiers de sociologie politique de Nanterre, 2-3, 1997, p. 61-78.
82. Paul Magnette, « La Convention européenne : argumenter et négocier dans une assemblée constituante multinationale », Revue française de science politique, 54 (1), février 2004, p. 10-20.
83. Yves Déloye et al., Le Protocole..., op. cit., p. 235 et suiv. Sur le protocole comme vecteur d'institutionnalisation, voir aussi notamment Ernst Kantorowicz, Les Deux Corps du roi, Paris, Gallimard, 1989 ; Ralph Giesey, Le Roi ne meurt jamais, Paris, Flammarion, 1987.

de force et des allégeances. En second lieu, le critère d'impersonnalisation de la fonction, constitutif de toute forme de domination rationnelle-légale, tend à être nuancé par le «laisser-faire» en matière protocolaire qui redonne toute son importance au facteur individuel du détenteur du poste dans la plus ou moins grande valorisation de ladite fonction. Enfin, en troisième lieu, le rôle d'intégration par le protocole de toutes les composantes administratives dans un schéma institutionnel unique dominé par un centre est clairement battu en brèche par le polycentrisme de l'Union européenne et l'absence d'unité de ses pratiques cérémonielles. Sur le plan protocolaire, l'ordre politique communautaire s'est différencié des ordres politiques nationaux, il s'est partiellement codifié par la pratique mais il demeure subordonné et hétérogène, sans logique globale d'exposition. On parlera donc d'une institutionnalisation faible et peu visible. Reste à savoir si elle s'avère suffisante.

Certes, le mode de régulation cérémoniel de l'Union européenne ne fait somme toute que reproduire les grandes mutations des rituels sociaux perceptibles également au niveau national. La désinstitutionalisation des normes de comportements est à rapporter au primat de l'individu sur le collectif comme nouveau principe de sacralité. En cela donc, l'Europe ne se singularise pas. De la même manière, le protocole européen reflète les évolutions structurelles de la communication politique contemporaine dans son rapport au temps, par l'effacement de la longue durée face à la nécessité d'innover et la priorité donnée à l'instantané, à l'événement et aux agencements conjoncturels que ce dernier suscite. Pour autant, on constate aussi la résistance de la tradition dans la confrontation de la norme européenne aux pratiques nationales ancrées dans des histoires singulières, voire l'invention d'une tradition européenne spécifique partagée par les acteurs à défaut de faire sens pour le plus grand nombre. On assiste donc moins à une obsolescence qu'à une mutation des formes de mise en spectacle du politique à la faveur de l'intégration européenne, mutation qui n'efface pas les particularismes nationaux hérités du passé.

Dans ce processus de transformation générale de la communication politique et la façon dont l'UE l'accommode, les représentants européens ne sont pas en mesure d'apparaître comme les supports idoines des représentations collectives d'une société exigeant de ses dirigeants qu'ils soient à la fois les vecteurs du changement et l'incarnation de la continuité et de l'unité de la communauté politique. Figures de la transformation, ils ne sont intégrés qu'inégalement et médiocrement dans la hiérarchie protocolaire attestant de manière compensatoire la pérennité des formes de l'autorité et de la représentation. Faute de pouvoir mobiliser les références fortes à l'identité collective ou à l'histoire, ils ne constituent pas les acteurs centraux d'un mécanisme d'imputation institutionnalisé.

L'incertitude, la fluidité et la secondarité de l'ordre communautaire ont été les paramètres inhérents à la méthode de l'engrenage, méthode qui trouve peut-être aujourd'hui ses limites devant le hiatus croissant entre la prise et l'attribution de l'origine de la décision. Le protocole n'est qu'une dimension parmi d'autres de ce problème, mais une dimension particulièrement révélatrice du fait de sa vocation intrinsèque à produire des effets et à donner à voir rapports et positions de force. Il ne s'agit sans doute pas de prétendre restaurer une majesté du politique qui n'a plus lieu d'être sous ses formes anciennes, mais peut-être de marquer plus nettement où est le pouvoir et de quelle manière il est exercé, condition nécessaire de sa mise en responsabilité. C'est là la fonction anthropologique du protocole, processus de régulation sociale qui domestique la domination en conditionnant l'attribut des honneurs à des critères précis et qui convertit de l'inégalité sociale en égalité politique en remplaçant une hiérarchie non voulue par une autre mieux acceptée car fondée sur l'utilité commune et obligeant à la fois gouvernants et gouvernés pour construire « une société bien ordonnée [84] ». Cette transfiguration des relations de puissance en relations de prestige, moins aliénantes car visibles et consenties par le plus grand nombre, l'Europe politique ne la réalise pour l'heure pas.

---

84. *Yves Schemeil, « Une anthropologie politiste ? »*, Raisons politiques, 22, *mai 2006, p. 49-72.*

Chapitre 4

UN DISCOURS DE POUVOIR DÉPOLITISÉ

Les conditions de la prise de rôle de «locuteurs de l'Europe» dictent un certain type de discours. On s'intéresse ici principalement aux discours directement émis par les institutions européennes en tant qu'entités politico-bureaucratiques. Cette rhétorique institutionnelle révèle par son contenu, ses formes et ses fonctions les logiques de la légitimation communautaire. Se centrer sur l'étude du langage permet de mettre l'accent sur le sens qui circule dans le jeu politique, au-delà des positions et des stratégies des acteurs. Le postulat selon lequel la place et le statut du locuteur déterminent fortement le message se vérifie particulièrement dans un contexte comme celui de la politique européenne encore dominé par les ordres nationaux. La prise en compte du contenu du message éclaire néanmoins les modalités et le matériau du travail politique au niveau communautaire où la mise en scène de la décision et de l'action publique reste faiblement codifiée. Une analyse de discours politique invite à réintroduire la question de l'adresse au grand public en se concentrant sur ce qui circule en dehors des milieux décisionnels, manière de faire la part de ce qui relève des enjeux internes au petit monde bruxellois et de ce qui influe sur la forme des interactions gouvernants-gouvernés.

Les grands discours sur l'Europe qui ont fait date ne sont pas prononcés par le président de la Commission ou du Parlement européen, mais par des dirigeants nationaux s'exprimant en tant que tels, à l'image de Winston Churchill en son temps, François Mitterrand, Margaret Thatcher ou

Joschka Fischer. De telles prises de parole renvoient à des déterminants individuels, historiques et politiques qui ressortent tous d'un contexte national particulier transcendé pour faire sens dans d'autres matrices culturelles. Ce ne sont donc pas ces productions symboliques qui peuvent le mieux témoigner des conditions propres au contexte spécifique de l'intégration européenne. On cherche ici à comprendre « comment pensent les institutions [1] » européennes, en quoi le dispositif juridico-bureaucratique et la division du travail politique qu'elles réalisent détermine un registre d'argumentation *ad hoc*, en postulant que la forme du discours d'un appareil de pouvoir renseigne sur le modèle politique général que ce dernier structure [2]. C'est pourquoi on s'attache prioritairement à l'étude systématique de deux corpus renvoyant explicitement à la rhétorique institutionnelle européenne *stricto sensu*. La première source, le *Livre blanc sur la gouvernance européenne* [3] constitue un matériau particulièrement intéressant dans la mesure où il peut être considéré comme l'expression la plus complète du paradigme politique dont se réclame l'UE, celui de la gouvernance. La Commission est considérée comme le locuteur car elle endosse la responsabilité politique du document même si, en pratique, le texte est le fruit d'un travail de consultation large et fait l'objet de fortes contraintes dans sa rédaction. Un paramètre à prendre en compte est la difficulté de distinguer dans l'étude de discours ce qui relève du « genre littéraire » livre blanc, écrit public sans force juridique propre mais qui a valeur d'une prise de position visant à susciter la construction de coalitions, de ce qui relève intrinsèquement du répertoire de la gouvernance. Il convient de ne pas négliger l'influence du support par rapport à celle d'un lexique spécifique dans la structuration d'un langage politique. Les multiples usages et références dont a fait l'objet le livre blanc en font néanmoins un vecteur essentiel de structuration de l'univers discursif de l'intégration européenne. La deuxième source est constituée par un échantillon des publications de la Commission à destination du grand public [4]. Il s'agit d'un ensemble

---

1. *Mary Douglas,* Ainsi pensent les institutions, *Paris, Éditions Usher, 1989 [1re éd. 1986].*
2. *L'analyse s'inscrit donc plutôt dans le courant des approches discursives de l'intégration européenne, qui insiste sur la construction du discours à l'échelon européen en postulant qu'il renvoie au « paradoxe productif » d'une vision du monde enjeu d'un conflit constitutif davantage que contenu prédéterminé. Voir Ole Waever, « Discursive Approaches », dans Antje Wiener et Thomas Diez (eds),* European Integration Theory, *Oxford, Oxford University Press, 2004, p. 207 et suiv.*
3. *Commission des Communautés européennes, « Gouvernance européenne. Un Livre blanc »*, COM (2001) 428 final, *Bruxelles, le 25 juillet 2001.*
4. *Voir la liste complète et les références en bibliographie.*

de brochures illustrées présentant de manière succincte et accessible le système institutionnel européen, ses différentes politiques, son histoire et ses grandes figures. Ces publications fournissent des exemples complémentaires de ceux offerts par le *Livre blanc sur la gouvernance*. Là où ce dernier s'apparente à l'énonciation d'une doctrine et d'une terminologie à l'adresse des acteurs du jeu politique européen au sens large, les brochures visent à « traduire » au bénéfice du plus grand nombre les règles de ce jeu.

On s'attache ici à soumettre ces textes[5] à une grille de lecture théorique classique du discours politique[6], ce qui permet de neutraliser les effets d'imposition de la version officielle du répertoire de la gouvernance en les réinscrivant dans un prisme d'interprétation préexistant. Cela conduit aussi à postuler que ce répertoire de la gouvernance est justifiable en tout point de cette lecture en termes de discours politique, puisqu'elle renvoie à la prise de parole d'un appareil d'autorité, qui se trouve par là même habilité à jouer un rôle majeur dans la production du sens. La rhétorique institutionnelle européenne structure en effet les modes d'expression des autres acteurs évoluant dans le contexte de l'intégration. La diffusion du concept de « société civile » comme modèle d'action et de référence identitaire dans les pays candidats à l'adhésion en est une bonne illustration. On est bien en présence d'une nouvelle économie du symbolique portée par l'ordre politique émergent. Néanmoins, les identités et les rôles assignés par l'univers discursif européen restent principalement fonctionnels et limités aux interactions avec l'UE. Les mécanismes généraux d'imputation et de réassurance visant à faire du système politique la référence ultime de régulation du sens collectif font défaut.

En bref, le discours des institutions européennes comme système symbolique obéit aux règles habituelles du discours politique dans son mode d'organisation interne, les formes et les registres qu'il emprunte. Mais considéré comme action symbolique, à travers l'intention qu'il porte, les

---

5. *Les résultats détaillés et la méthodologie d'analyse sont développés respectivement dans « Un discours sans maître ? Livre blanc sur la gouvernance et rhétorique politique européenne », dans Marine De Lasalle et Didier Georgakakis (dir.),* La Nouvelle Gouvernance européenne : les usages politiques d'un concept, *Strasbourg, Presses universitaires de Strasbourg, 2008 et François Foret, « L'Europe en représentations », art. cité, chap. 3.*
6. *Nous reprenons principalement et de façon extensive l'appareil d'analyse proposé par Philippe Braud dans* L'Émotion en politique, *op. cit., p. 109-122 et* Sociologie politique, *Paris, LGDJ, 2000, p. 500-517 [5ᵉ éd.]. Un éclairage complémentaire est apporté par Christian Le Bart,* Le Discours politique, *Paris, PUF, 1998.*

effets que le locuteur exerce ou aspire à exercer, il apparaît comme un discours politique qui n'est pas totalement assumé comme tel, en bref comme un discours de pouvoir qui tend partiellement à la dépolitisation.

Un discours d'intention qui esquive la normativité

Dispositif institutionnel et rapports de force se répercutent de façon amplifiée dans l'organisation du discours. Le fonctionnement du système communautaire rend les acteurs européens peu à même d'annoncer ce qui va se passer avec certitude. Dans une configuration décisionnelle où les compétences sont éclatées, nul n'est en mesure de tenir un discours performatif, en créant l'événement par le simple fait de l'énoncer. Aucun acteur n'en a la capacité juridique. Aucun acteur n'en a non plus la capacité politique. Dans une élection nationale, un candidat peut annoncer son retrait en faveur d'un rival mieux placé, et engendrer ainsi une nouvelle donne dans la compétition pour le pouvoir. Même cette prise de parole n'existe pas au niveau européen, puisque l'élection au suffrage universel reste inscrite dans le cadre national et que l'absence de fait majoritaire prive le vote au sein des institutions européennes de son ressort dramatique. Indépendamment des dispositifs institutionnels, un message peut certes devenir performatif du simple fait que ses destinataires croient en son autorité, qu'ils y adhèrent de façon spontanée ou contrainte. Mais aucun leader politique ne dispose à l'aune de l'Union européenne d'un prestige et d'une audience suffisants pour emporter la conviction d'une majorité de citoyens et faire advenir ainsi un nouvel état des choses. Celui qui parle au nom de l'Europe est ainsi durablement condamné à la circonspection oratoire.

Le discours politique européen s'apparente donc à une déclaration d'intention. La Commission, locuteur principal de l'UE, y est particulièrement prédestinée du fait de ses fonctions d'initiative, de mise sur agenda et de proposition. Les dispositions qu'elle prône ne sont le plus souvent, dans le meilleur des cas, que l'annonce d'un processus d'action publique, ce qui peut susciter un malentendu avec le citoyen peu au fait des subtilités bruxelloises. Faute de pouvoir discrétionnaire, il faut donc présenter la décision envisagée comme nécessaire, donner à voir les options possibles pour l'avenir en indiquant laquelle est la plus adéquate et en quoi le projet avancé y correspond le mieux. Il faut ensuite mobiliser

des soutiens, ce qui requiert d'afficher des objectifs suffisamment attrac-
tifs sans néanmoins que ces derniers apparaissent comme inaccessibles
ou qu'ils pénalisent trop lourdement le locuteur en cas d'échec à les
atteindre. Tout dépend alors du bilan fait de la situation et des potentialités d'action qu'elle offre. C'est là le registre du jugement d'appréciation,
exercice typiquement européen.

Le jugement d'appréciation constitue l'enjeu de la lutte politique pour
imposer une perception du réel, un référentiel à partir duquel vont être
déterminées les actions à entreprendre. Cela met en cause la relation au
passé pour pouvoir envisager et organiser l'avenir. De nos jours, l'appréciation s'effectue fréquemment sur la base d'indicateurs chiffrés qui sont
présumés être un moyen d'objectiver la situation et de favoriser l'anticipation sur une base rationnelle. Les institutions européennes ne sont
pas avares de ces statistiques visant à attester l'existence de l'Europe
comme globalité politique, économique et sociale. Ce travail de mise
en catégories du réel est le moyen de récapituler le vécu du système
communautaire dans son ensemble et d'indiquer son devenir. Sur ce
point, la règle constamment vérifiée dans la rhétorique institutionnelle
européenne est de diagnostiquer un manque en reconnaissant les carences
du présent ; ce manque ne peut être comblé que par un surcroît d'intégration et de coopération entre États membres. Le diagnostic peut être
sévère, le remède est toujours de combattre le mal par un effort accru
dans la voie européenne. Se met ainsi en place un raisonnement circulaire d'auto-justification dont l'exemple suivant[7], tiré du *Livre blanc sur
la gouvernance*, constitue une illustration archétypale. Il est constaté que
les citoyens ne reconnaissent et n'aiment pas assez l'Union européenne.
La raison en est qu'ils perçoivent comme insuffisante son action sur des
problèmes essentiels tels que le chômage ou la sécurité alimentaire. Mais
l'insuffisance porte finalement autant, voire même davantage, sur la perception que sur la réalité de l'action. Les politiques communautaires sont
en effet trop souvent invisibles, mêmes lorsqu'elles sont effectives et
efficaces. La faute en revient notamment aux États membres qui commu-
niquent peu et de façon tronquée sur les bénéfices de l'intégration, en
préférant s'en arroger les bénéfices. Néanmoins, une amélioration est
possible. Les citoyens eux-mêmes attendent que de nouvelles mesures
soient prises au niveau européen, même s'ils sont déçus et déconcertés

---

7. *Commission des Communautés européennes, «Gouvernance européenne... »,*
op. cit., *p. 8-9.*

par la complexité de l'engrenage communautaire. Pour répondre à cette demande, il faut donc enclencher de nouvelles étapes de la construction européenne. Les mesures proposées par la Commission visent précisément à cela. L'enchaînement rhétorique est bien rodé : le défi à relever est présenté comme difficile, du fait de sa spécificité et du poids d'un passif constitué au cours des années[8]. Des efforts ont déjà été faits, mais ils se révèlent encore insuffisants[9]. Il faut continuer, en revenant aux principes fondamentaux du processus communautaire[10]. La nécessité de conduire le changement (l'euro, l'élargissement) suscite en effet une volonté de réforme qui s'énonce sur le thème récurrent du « recentrage » des institutions européennes. Il ne s'agit pas de les réformer de fond en comble, mais de les ramener à leurs missions premières. Les transformations de la réalité politique européenne sont entérinées, et notamment la nécessaire démocratisation de l'Union du fait de son approfondissement. Mais l'adaptation prend la forme d'un retour aux sources plutôt que d'une innovation radicale. Il faut renouveler le processus politique européen, et cela passe par un retour aux sources de l'esprit communautaire. Le retour à l'inspiration originale des traités est seul à même de redonner à la « méthode communautaire » sa souplesse initiale.

« La méthode communautaire a efficacement servi l'Union pendant près d'un demi-siècle. Elle peut continuer à le faire, mais elle a besoin d'une mise à jour[11]. »

Le rapport au temps semble donc structuré par la référence aux origines, mais aux origines conçues comme un âge d'or faiblement situé

---

8. « *La tâche n'est pas aisée. L'intégration graduelle qui a caractérisé le développement de l'Union a eu tendance à créer une segmentation de la politique européenne par secteurs aux objectifs et aux instruments différents : au fil du temps, la capacité de garantir la cohérence de l'action communautaire s'est réduite. Les méthodes de travail actuelles des institutions et leurs relations avec les États membres les empêchent de faire preuve du leadership nécessaire.* » Ibid., p. 33.

9. « *Répondant en partie à cette situation, l'Union européenne a adopté des agendas politiques intersectoriels, tels que celui de Tampere (1999) pour les questions de liberté, de sécurité et de justice, de Lisbonne (2000) pour le renouvellement économique et social jusqu'en 2010 ou de Göteborg (2001) avec la stratégie de développement durable.* » Ibid., p. 33.

10. « *Cependant, cela ne suffit pas. Les institutions et les États membres doivent œuvrer de concert pour définir une stratégie politique globale. À cet effet, ils doivent d'ores et déjà recentrer les politiques de l'Union et adapter le mode de fonctionnement de ses institutions sans attendre l'adoption de nouveaux traités.* » Ibid., p. 33.

11. Ibid., p. 39.

chronologiquement et demeurant dans le flou[12]. Il n'est pas fait mention précise d'un père fondateur ou d'une date particulière lorsqu'il est question de l'époque où s'est définie et éprouvée la «méthode communautaire».

Le processus européen soit simplement être rendu plus cumulatif, y compris en tirant les leçons des erreurs du passé, ce qui passe par le développement d'une culture d'évaluation. D'autres expériences peuvent venir nourrir l'action politique au niveau européen, notamment celles des régions et collectivités locales ou celles forgées dans la collaboration avec les pays candidats pour préparer les élargissements. La volonté s'esquisse ainsi de formuler une temporalité communautaire englobante capable de synthétiser et d'articuler les calendriers politiques des différents niveaux de pouvoir, du local aux relations extérieures.

Il est clairement affiché que donner à voir le projet communautaire au citoyen dans le long terme, chose qui reste à faire, est le seul moyen de le légitimer. Il s'agit moins de modifier la philosophie de l'intégration telle qu'elle fonde le processus depuis ses débuts que de mieux la faire partager. Mais cette manière d'inscrire l'Union européenne dans un temps à sa mesure reste très bureaucratique dans la mesure où l'avenir n'apparaît que sous la forme d'un échéancier de mesures institutionnelles. Ce discours n'est pas seulement propre à un document de planification comme un livre blanc. Il peut être considéré comme représentatif de la formulation habituelle du temps politique communautaire. En 1979 déjà, analysant la déclaration des Neuf sur l'identité européenne au Conseil européen de Copenhague le 14 décembre 1973, Yves Delahaye insistait sur la nature particulière du temps mis en scène, avec une focalisation sur le présent et l'avenir proche et l'évocation d'un futur bloqué par des dates-étapes demeurant toutefois imprécises: «C'est un temps d'homme d'affaires, mais à qui feraient défaut les moyens de la prévision[13].»

Outre la formalisation d'une vision du temps, le jugement d'appréciation est par ailleurs dans le discours politique général une manière de s'inscrire dans l'espace, dans la mesure où ce registre du discours emprunte aussi la voie de la comparaison avec d'autres systèmes politiques: systèmes politiques différents qui font figure de repoussoir ou systèmes politiques proches pour souligner les difficultés analogues qu'ils rencontrent ou leurs performances supérieures, selon les cas. Dans

---

12. *Ce qui est constitutif du mythe de l'âge d'or, quel que soit le niveau d'intensité avec lequel il fonctionne. Voir Raoul Girardet,* Mythes et mythologies politiques, *Paris, Seuil, 1986, p. 97-138.*
13. *Yves Delahaye,* L'Europe sous les mots. Le texte et la déchirure, *Paris, Payot, 1979, p. 164.*

la rhétorique institutionnelle européenne, les références à des expériences étrangères sont relativement rares car l'Union européenne a plutôt vocation à devenir un modèle qu'à s'inspirer de ce qui se fait ailleurs. La mise en place de la nouvelle «gouvernance interne» de l'Union européenne n'est qu'une étape vers la contribution à l'établissement d'une nouvelle gouvernance mondiale. On retrouve là la vocation universelle de la «méthode Monnet [14]». Le succès externe est indissociablement lié au succès interne, il est conditionné par lui et le conditionne [15]. C'est une façon implicite de refuser une territorialisation trop stricte du projet politique européen, puisque ce dernier se trouve énoncé comme totalement interdépendant des données politiques planétaires. La manière dont le discours tenu dans le livre blanc se décline dans le registre du jugement d'appréciation apparaît donc conforme à la fois aux règles traditionnelles du genre et à la tradition de la rhétorique européenne.

Il n'en va pas de même concernant le dernier grand registre classique du langage politique, l'appel aux valeurs. Les valeurs sont les croyances qui permettent de porter un jugement de légitimation ou de stigmatisation. Elles ne font pas seulement appel à la compréhension rationnelle, mais aussi à un investissement émotionnel impliquant un sentiment d'affection ou de répulsion. Les valeurs remplissent deux grandes fonctions. La première de ces fonctions est de mobiliser, de regrouper autour de représentations normatives génériques des catégories de population différentes qui en font chacune leur interprétation particulière. La deuxième de ces fonctions est celle d'habilitation. Un discours chargé en valeurs permet à l'acteur qui le tient de revendiquer une position

---

14. *Jean Monnet*, Mémoires, op. cit., *p. 617 : «Ai-je assez fait comprendre que la Communauté n'a pas sa fin en elle-même ? Elle est un processus de transformation qui continue celui dont nos formes de vie nationales sont issues au cours d'une phase antérieure de l'histoire. Comme nos provinces hier, aujourd'hui nos peuples doivent apprendre à vivre ensemble sous des règles et des institutions communes librement consenties s'ils veulent atteindre les dimensions nécessaires à leur progrès et garder la maîtrise de leur destin. Les nations souveraines du passé ne sont plus le cadre où peuvent se résoudre les problèmes du présent. Et la Communauté n'est elle-même qu'une étape vers les formes d'organisation du monde de demain. »*

15. *«Les propositions contenues dans le présent Livre blanc ont été élaborées dans la perspective de l'élargissement, mais elles apportent aussi une contribution utile à la gouvernance mondiale. L'Union doit d'abord réussir la réforme de sa gouvernance interne si elle veut être plus convaincante en plaidant le changement à l'échelle internationale. Les objectifs de paix, de croissance, d'emploi et de justice sociale poursuivis à l'intérieur de l'Union, doivent aussi être promus à l'extérieur, si l'on veut qu'ils soient effectivement atteints tant au niveau européen qu'à l'échelle mondiale. »* Commission européenne, «Gouvernance européenne… », op. cit., *p. 32.*

supérieure, de s'auréoler d'une dignité morale. Un tel discours est en outre le moyen d'offrir une gratification au public visé, en postulant qu'il s'inscrit d'emblée dans une sphère intellectuelle élevée et désintéressée.

La rhétorique institutionnelle européenne emprunte peu au registre des valeurs. Lorsqu'il s'agit d'apprécier le bilan d'un demi-siècle de construction européenne, ce sont avant tout des considérations factuelles qui sont évoquées. L'intégration a été gage de stabilité, de paix et de prospérité pendant cinquante ans ; elle se justifie surtout par les réalisations concrètes qu'elle a rendues possibles : élévation du niveau de vie, édification du marché intérieur, renforcement de la puissance européenne dans le monde. De la même manière, la critique de ce bilan de la construction européenne se cantonne dans le registre des appréciations empiriques : inefficacité, manque de pertinence de l'action, information insuffisante, problème d'attribution des responsabilités. Vis-à-vis de ce diagnostic, l'identité est une variable externe et postulée non nécessairement dépendante.

Cette discrétion sur la question des valeurs peut être liée à la nature technique de l'univers discursif européen, articulé autour de la thématique de la gouvernance. La gouvernance se rapporte avant tout à un système organisationnel et à son mode de fonctionnement et beaucoup moins aux fondements normatifs de sa légitimité.

> « La réforme de la gouvernance concerne la manière dont l'UE utilise les pouvoirs qui lui sont confiés par ses citoyens. Elle porte sur la façon dont les choses pourraient et devraient se faire [16]. »

Les valeurs n'interviennent que dans un second temps pour qualifier les moyens mis en œuvre dans le cadre de la construction européenne. Des grands principes sont définis, mais il s'agit moins de finalités morales à accomplir que de règles instrumentales. Ils ne sont en outre pas spécifiques au niveau européen.

> « Cinq principes sont à la base d'une bonne gouvernance et des changements proposés dans le présent livre blanc : ouverture, participation, responsabilité, efficacité et cohérence. Chacun de ces principes est

---

16. *Ibid.*, p. 9. *Le caractère avant tout fonctionnel de la notion de gouvernance est confirmé par la définition formelle qui en est donnée :* « *La notion de "gouvernance" désigne les règles, les processus et les comportements qui influent sur l'exercice des pouvoirs au niveau européen, particulièrement du point de vue de l'ouverture, de la participation, de la responsabilité, de l'efficacité et de la cohérence.* » *Ibid.*

essentiel pour l'instauration d'une gouvernance plus démocratique. Ils sont à la base de la démocratie et de l'état de droit dans les États membres, mais s'appliquent à tous les niveaux de gouvernement, qu'il soit mondial, européen, national, régional ou local [17]. »

Ces principes semblent difficilement pouvoir être qualifiés de « valeurs » au sens défini précédemment de croyances fondant un jugement de légitimation ou de stigmatisation et suscitant un investissement émotionnel. La « cohérence » qui renvoie à un état ou la « participation » qui désigne une activité apparaissent peu susceptibles d'engendrer un sentiment d'affection ou de répulsion.

Ces principes sont envisagés dans l'optique d'une amélioration du système institutionnel. L'ouverture est promue dans la mesure où elle s'avère nécessaire pour renforcer la confiance des citoyens en l'UE, et que cette confiance est indispensable à l'action institutionnelle. La participation est de même définie avant tout comme une condition du fonctionnement pertinent et efficace du dispositif communautaire. La cohérence est le moyen de garantir une approche intégrée dans un système complexe. Tout ceci contribue à faire apparaître le discours sur la gouvernance davantage comme programme de réforme managérial que comme un projet de société. Pourtant, le débat sur la gouvernance est présenté comme mettant en jeu la refonte générale du système institutionnel communautaire, voire la redéfinition de l'Union européenne comme régime politique.

La référence aux valeurs dans la rhétorique institutionnelle européenne devient encore plus précautionneuse lorsqu'il s'agit de s'adresser au grand public. Lorsque l'on interroge les acteurs de la communication européenne, ils reconnaissent le plus souvent être au service de la cause communautaire et, partant, se donner pour vocation de la promouvoir. Pour autant, cela ne signifie pas qu'ils soient prêts à assumer ouvertement une position qui pourrait être qualifiée d'idéologique ou de partisane. Selon eux, leur engagement a la force de l'évidence et de la nécessité et ne peut être critiqué que lors d'excès occasionnels. À titre d'exemple, le signataire de la brochure « L'unification européenne. Création et développement de l'Union européenne » (1995) donne raison à un lecteur britannique qui l'interpellait par courrier pour ses prises de position relevées dans son texte. Le lecteur irascible s'indignait de voir les théories de l'intégration à tendance fédéraliste développées sur plus

---

17. *Ibid., p. 12.*

d'une page, là où les thèses d'obédience intergouvernementaliste ne se voyaient consacrées qu'une dizaine de lignes. Il y décelait le signe de la mainmise allemande et française sur l'Union européenne et de l'impérialisme de leur vision de l'Europe, réduisant celle de la Grande-Bretagne à « n'être qu'une note de bas de page de l'histoire [18] ». Le *mea culpa* de l'auteur témoigne de la ligne éditoriale officieuse des publications qui consiste en la recherche d'un certain équilibre entre les différentes thèses en présence au nom du pragmatisme et du réalisme.

Cette ligne éditoriale est confirmée par les analyses de contenu des textes. Les considérations idéologiques tendent à se réduire à un socle supposé consensuel de grands principes et leur mode d'énonciation en fait davantage des absolus irréfragables que des arguments politiques à discuter. Parmi ces fondamentaux figure par exemple le libre-échange, posé en impératif catégorique transcendant toutes les barrières politiques [19]. Les points les plus polémiques, concernant par exemple la protection sociale, font l'objet d'une approche plus prudente qui place la Commission européenne dans une position de faiseur de compromis entre les différentes cultures politiques des États membres [20]. Le style d'écriture des écrits grand public est sur ce point caractéristique. Les grands développements théoriques sont rares, les analyses s'énoncent sous la forme de jugements brefs et sans appel. Ce laconisme présente le double avantage de n'offrir que peu de prise à la critique et de se placer d'emblée au-delà de la discussion, en prenant la forme d'un constat de bon sens qui se suffit à lui-même sans davantage d'argumentation, presque à la façon d'un dicton ou d'une sentence populaire. La potentialité d'un quelconque parti pris idéologique dans une position qui s'affirme sur le mode de l'évidence semble écartée. Ce procédé rhétorique évoque les formules sèches et définitives assenées par Jean Monnet dans ses *Mémoires* au milieu de développements techniques, sorte de règles de conduite simples censées jaillir au cœur même de l'action.

Cette propension à la naturalisation du discours communautaire va de pair avec le primat de l'intérêt sur les valeurs dans la justification de l'Union européenne. Cela vaut au niveau global pour expliquer les

18. *Entretien avec l'auteur, 27 mai 1999.*
19. *Commission européenne, « Le marché unique européen », Luxembourg, Opoce, 1996. Par commodité, on se contentera pour les références ultérieures aux brochures de la Commission d'indiquer le titre et l'année de parution. La liste de ces documents figure en bibliographie.*
20. *« Pour une Europe sociale », 1996, p. 2.*

relations extérieures de l'Union européenne [21] comme le soutien à la libé-
ralisation des échanges [22] : dans les deux cas, c'est la recherche de la
maximisation des avantages européens qui est à l'ordre du jour. Même
les grandes causes universelles comme la protection de l'environnement
doivent être examinées à la lumière du calcul coûts-bénéfices pour l'UE
et de la réussite de ses politiques [23]. Le primat de l'intérêt s'impose particulièrement quand il s'agit de convaincre l'individu d'apporter son
soutien à la cause de l'intégration. Il est fait appel au bon sens et à la
raison, au nom de l'Europe mais aussi et surtout au bénéfice particulier
de chacun [24]. Cette stratégie reflète assez fidèlement la ligne de conduite
préconisée en la matière par le rapport De Clercq (et confirmée depuis
régulièrement par des rapports successifs) qui recommandait de faire de
l'intérêt le vecteur de légitimation de la construction européenne. « Les
idées mènent le monde ; mais pour que l'idéal devienne la volonté du
peuple, celui-ci doit d'abord percevoir les avantages concrets que l'idéal
pourra lui apporter [25]. »

La prudence de la rhétorique institutionnelle européenne sur le terrain
des valeurs peut notamment s'expliquer au vu des réactions très vives
suscitées par toute tentative de prosélytisme. Lorsque la Commission
s'érige en entrepreneur de morale pour publier à destination des jeunes
citoyens un document humoristique contre le racisme [26], des critiques se
font entendre et le produit n'est finalement pas diffusé en Grande-
Bretagne, les autorités nationales jugeant que les formes de discrimination décrites sont inadéquates à la situation locale. De la même manière,
une ode au libre-échange et à la concorde entre voisins [27] suscite l'ire
de députés européens britanniques, qui y voient une stigmatisation des
pays n'ayant pas adopté la monnaie commune [28]. Les acteurs privés ne
sont pas en reste. S'essayant à communiquer de façon à la fois factuelle
et plaisante sur sa politique environnementale, le Parlement a édité une
bande dessinée mettant en scène une jeune élue aux prises avec une

---

21. « *L'Union européenne et l'Asie* », 1995, p. 1.
22. « *L'Union européenne et le commerce mondial* », 1995, p. 6.
23. « *Le marché unique européen* », 1996, p. 40.
24. « *Better Off in Europe. How the EU's Single Market Benefits You* », 2005.
25. « *Réflexion sur la politique d'information et de communication de la Communauté européenne* », rapport du groupe d'experts présidé par Willy De Clercq, Parlement européen, mars 1993, p. 7.
26. « *Moi, raciste ?* », 1998.
27. « *La guerre de la glace à la framboise* », 1998.
28. Voir par exemple la question écrite E-4078/98, Bulletin 03/C-99 (26 janvier 1999) ; questions écrites E-0075/99 et P-0076/99, Bulletin 04/C-99 (19 février 1999).

multinationale voulant s'opposer à une directive sur l'eau. Cela lui a valu des remontrances acerbes de la part du syndicat européen de l'industrie chimique qui y voyait une atteinte à son image[29]. La susceptibilité des acteurs politiques nationaux et intergouvernementaux à toute « agit-prop communautaire », selon les termes d'un fonctionnaire du Parlement en charge de la communication, constitue donc un déterminant lourd pour que la rhétorique institutionnelle européenne garde la forme la plus consensuelle et rationalisante possible. On peut analyser ces traits comme des signes d'une certaine prégnance du référent bureaucratique dans la structuration du discours. De manière archétypale, on se trouve en présence d'une déclaration d'intention développant un jugement d'appréciation visant à accréditer la nécessité de l'action communautaire, tout en replaçant cette dernière dans l'ornière de l'acquis communautaire. Le caractère bureaucratique ressort encore dans la formalisation d'une temporalité sous forme d'échéancier sans finalité normative globale claire, avec une absence d'appel aux valeurs. L'univers discursif de la gouvernance propre à l'Union européenne n'emprunte donc que partiellement les registres habituels du langage politique. Il est de même loin d'en remplir toutes les fonctions.

Les limites d'un discours d'affirmation et d'attribution

Structurer des identités, affirmer un pouvoir d'emprise, construire une causalité politique : les trois grandes fonctions traditionnelles du discours politique sont inégalement exercées par la rhétorique institutionnelle européenne.

La première condition pour qu'une prise de parole politique puisse prétendre exprimer une maîtrise du réel, c'est d'ordonner ce dernier. L'enjeu pour le locuteur est de construire un système de catégories organisant une représentation du monde. Cela passe par la détermination/ assignation d'identités désignant tous les groupes sociaux pour mieux les intégrer et les articuler à l'ordre politique. Dans cette perspective, la manière dont la rhétorique institutionnelle européenne dénomme et qualifie les citoyens auxquelles elle s'adresse est riche d'enseignements. À travers l'inventaire des modèles de rôle ainsi proposés par le discours,

---

29. Parlement européen, « *Les eaux blessées* », Luxembourg, Opoce, 2003.

c'est toute une théorisation politique du système communautaire de la gouvernance qui s'énonce. L'invocation à la participation populaire comme instance suprême de légitimation est un leitmotiv, mais ses différentes modalités lui confèrent un sens très variable.

Dans la communication européenne, on interpelle avant tous les « citoyens », pris dans leur globalité bien davantage qu'interpellés individuellement. Ces citoyens sont le plus souvent les objets plutôt que les acteurs de la construction européenne[30]. Il est souvent fait mention de leur insatisfaction, mais aussi de leur attente vis-à-vis de l'UE. Ils sont par ailleurs présentés comme ignorants des affaires communautaires, leur éducation en la matière reste à faire. Ce sont ces citoyens tout à la fois peu compétents et mécontents qu'il apparaît comme essentiel de faire participer au processus européen et de représenter. Ils sont indispensables, car ils restent l'instance de justification suprême. Mais il faut tout à la fois les sensibiliser à des thématiques auxquelles ils sont étrangers et les faire parler, ce qui équivaut à les créer en tant qu'agents politiques. Ils sont en outre dotés de peu d'attributs. La charge identitaire du statut de citoyen européen, terme d'ailleurs rare, est faible. Lorsqu'il s'agit d'agir « pour les citoyens », l'impératif semble pouvoir être compris en référence à l'échelon mondial aussi bien qu'à l'échelon européen.

Après les citoyens, le discours européen se réfère volontiers au « public ». L'« opinion publique européenne » en tant que telle n'est mentionnée qu'exceptionnellement, signe que son existence est loin d'être considérée comme acquise. À l'inverse, l'évocation du public sans davantage de qualification est beaucoup plus fréquente. Le terme désigne alternativement l'ensemble des destinataires de l'action politique de l'Union européenne ou, de façon beaucoup plus répandue, les populations concernées par un domaine d'action communautaire. Le public est très peu utilisé comme sujet grammatical, ce qui souligne qu'il fait davantage figure d'une instance de contrôle ou de légitimation *a posteriori* que d'un acteur politique direct. Il est dans cette perspective essentiellement question de son information : son niveau de connaissance, les moyens de mieux l'informer, la confiance qu'il nourrit envers les institutions. Cette dimension relativement passive conférée au public, associée en outre à la présence massive du mode passif dans la conjugaison des verbes[31], est

---

30. *Sur cette constante dans le discours institutionnel de l'UE et son lien avec l'univers conceptuel de la « société de la connaissance », voir Michael Kuhn (ed.),* Who is the European ? A New Global Player, *New York (N. Y.), Peter Lang, 2007.*
31. *Sur les interprétations des usages du passif dans le discours politique, voir Christian Le Bart,* Le Discours politique, *op. cit., p. 68.*

confirmée par le fait que le mot est majoritairement utilisé à propos de domaines régis par une rationalité technocratique plutôt que politique : développement et encadrement de l'expertise, création d'agences indépendantes, application du droit communautaire dans les États membres. La substitution du terme de public à celui de citoyen traduit donc bien une vision qui s'éloigne du modèle traditionnel de la démocratie représentative. En cela le discours européen reflète fidèlement la réalité politique en même temps qu'il contribue à la construire.

Le troisième grand mode de dénomination des administrés de l'Union européenne est la « société civile ». Cette appellation se réfère davantage aux instances de représentation organisées qu'à l'ensemble du corps social[32]. En d'autres termes, la société civile n'est pas la société tout court. Elle exerce à l'égard de cette dernière une fonction de tutelle, « en permettant aux citoyens d'exprimer leurs préoccupations et en fournissant les services correspondant aux besoins de la population[33] ». Par ailleurs, la société civile est décrite non seulement comme un partenaire des institutions européennes, mais aussi largement comme une création de ces dernières et les institutions européennes continuent ostensiblement à influencer son mode de structuration. La rhétorique de la bonne gouvernance affiche donc bien l'ambition de définir les identités des acteurs politiques à l'aune des intérêts et des objectifs du locuteur, à savoir la Commission européenne. Ces identités sont définies avant tout en rapport avec les structures et les processus d'action publique, et de façon très marginale en rapport avec un territoire, une histoire ou des éléments culturels. La rareté de l'évocation des « Européens » ou d'un « nous » d'appartenance est à cet égard flagrante.

L'étude des usages du concept de société civile montre toutefois que les identités qu'il porte peuvent acquérir la véritable épaisseur du vécu et du social au niveau individuel, mais que cela implique alors un retravail qui déborde les catégories fonctionnelles du discours européen et s'hybride avec d'autres modèles. Cela est particulièrement vrai dans les pays candidats à l'Union européenne, où cette dernière a entrepris de

---

32. *Le livre blanc propose une définition formelle de la société civile :* « *La société civile regroupe notamment les organisations syndicales et patronales (les "partenaires sociaux"), les organisations non gouvernementales, les associations professionnelles, les organisations caritatives, les organisations de base, les organisations qui impliquent les citoyens dans la vie locale et municipale, avec une contribution spécifique des églises et communautés religieuses.* » (*Commission européenne, op. cit., p. 17*).

33. Ibid., *p. 17.*

diffuser ses normes politiques. En Turquie[34] par exemple, les associations de défense des droits de l'homme se sont réappropriées le lexique de la société civile. Leurs militants, notamment de sexe féminin, doivent prendre leur distance à la fois avec leur cellule familiale et la culture dominante forgée par l'histoire longue, deux instances continuant à proscrire l'engagement politique comme dommageable pour la carrière et la destinée personnelle et néfaste pour la paix sociale. La société civile apparaît comme une arène où le combat pour la chose publique redevient possible en contournant l'interdit qui pèse sur l'univers partisan et qui permet de se démarquer de l'État tout en se donnant pour objectif de le contrôler. Ce faisant, les activistes politiques turcs réalisent la figure idéale du citoyen de la bonne gouvernance, un agent libre de toute attache particulière qui entre dans le processus délibératif pour influer sur la décision collective par la seule force du meilleur argument. Ils repensent tout leur engagement à la lumière de cette logique. Le statut de membre de la société civile devient alors une véritable manière d'être au monde, qui implique le respect d'un certain nombre de règles de civilité et de normes de comportement en rupture avec ses groupes primaires d'appartenance. Si le paradigme de la société civile trouve un tel écho, c'est néanmoins d'abord parce qu'il s'inscrit plus ou moins directement dans l'ornière de certaines traditions nationales, en l'occurrence celle du kémalisme qui insistait aussi sur l'émancipation du citoyen. L'apport exogène du modèle européen n'est donc qu'un moyen d'accommoder au goût du jour la culture politique locale. De plus, l'UE est loin d'être la seule référence externe qui exerce son influence. Kuzmanovic rapporte ainsi l'exemple de deux activistes pour les droits des femmes, conviées à leur grande surprise à témoigner dans les institutions de l'ONU. Elles découvrent à la faveur de cette expérience un répertoire d'action et une capacité à se faire entendre, et se redéfinissent alors comme lobbyistes, allant jusqu'à se former aux techniques de la représentation d'intérêt pour endosser un nouveau rôle[35]. Il ne faut donc pas occulter la richesse

---

34. *Daniella Kuzmanovic, «Civil Society as Identity Politics. Conceptual Legacies and European Belonging »*, European Association of Social Anthropologists conference, *Bristol, 8-21 septembre 2006, tapuscrit, 11 p.*
35. *Parmi d'autres exemples d'appropriation/acclimatation nationale de la catégorie de société civile montrant que les usages discursifs domestiques du concept importent au moins autant que sa mise en œuvre directe au niveau européen, voir à propos des lobbies patronaux dans les pays candidats : Nieves Pérez-Solórzano Borragán, «Lesson Learning and the "Civil Society of Interests"»*, dans Richard Bellamy, Dario Castiglione et Jo Shaw (eds), Making European Citizens. Civic Inclusion in a Transnational Context, *Basingstoke, Palgrave Macmillan, 2006, p. 157-176.*

et la complexité des pratiques qui peuvent venir s'articuler sur l'artefact politique que constitue la société civile, à l'image des rituels que la citoyenneté républicaine a pu engendrer en France. Mais ces pratiques ne découlent et ne dépendent que partiellement de la rhétorique institutionnelle européenne et des modèles de rôle qu'elle diffuse.

Un discours de pouvoir ne fait pas qu'assigner des identités et des fonctions à l'ensemble des composantes du corps social. Dans cette entreprise de construction d'un ordre, il vise aussi à établir la centralité du locuteur, à marquer sa légitimité et son emprise sur le réel. L'univers discursif de la gouvernance ne fait pas exception à la règle. L'affirmation d'un pouvoir d'emprise peut dans certains cas reposer sur la capacité d'injonction directe de l'autorité qui s'exprime du fait de ses prérogatives juridiques. Dans ce cas, le langage employé revêtira les formes du droit pour se faire entendre comme un discours autorisé, produit d'une procédure légale qui lui donne force exécutive. Le discours s'inscrira alors par sa forme codifiée dans une lignée de textes pareillement codifiés. L'ensemble des normes édictées antérieurement habilitera dans l'instant les formes employées à imposer leur sens.

Le répertoire politique européen comporte certains mots devenus en eux-mêmes des symboles, et dont l'évocation produit un effet « magique » d'habilation, aussi imprécis qu'en soit le sens et diverse l'interprétation. L'« acquis communautaire », la « subsidiarité », la « transparence » sont autant de clés de légitimation dont il est fait usage dans les argumentaires les plus divers pour défendre la continuité de l'intégration européenne ou porter une revendication de sa démocratisation. À l'opposé, certains termes comme « fédéralisme » – le fameux *F-word* à ne pas prononcer sous peine d'esclandre –, ou plus récemment « constitution », marquent l'aporie d'un débat entre des visions politiques inconciliables. De façon générale pourtant, le discours politique européen ne bénéficie guère de cette ritualisation. Dès lors que l'on sort du domaine juridique proprement dit, sa force procédurale est réduite. Sa complexité et son étrangeté font qu'il est peu prodigue en mots d'ordre, au sens de mots capables de structurer un ordre et des alignements par leur seule puissance d'évocation. Il convient alors de revenir à la façon dont se met en scène l'autorité qui parle dans le discours pour mieux comprendre les logiques de positionnement et d'habilation qui se joue à cette occasion.

La Commission constitue la principale instance de production du discours sur l'Europe de par ses compétences politiques générales et le fait qu'elle met en œuvre la stratégie de communication de l'Union européenne. Elle doit néanmoins composer avec la multiplicité des centres et des niveaux de décision communautaire et avec l'absence de fait majoritaire dans son entreprise de construction rhétorique d'une image de l'UE comme système politique. Ces caractéristiques constituent des contraintes lourdes à l'affirmation d'un pouvoir d'emprise. Ainsi, lorsqu'il s'agit de valoriser l'action des institutions européennes, la mise en exergue des réalisations effectives et acquises cède souvent le pas à l'exposition des projets en cours ou à venir, sous réserve de l'accomplissement des processus longs et complexes de politique publique européenne. Dans sa propre communication, la Commission conjugue souvent au futur et au conditionnel son programme politique en s'attachant à en démontrer la continuité et la cohérence. L'institution est définie avec insistance par ses fonctions classiques de gardienne des traités et du droit communautaire, d'instance d'initiative et surtout d'exécution, l'objectif affiché étant d'éviter la dilution de ses ressources dans des tâches trop techniques. Le thème du « recentrage » de la Commission sur ses missions originelles monte en puissance ces dernières années et apparaît comme une l'axe directeur de la redéfinition identitaire de l'organisation dans le contexte de la doctrine de bonne gouvernance européenne. Mais au-delà du discours de la Commission sur elle-même, l'accent est mis sur l'interdépendance de toutes les composantes du système communautaire : Commission, Parlement, Conseil des ministres et Conseil européen, États membres, plus marginalement d'autres organes.

C'est dire que le schéma d'imputation, entendu comme l'attribution de la responsabilité politique, est pluriel. Le plus souvent, les rapports entre institutions sont décrits comme une coopération positive. Cela n'empêche pas la mention de positions distinctes ou mêmes de divergences. La Commission est ainsi volontiers dépeinte en pionnière et en modèle des bonnes pratiques auxquelles elle s'efforce de convertir, non sans difficulté, ses partenaires. À titre d'exemple, les excès d'une législation trop détaillée sont portés au grief des gouvernements nationaux et – à un degré moindre – des parlementaires européens qui craignent de laisser trop de latitude à l'exécutif communautaire. On peut y voir une réponse aux critiques récurrentes venant du Conseil et du Parlement sur le caractère bureaucratique de la Commission. La promotion de l'UE n'est donc pas exempte d'une concurrence intestine pour s'arroger le bénéfice des succès et s'exonérer des maux prêtés à l'Europe politique. C'est aussi la tension constante entre légitimations interne et externe qui se fait jour. Le rejet des responsabilités des carences du système sur certaines de ses composantes est une manière supplémentaire de restaurer la fiction de son pouvoir de contrôle, de donner sens aux limites de son action selon le modèle classique de la désignation d'un «bouc émissaire[36]». L'idée implicite est que tout peut rentrer dans l'ordre idéal des choses si les travers sont corrigés et si l'UE retrouve la plénitude de ses moyens. Ce jeu, mené notamment par la Commission pour défendre une logique supranationale contre les atteintes de l'inter-gouvernementalisme, trouve cependant ses limites en raison de la nécessité de conserver aux yeux du grand public le postulat de l'unité des acteurs de la construction européenne.

Construction d'une causalité en pondérant participation et expertise

La principale motivation reste en effet d'attribuer à l'appareil politique communautaire un rôle déterminant sur le cours des événements, ou en d'autres termes de construire à leur profit une causalité politique. Il s'agit de proposer une mise en récit des faits qui impose comme déterminant la décision prise à Bruxelles tout en légitimant les modalités de cette prise de décision. Cela implique de montrer en quoi cette décision découle de deux instances de justification principales : la participation démocratique des citoyens et l'expertise. L'enjeu est de présenter ces deux vecteurs apparents de dépossession de l'autorité publique – ou en tout cas d'érosion de son monopole – sous un jour propice à maintenir la fiction de sa prééminence.

La participation croissante de la société civile organisée et de citoyens à la production de la norme européenne est un phénomène qui joue un rôle majeur dans le discours de légitimation de l'UE. Traditionnellement, la mise en débat est un mode d'appropriation par le pouvoir d'un enjeu. L'ouverture du débat a le double avantage de poser le caractère politique du problème saisi et d'impliquer les forces sociales concernées, ce qui est une manière d'obtenir leur allégeance ou au moins leur acceptation des règles du jeu, leur reconnaissance de la fonction d'arbitrage du pouvoir. L'univers discursif de la gouvernance européenne, à travers sa référence accentuée à la démocratie participative, actionne avec insistance ce ressort. Il est souligné que la gestion des affaires publiques a désormais changé de nature du fait de sa grande ouverture et de la multiplicité des acteurs qui y interviennent. Mais parallèlement, la centralité du politique et le rôle déterminant des institutions européennes sont toujours défendus. La participation est conçue comme le paramètre qui doit

36. René Girard, *Le Bouc émissaire*, *Paris, Grasset, 1982*.

venir confirmer cette centralité. L'implication du citoyen et des forces sociales se justifie par en même temps qu'elle justifie l'importance et l'intérêt de ce qui se passe au niveau européen.

Cette participation est jugée pour l'heure déficiente en raison du manque d'information des citoyens, largement imputable à en croire la Commission aux carences des efforts de communication des États membres ou à leur propension à se défausser de leurs responsabilités sur Bruxelles. De la participation dépendent la qualité, la pertinence et l'efficacité des politiques de l'Union, et plus globalement la confiance que suscite cette dernière. En bref, la participation est aujourd'hui la nouvelle aune à laquelle doit se mesurer la légitimité de l'Union. Le modèle de pouvoir *top-down* est remis en cause, et la relation de détermination verticale du politique au social est déclarée obsolète, au profit d'une configuration circulaire d'interactions, le « cercle vertueux » de la participation à tous les niveaux de l'action publique, selon les termes mêmes du *Livre blanc sur la gouvernance* [37]. Cela passe notamment par l'insistance sur les réseaux, sur l'usage d'Internet ou sur le rôle essentiel des acteurs locaux. Mais l'entité politique communautaire doit rester au centre du cercle en associant des organisations de la société civile à ses activités. Il faut partager pour continuer à régner, puisque le monopole n'est désormais plus de mise. Dans cette nouvelle configuration horizontale, le politique a néanmoins vocation à conserver sa primauté. Cette primauté s'énonce désormais en termes d'exemplarité, la Commission se voulant pionnière dans l'application des principes de bonne gouvernance que ses interlocuteurs, autres institutions comme organisations de représentation d'intérêt, sont invités à reprendre à leur compte. Le dialogue vise à renforcer la Commission dans ses missions historiques d'avant-garde éclairée et de gardienne du temple communautaire, ce qui circonscrit la portée de la participation. La consultation se conçoit comme aide à la décision et ne vise en aucun cas à créer de nouvelles arènes indépendantes qui pourraient s'ériger en forums de contestation. Citons là encore le *Livre blanc*, théorisation du paradigme communautaire en matière de gouvernance : « La participation ne consiste pas à institutionnaliser la protestation. Elle revient plutôt à mieux élaborer les politiques, en consultant en amont de la décision et en mettant à profit l'expérience acquise [38]. » La fonction d'agrégation doit demeurer aux institutions, comme il l'est explicitement spécifié : « L'amélioration de la consultation

---

37. *Commission européenne, op. cit., p. 13.*
38. *Ibid., p. 19.*

apporte un plus à la prise de décision par les institutions, mais ne la remplace pas [39]. » La centralité du politique doit donc se maintenir à travers le renouvellement de ses formes et l'ouverture à de nouveaux acteurs.

Avec la participation de la société civile, la montée en puissance de l'expertise comme mode de régulation des choix publics est l'autre mode de légitimation qui vient remettre en question la primauté des élites politiques. Là encore, il s'agit d'une ressource essentielle dans un discours de légitimation rationalisant et univoque, qui s'autorise de l'avis des spécialistes pour promouvoir un *one-best-way* technocratique. Le problème est de trouver le point d'équilibre où le savant vient conforter le politique sans le déposséder de ses prérogatives, tout en affichant clairement qui prend la décision et qui en est responsable. La Commission entérine la difficulté mais en fait un terrain d'affirmation du nécessaire dépassement du niveau national en la matière. La logique qu'elle défend est que la restauration du contrôle du politique sur l'expert ne pourra se faire qu'en changeant d'échelon territorial, ce qui légitime l'européanisation du dossier [40]. Elle entreprend ainsi de retourner en sa faveur la critique de l'expertise comme facteur de dépolitisation.

Le recours à l'argument expert comme vecteur premier de justification n'est pas propre à l'Union européenne. Il participe d'une mutation générale du discours politique qui traduit elle-même les mutations des structures et des idéologies dominantes sous la pression de la logique économique. Douglas Holmes décrit le passage qui s'opère de l'ordre des États-nations caractérisé par le discours sur la souveraineté et la légitimation démocratique à un ordre supranational qui défie l'expression populaire et forge de nouveaux outils rhétoriques [41]. Le vecteur d'opérationnalisation de ce discours politique inédit est l'idiome des marchés

---

39. Ibid., *p. 20.*

40. « *L'opacité du système de comités d'experts auquel recourt l'Union ou le manque d'information sur leur mode de fonctionnement nuisent à la perception de ces politiques par le public. Qui décide en réalité ? Les experts ou les personnes investies de l'autorité politique ? Dans le même temps, un public mieux informé met de plus en plus en doute le bien-fondé et l'indépendance des avis donnés par les experts. [...] Dans de nombreux autres domaines, les avantages de la mise en réseau au niveau européen, voire mondial, sont évidents. Toutefois, l'expertise est généralement organisée au niveau national. Ces ressources doivent impérativement être rassemblées et mieux servir l'intérêt commun des citoyens européens. Les réseaux ainsi structurés et ouverts devraient former un système scientifique de référence pour soutenir l'élaboration des politiques de l'Union européenne.* » Ibid., *p. 23.*

41. Douglas Holmes, « *Nationalism-Integralisme-Supranationalism : A Schemata for the 21st Century* », *dans Gerard Delanty et Kumar Krishan (eds),* Handbook of Nations and Nationalism, *Londres, Sage Publications, 2006, p. 385-398.*

financiers qui débordent les catégories cognitives traditionnelles, les intérêts établis et les mécanismes de contrôle démocratique des communautés stato-nationales. Les acteurs du niveau supranational sont les « analystes symboliques », selon l'expression empruntée par Holmes à Robert Reich, seuls aptes à manier les abstractions qui font désormais autorité. En résulte un système politique technocratique totalement visible et pourtant placé au-delà de l'attention et de la compréhension du public du fait d'un ethos et de codes impénétrables. C'est la « *city of Gold*[42] ». Dans ce type inédit de *polity*, les mécanismes économiques font office d'instruments constitutionnels. L'Union européenne constitue l'un de ces systèmes qui ajoute ses effets propres à une transformation globale[43]. Ce nouvel environnement de pouvoir et de communication provoque des réactions et des contre-discours, phénomènes que Holmes résume sous le nom d'« intégralisme[44] » et dont il fait de Jean-Marie Le Pen la figure emblématique. Face à l'hégémonie de la grammaire des marchés qui dit peu de choses sur l'être humain et amène à une destruction du sens social, des leaders extrémistes proposent à leurs électeurs un discours thaumaturge. Pour pallier la modernisation aliénante et l'atomisation sociale dont l'intégration européenne est vecteur, ces leaders promeuvent un message glorifiant les vertus de l'expérience de vie partagée dans la nation, le groupe social ou la famille comme source unique de crédibilité et de vérité, en opposition à la perspective aliénante d'une société multiculturelle et multiraciale. Ce tableau a l'avantage de montrer en quoi l'UE est à la fois un moteur et un théâtre (parmi d'autres) de l'affrontement de discours tirant leurs ressources des cadres politiques en recomposition. On assiste bien à une refonte générale de l'économie du symbolique.

Le contenu change, mais les cadres sociopolitiques de la communication résistent. L'évolution du registre discursif européen, traduisant elle-même de nouvelles hiérarchies de références légitimantes dont la montée en puissance de la notion de gouvernance est le symptôme, ne

42. *David A. Westbrook*, City of Gold : An Apology for Global Capitalism in a Time of Discontent, *Londres, Routledge, 2003.*
43. *Sur la manière, loin d'être entièrement rationnelle, dont se construisent les nouveaux codes culturels de l'expertise qui s'imposent comme référence politique dans les enceintes européennes, voir l'ouvrage de Douglas Holmes sur l'élaboration des compromis entre la Banque centrale européenne et la Bundesbank allemande. Douglas Holmes,* Economy of Words : Knowledge Production in the Bundesbank and European Central Bank *(à paraître).*
44. *Douglas Holmes,* Integral Europe. Fast-capitalism, Multiculturalism and Neofascism, *Princeton (N. J.), Princeton University Press, 2000.*

remet pas significativement en cause les ornières traditionnelles de la communication politique propre à chaque modèle stato-national. Vivien Schmidt[45] distingue deux types de communication qui s'articulent différemment selon le schéma de division du travail politique et social dominant dans chaque pays. Le discours de coordination, qui mobilise surtout des arguments de type cognitif, désigne les échanges entre acteurs des politiques publiques (experts, intérêts organisés, élus). Le discours de communication, empruntant davantage au normatif, renvoie à la version de ce discours développée par les acteurs politiques à destination du grand public. Dans les « systèmes politiques simples » comme la France ou la Grande-Bretagne, la décision se prend au sein d'une élite restreinte et fait ensuite l'objet d'une exposition directe au citoyen. Le discours de coordination est donc faiblement développé, au profit du discours de communication. Au contraire, dans les « systèmes politiques composés » comme l'Allemagne, la Belgique ou l'Italie, le discours de coordination entre élites est très élaboré du fait de l'éclatement des pouvoirs, de la large consultation des intérêts qui est la pratique dominante et de la culture de consensus. Ce discours de coordination est ensuite relayé par des sous-discours à destination des audiences particulières de chaque force politique impliquée dans le processus décisionnel plutôt que par une prise de parole visant directement le grand public.

La prise de parole propre des institutions européennes s'apparente bien davantage, du fait de la logique de structures de l'UE et de sa culture d'appareil, à un discours de coordination qu'à un discours de communication. De ce fait, elle a été longtemps plus audible et naturelle dans les systèmes politiques composés où elle s'inscrit dans un espace déjà ouvert aux intervenants non gouvernementaux, que dans des systèmes politiques simples où toute expression non gouvernementale peut être perçue comme allogène et déstabilisatrice par rapport aux modalités habituelles de construction des problèmes publics. Confrontées à une remise en cause croissante de leur légitimité dans les années 1990, les institutions européennes ont tenté de manière volontariste de renforcer leur discours de communication, notamment en érigeant la « bonne gouvernance » en paradigme global de justification. Cette entreprise s'est révélée peu fructueuse, voire contre-productive. Dans les systèmes politiques composés, s'adresser directement aux citoyens court-circuite les schémas habituels d'interaction politique et reste largement inopérant

---

45. *Vivien Schmidt*, Democracy in Europe. The EU and National Polities, *Oxford, Oxford University Press, 2006, p. 248-266.*

faute d'espace social disponible pour se faire entendre. Dans les systèmes politiques simples, où l'arène pour une prise de parole directe vers le citoyen existe, les gouvernants nationaux restent jaloux de leurs prérogatives et font peu de place aux locuteurs européens. Dans tous les cas de figure, le discours de l'UE doit donc s'inscrire dans les canaux habituels de la communication politique propre à chaque modèle national, lors même que ces canaux sont beaucoup moins inclusifs et exhaustifs qu'auparavant et que les acteurs qui les contrôlent ne collaborent pas toujours à la légitimation de l'Europe.

Somme toute, l'univers discursif de la gouvernance européenne apparaît plutôt conservateur dans ses effets. Les formes qu'il emprunte, par exemple pour établir une temporalité, apparaissent très proches des traditions rhétoriques des institutions européennes et se réinscrivent dans les règles habituelles du discours politique, si l'on excepte l'absence d'appel aux valeurs. Concernant les objectifs poursuivis, il s'agit surtout de préserver l'existant, de définir les moyens d'une adaptation aux nouvelles contraintes. Le registre est résolument technocratique, rationalisateur et consensuel, reflétant la dépossession des mécanismes de la démocratie représentative [46]. Une tension, voire une contradiction, se fait jour entre le terme de gouvernance porteur d'une représentation du monde où l'instance politique n'est plus au centre ni en surplomb et une volonté sous-jacente dans le discours qui s'organise autour de ce terme de préserver le rôle des institutions. Le discours sur la gouvernance apparaît comme un jeu constant sur les frontières de l'espace politique, un processus de sélection tacite de ce et de ceux qui y entrent. En ce sens, il s'agit bien d'un discours politique de hiérarchisation et d'allocation du pouvoir, mais qui n'est pas affiché ouvertement comme tel. La difficulté du projet de gouvernance européenne à emporter les allégeances et les suffrages du plus grand nombre tient sans doute au fait qu'il est présenté par ses promoteurs comme un acte politique fort sans en assumer véritablement toutes les implications. Ses caractéristiques en font un énoncé

---

46. *L'analyse de contenu du discours de légitimation par la gouvernance est le moyen de retrouver les conclusions auxquelles Guy Hermet parvient par une approche de théorie comparative des régimes politiques. Hermet décrit la gouvernance comme une proposition idéologique non explicite d'alternative à la démocratie représentative, centrée sur la préservation de l'existant et fonctionnant comme une nouvelle manière de répondre au besoin permanent de contention des acteurs politiques non désirés. Voir Guy Hermet, «Un régime à pluralisme limité ? À propos de la gouvernance démocratique »,* Revue française de science politique, *54 (1), février 2004, p. 159-178.*

bureaucratique de réforme institutionnelle plutôt qu'un projet civilisationnel, ce en quoi il a pu parfois imprudemment être érigé. Le travers consistant à hypertrophier les ambitions dans le discours avant de rencontrer un démenti cinglant dans la pratique n'est pas une nouveauté dans la communication européenne [47]. L'écart entre la « performance » (au sens de Wodak de rhétorique théâtralisée et mise en spectacle) autour du traité constitutionnel et son contenu effectif qui renvoie plutôt à la réalité européenne de la « politique de couloir » a été à la source du divorce entre élites et masses lors du processus constitutionnel [48].

Le répertoire de la gouvernance renvoie à l'image non d'un régime, mais d'un système flexible et évolutif, sans point focal et sans ordre institutionnel stabilisé. La gouvernance est sans assignation possible : elle ne se met pas en buste et ne s'inscrit pas au fronton des édifices publics. On n'envisage pas sérieusement de mourir pour elle comme on est mort pour la République ou la Couronne. Elle laisse vide le lieu du pouvoir, selon une dynamique qui peut apparaître comme l'acmé de la logique démocratique de dépersonnalisation et d'ouverture de l'espace politique. Mais dans le même temps, la gouvernance suscite vaille que vaille un discours qui finit par ressembler fort dans ses finalités à un discours politique ordinaire. Le lexique de la gouvernance européenne apparaît ainsi comme le dernier avatar d'une vie politique ultramoderne poussant à son comble le désenchantement du monde et un relativisme qui suggère l'obsolescence de toutes les idéologies et de tous les récits fondateurs, tout en s'épuisant à créer des symboliques alternatives.

---

47. *Éric Dacheux*, L'Impossible Défi. La politique de communication de l'Union européenne, *Paris, Éditions du CNRS, 2004.*
48. *Ruth Wodak, « What Now ? Some Reflections on the European Convention and its Implications«, dans Michal Krzyzanowsky et Florian Oberhuber,* (Un)doing Europe : Discourses and Practices of Negociating the EU Constitution, *Bruxelles, Peter Lang, 2007, p. 204.*

Chapitre 5

RITUELS ET REPRÉSENTATIONS DU « TOUT » EUROPÉEN

Outre les grands rôles politiques européens et le discours articulé autour de notions telles que celle de gouvernance, l'UE a été dotée des répertoires symboliques classiques de tout pouvoir. L'effacement des traités, après l'échec du processus constitutionnel, des attributs à caractère trop étatique montre que la qualification de l'entité européenne à travers la manière dont elle est donnée à voir suscite encore des différends sur sa nature. Les deux symboles majeurs, le drapeau et la monnaie, feront l'objet spécifique des chapitres suivants. On s'intéressera d'abord aux rituels qu'a pu susciter l'intégration européenne à travers les exemples du vote, de la fête et de l'hymne. On s'attachera ensuite à comprendre les modalités de construction d'une représentation de l'Europe en tant que « tout » à travers la statistique et l'image. Enfin, on examinera la codification de la perception mutuelle des « Européens », dans le discours institutionnel à travers l'usage des stéréotypes nationaux.

Essor et avatars d'une symbolique européenne

La création d'une symbolique pour l'UE découle du rapport de juin 1985 du comité Adonnino, mandaté par le Conseil européen. Le drapeau, l'hymne et la Journée de l'Europe adoptés à cette occasion obtiennent un succès modéré qui marque les limites d'une telle entreprise identitaire. Les pérégrinations des emblèmes européens au cours du processus constitutionnel (2001-2007) ne font finalement que traduire les ambivalences sous-jacentes du répertoire symbolique européen. Une certaine ambition de faire œuvre pédagogique et émotionnelle est présente à l'origine. Il s'agissait de produire «un texte court, fort et percutant qui puisse être lu ou appris par les enfants des écoles», comme le rapporte Étienne de Poncins, l'un des rédacteurs du traité au sein du secrétariat de la Convention pour l'avenir de l'Europe[1]. Les dispositions identitaires n'occupent pourtant qu'une place restreinte et contestée dans les délibérations[2]. Le premier projet de texte présenté en octobre 2002 ne dit rien sur les symboles, malgré les demandes de plusieurs conventionnels en ce sens. Un tel silence suscita de vives réactions après le Conseil européen de Thessalonique, Olivier Duhamel s'interrogeant notamment sur l'identité du «cleptomane» ayant fait disparaître une disposition largement soutenue. L'article IV.I fut finalement adopté dans les toutes dernières heures de la Convention, le 10 juillet 2003. Les Conventionnels britanniques se montraient les plus réticents à ce qui était perçu comme une avancée supplémentaire vers un «super-État européen» et envers des symboles concurrençant les traditionnels emblèmes nationaux. Il leur fut opposé que la disposition s'inscrivait dans la logique du schéma constitutionnel de la Convention, ni plus ni moins ; et que le texte ne faisait que reprendre des dispositions déjà existantes, hormis la devise.

À ce stade, le drapeau aux douze étoiles et l'hymne européen sont reconduits. Il en va de même du 9 mai, jour de la déclaration Schuman, qui conserve son statut de Journée de l'Europe. L'idée d'en faire un jour férié pour tous les citoyens européens est écartée au nom du principe de subsidiarité qui protège les prérogatives des États, mais les pays désireux d'aller en ce sens peuvent prendre les mesures adéquates[3]. L'euro ne constitue pas à proprement parler un élément nouveau mais acquiert dans le projet constitutionnel un statut inédit en étant désigné à deux reprises comme «la monnaie de l'Union» (articles IV.I et I.29), ce qui a

---

1. *Étienne de Poncins*, Vers une constitution européenne. Texte commenté du projet de traité constitutionnel établi par la Convention européenne, *Paris, 10/18, 2003, p. 72-73.*
2. *Ibid., p. 481-482.*
3. *Le 9 mai est déjà un jour férié pour les fonctionnaires des institutions européennes. Cela a pour conséquence de décaler certaines animations (visite des institutions notamment) prévues pour la Journée de l'Europe à une autre date, du fait de la fermeture des bureaux.*

suscité des protestations de la Grande-Bretagne et du Danemark qui y ont discerné une pression pour qu'ils rejoignent la monnaie unique[4]. Le nom de l'Union européenne a fait l'objet d'un débat dès le début de la Convention à l'initiative de son président. À la faveur de la fusion des traités relatifs aux CE et à l'UE, l'occasion était vue comme propice de susciter une réflexion publique sur la dénomination de l'édifice. Valéry Giscard d'Estaing proposa quatre options : « États-Unis d'Europe », formule historique de Hugo et de Churchill, mais qui lui semblait trop refléter une imitation des États-Unis d'Amérique ; « Communauté européenne », nom historique dans le processus d'intégration mais perçue précisément comme inadéquat car marquant un recul ; « Europe unie », option que Giscard d'Estaing défendit personnellement en arguant qu'elle était le moyen de mettre l'accent sur le substantif « Europe » mais qui fut critiquée pour ses échos fâcheux (un Conventionnel britannique soulignant que United Europe lui rappelait le club de football Manchester United) ; finalement, « Union européenne » fut conservée, tant en raison de sa notoriété déjà bien établie que de l'impossibilité à trouver un accord sur une solution alternative (article I.1. Établissement de l'Union[5]). Somme toute, la devise « Unie dans la diversité » qui figure à la fois dans le préambule et dans l'article IV.I constitue la seule véritable innovation[6]. Le résultat sur le plan identitaire et symbolique apparaît donc modeste à l'aune des objectifs initiaux.

C'est encore trop. À la suite du non des référendums français et hollandais, qui est interprété comme une marque de défiance envers une Europe menaçant les identités nationales, le Conseil européen de juin 2007 passe sans grande opposition par pertes et profits toute référence à connotation étatique (le terme même de constitution, mais aussi ceux de « ministre des Affaires étrangères de l'Union », de « loi », etc.) et supprime dans le futur traité la mention des symboles, même si ces derniers continuent à exister dans la réalité. Les partisans des emblèmes communautaires font entendre leur désapprobation et le Parlement européen annonce une révision de son règlement intérieur – seul texte qu'il ait la compétence de modifier unilatéralement – pour leur donner malgré tout une reconnaissance officielle[7]. En dernier recours, seize États – ceux qui ont ratifié la constitution, moins l'Estonie et la Finlande – signent une

---

4. Ibid., *p. 483.*

5. Ibid., *p. 82-83.*

6. Ibid., *p. 77.*

7. *Rafaële Rivais, « Les eurodéputés déplorent le retrait des symboles du futur traité »,* Le Monde, *11 juillet 2007.*

déclaration, texte sans valeur juridique joint au traité de Lisbonne, énonçant que le drapeau, l'hymne, la devise, l'euro et la Journée de l'Europe «continueront d'être les symboles de l'appartenance commune des citoyens à l'Union européenne et de leur lien avec celle-ci[8]». Le message politique est néanmoins clair pour signifier les bornes posées à la légitimation de l'Union européenne.

Les effets manquants du rituel électoral

La symbolique politique opère de façon spécifique selon les principes de justification qui caractérisent chaque mode de domination. Malgré les distances prises par la gouvernance européenne avec la démocratie représentative, le suffrage universel constitue encore la principale source de légitimité et l'instance formelle d'allocation du pouvoir dont la consultation périodique scande la vie publique. Dès lors, une bonne part des codes symboliques européens découle de l'expression de la volonté populaire par les urnes. La question est dès lors de savoir si, depuis l'introduction d'un vote direct en 1979, les élections européennes ont suscité la mise en place d'un répertoire *ad hoc*.

Le geste électoral s'inscrit historiquement en Europe occidentale dans une liturgie globale, rituel qui permet d'encadrer le conflit pour le pouvoir dans des formes régulées et donc de le contenir. Il impose aussi une version autorisée de l'histoire par les récits qui l'accompagnent et favorise le développement d'une conscience commune parmi les citoyens en les conviant à accomplir le même geste simultanément. Les élections européennes ne suscitent cependant pas complètement cette «communauté de faire» dans la mesure où elles ne suivent pas de calendrier et de procédure uniformes. En 2004, vingt-six règles électorales différentes ont été appliquées, le Royaume-Uni n'utilisant pas la même procédure en Irlande du Nord que sur le reste de son territoire[9]. Les opérations de vote se sont étendues sur quatre jours entre le 10 et le 13 juin dans les vingt-cinq pays de l'Union. Des controverses ont en outre eu lieu entre la Commission et certains États membres dont les autorités locales refusaient, au nom de la transparence, de respecter l'embargo sur la publication des résultats jusqu'à la clôture des urnes partout dans l'UE

8. *Marianne Dony*, Après la réforme de Lisbonne. Les nouveaux traités européens, *Bruxelles, Éditions de l'Université de Bruxelles, 2008, p. 260.*
9. *Corinne Deloy et Dominique Reynié*, Les Élections européennes de juin 2004, *Paris, PUF, 2005, p. 123-136.*

pour ne pas influencer le scrutin. Non simultané, le rituel a été aussi loin d'être parfaitement réglé, la presse internationale se faisant l'écho de la possibilité pour certains citoyens de voter deux fois dans deux pays différents en possession légale des documents requis. Enfin, le rituel a été également discriminant. Les frustrations exprimées par des communautés immigrées d'origine extra-européenne de ne pouvoir prendre part au scrutin dans leur pays d'accueil, alors que des ressortissants communautaires d'autres États membres installés de façon beaucoup plus récente le pouvaient, ont alimenté un discours de dénonciation d'une citoyenneté européenne exclusive.

Les élections européennes ne sont guère l'occasion d'entrer dans le temps spécifique d'une campagne électorale suspendant les contraintes habituelles du jeu politique. En raison de l'absence du fait majoritaire et d'une possibilité d'alternance au niveau européen, elles n'exercent pas la fonction traditionnelle du vote, mise en lumière par les anthropologues, d'«humiliation rituelle des grands», qui consiste à rappeler le caractère conditionnel et délégué du pouvoir démocratique en inversant momentanément les rapports de domination par l'obligation faite aux gouvernants de solliciter l'onction des gouvernés. Les points d'orgue de la campagne sont constitués par l'apparition – désormais banalisée – dans les meetings nationaux de représentants de partis amis d'autres États membres ou de responsables des fédérations transnationales. La politisation du processus de désignation du président de la Commission et son rattachement au résultat des élections européennes peut fournir matière à dramatisation. L'expérience de 2004 montre cependant que cela n'a pas permis de changer radicalement l'ampleur et la tonalité de la couverture médiatique par rapport aux scrutins précédents[10]. Cette dernière est même en baisse dans certains pays, traduisant un reflux d'intérêt pour l'intégration. La campagne a des ressorts différents, voire opposés, dans chaque État membre. On discerne des tentatives plus marquées qu'avant d'européanisation des discours, mais le prisme national reste écrasant dans la détermination des choix des citoyens. Le temps du vote lors des élections européennes n'est donc pas véritablement un temps de rupture avec le quotidien ; on assiste bien à la répétition de certaines formes convenues de comportements, mais sans grand

---

10. *Voir Jacques Gerstlé et al., «Les campagnes électorales européennes ou "l'obligation politique relâchée"», dans Pascal Perrineau (dir.),* Le Vote européen 2004-2005. De l'élargissement au référendum français, *Paris, Presses de Sciences Po, 2005, p. 17-44.*

impact [11], et l'innovation y reste négligeable et peu cumulative. Le niveau de ritualisation est à cet égard faible.

Le rituel électoral dans le cadre national donne aussi naissance à un langage autorisé. La compétition entre candidats lors de la campagne suscite un répertoire spécifique (métaphores routinisées, mots-clés, slogans) destiné à faire sens auprès du grand public. Cette codification du discours politique reste embryonnaire dans le cas des élections européennes. La barrière linguistique, le niveau de compétence et d'intérêt relativement bas de l'électeur et les modalités nationales de la médiatisation du débat sont autant de contraintes à l'émergence d'un vocabulaire politique européen. Le lexique spécialisé propre aux professionnels des affaires communautaires offre par ailleurs, du fait de sa complexité et de son décalage par rapport au discours politique classique, peu de ressources symboliques. Même la critique des institutions européennes, exercice largement répandu dans tous les États membres, reste nationalement connotée dans ses modalités, les pays scandinaves insistant par exemple bien davantage que les autres sur les questions de transparence et de conflits d'intérêt. Le vote au niveau européen ne donne pas davantage lieu à l'émergence de signes forts susceptibles d'enrichir le patrimoine symbolique de l'UE. Les douze étoiles sont certes largement utilisées dans la promotion électorale des partis et chaque scrutin peut contribuer à naturaliser leur présence dans l'univers politique du citoyen. Mais on leur voit de plus en plus fréquemment opposer des symboles de résistance et d'affirmation nationale, à l'instar du sigle argenté de la livre sterling mis en avant par le United Kingdom Independence Party en Grande-Bretagne. De même, les candidats aux élections européennes ne sont guère les vecteurs d'une personnalisation de l'Europe. La généralisation du scrutin de liste par circonscription territoriale n'a pas encore produit tous ses effets. Il semble peu probable qu'elle génère une identification plus forte des électeurs aux candidats. La pratique perdure d'associer sur les listes praticiens éprouvés de la politique européenne, déçus des suffrages nationaux en quête de reconversion et vedettes de la société civile. Ce panachage conforte les consultations européennes

---

11. *On mesure les effets manquants de véritables campagnes européennes si l'on se réfère à l'influence déterminante qu'a eu la campagne très nationale précédant le référendum français de mai 2005. Voir Jacques Gerstlé et Christophe Piar, « Le cadrage du référendum sur la Constitution européenne : la dynamique d'une campagne à rebondissements », dans Annie Laurent et Nicolas Sauger (dir.), « Le référendum de ratification du traité constitutionnel européen : comprendre le "non" français »*, Cahiers du Cevipof, 42, juillet 2005, p. 42-73.

dans leur statut d'élections de second rang et laisse le rôle du député européen mal compris et sous-estimé.

Enfin, le rituel électoral national suscite traditionnellement la production de récits fondateurs qui structurent des systèmes de croyances en organisant des représentations du monde autour de pôles de valeurs connotées positivement ou négativement. Le premier de ces récits fondateurs, c'est celui de la souveraineté populaire. Les élections européennes le mettent à mal de façon croissante en raison d'une participation déclinante depuis l'introduction du suffrage universel direct en 1979. En 2004, moins de la moitié de l'électorat s'est rendue aux urnes sur l'ensemble de l'UE, moins d'un quart dans les nouveaux États membres. Les majorités en place au niveau national ont été massivement désavouées. À ce nouveau démenti du discours justifiant l'intégration européenne au nom de la participation démocratique des citoyens, il faut ajouter – pour la première fois avec cette intensité – des résultats sonnant comme une contestation du référent Europe lui-même. Les critiques traditionnelles de l'édifice communautaire se sont faites à nouveau entendre sous les formes plus ou moins identiques aux versions passées d'un discours souverainiste. Mais un rejet de l'appartenance à l'UE s'est aussi fait jour avec un succès sans précédent, illustré par le cas de le United Kingdom Independance Party. Des partis prenant une posture de « défiance constructive », ne refusant pas le fait communautaire mais ambitionnant de le réformer en profondeur (Europa Transparent du Néerlandais Paul Van Buitenen, mouvement de Hans-Peter Martin en Autriche) se sont également multipliés. C'est donc le dogme précédemment intangible de l'union qui a été dénoncé dans sa totalité ou dans ses modalités. La faiblesse du rituel électoral européen est ainsi illustrée, non seulement par ses modalités toujours très nationales, mais aussi par une contestation renouvelée de l'idée de communauté politique européenne [12]. En 2004 comme à l'accoutumée, l'agenda de campagne est resté centré sur des enjeux domestiques. Même la proximité dans le temps du débat constitutionnel et de l'élargissement n'a pas suffi à porter la discussion sur la nature de l'intégration européenne et les questions d'identité et de valeurs (en référence par exemple à la controverse sur la référence à l'héritage chrétien de l'Europe ou à l'adhésion de la Turquie) n'ont

---

12. *C'est tout le sens politique de l'intégration qui est mis en question, même si l'intégration elle-même n'est contestée que de façon marginale. Voir Bruno Cautrès et Vincent Tiberj, « Une sanction du gouvernement mais pas de l'Europe. Les élections européennes de juin 2004 »,* Cahiers du Cevipof, *41, mai 2005, p. 210.*

occupé qu'une place marginale dans les déterminants du vote. Le suffrage universel n'a donc pas exercé ses supposés effets cohésifs, effets qu'il a d'ailleurs de plus en plus de mal à exercer au niveau national.

La Journée de l'Europe, une fête d'aujourd'hui

Avec le vote, la fête est un autre rituel qui a pu historiquement contribuer à « faire » les nations européennes. On se réfère ici autant aux cérémonials officiels qui permettaient aux pouvoirs de se montrer en puissance qu'aux célébrations populaires des dates clés de l'histoire collective, véritables mises en scène et matrices d'unité[13]. Cette fête a pu constituer « l'institutrice de la nation » en ce qu'elle imposait une discipline collective à tous les membres de la communauté politique en revenant chaque année et en sollicitant du citoyen des comportements particuliers (participation à des défilés et rassemblements ou simplement à une socialité spécifique à ce jour). Au-delà de sa dimension ludique, elle a été le moyen de transmission d'un savoir et de valeurs répétés avec constance à travers le temps par une multitude de dispositifs commémoratifs. La France révolutionnaire[14] et républicaine[15] a constitué la terre d'élection de ces fêtes. Les rituels grandioses de la Révolution, explicitement destinés à faire oublier les fastes de la religion de l'Ancien Régime en s'inspirant de ses pompes et à diffuser une croyance alternative, eurent un succès restreint. Mais le 14 juillet républicain s'installa peu à peu dans la tradition et devint une célébration citoyenne proposant à l'individu une communion civique dans le cadre national, communal et familial.

C'est dans cette filiation qu'entend s'inscrire la Journée de l'Europe, commémoration de la déclaration Schuman du 9 mai 1950. L'événement est institué par le Conseil européen de Milan de juin 1985. Mais il ne se passe rien de notable pendant les années suivantes, faute de volonté politique réelle. C'est finalement le Mouvement européen, et notamment sa branche française, qui relance véritablement l'événement à partir de 1993. La charte qui en précise les principes d'organisation lui assigne trois objectifs : la mise en valeur des symboles de l'Europe ; la diffusion d'une information civique sur l'Europe ; la rencontre entre citoyens des différents pays d'Europe. La volonté pédagogique est évidente. Mais les

---

13. *Raoul Girardet,* Mythes et mythologies politiques, *op. cit., p. 139-173.*
14. *Mona Ozouf,* La Fête révolutionnaire, 1789-1799, *Paris, Gallimard, 1989 [1ʳᵉ éd. 1976].*
15. *Olivier Ihl,* La Fête républicaine, *Paris, Gallimard, 1996.*

techniques de mobilisation ont changé, et le Mouvement européen n'a pas l'autorité et les ressources symboliques de l'État qui bloquait l'espace public, faisait défiler l'armée et donnait congé à ses administrés pour célébrer l'unité nationale. L'heure est aux partenariats entre acteurs publics et privés, l'initiative étant laissée à la société civile. Le Mouvement a créé une structure associative, le Comité d'organisation de la Journée de l'Europe (COJE), chargé de centraliser et d'homologuer les initiatives privées ou institutionnelles en apportant assistance aux organisateurs de manifestations, notamment par la fourniture de matériel d'information. Il en résulte des actions très variées : pavoisement aux couleurs de l'Europe ; conférences ; animations dans les écoles (qui représentent la majeure partie des événements) ; séances de découverte des autres cultures de l'Union européenne à travers la gastronomie ou le cinéma, impression de timbres aux couleurs de l'Europe, etc. [16]. Le bilan de la Journée de l'Europe, difficile à établir en l'absence de source exhaustive du fait de l'organisation très décentralisée, apparaît contrasté. Quelque six mille événements ont été recensés en 1997 dans les quinze États membres, dont plus de la moitié en France, pays à l'origine de la déclaration Schuman [17]. La progression quantitative des animations est constante année après année. Il faut cependant apprécier ce total au regard par exemple de la fête nationale française qui donne lieu à l'organisation de commémorations multiples dans les trente-six milles communes du pays. C'est ensuite le sens de la fête qui est en question. Une observation participante a été menée le 9 mai 1998 en accompagnant les militants du Mouvement européen sur les marchés, pour tenir un stand de l'association et distribuer de la documentation. Le premier constat tiré de cette expérience est celui de l'ignorance absolue du public rencontré sur l'existence et le sens de l'événement. Pour le reste, les réactions se distribuaient de manière sensiblement égale entre un intérêt bienveillant, une indifférence polie ou une réaction de rejet assez nette. Une certaine perplexité dominait concernant l'identité de ces militants, souvent jeunes, affublés de tee-shirts frappés des douze étoiles, interpellant les passants entre un poissonnier et un marchand des quatre saisons, et qui affirmaient célébrer un événement officiel tout en réfutant toute appartenance institutionnelle [18]. Les incompréhensions rencontrées

---

16. Le site *http://www.feteleurope.fr* fournit un aperçu utile des activités en France et dans d'autres États membres.

17. La Lettre des Européens, *32, mars-avril 1998, p. 8.*

18. *Une bonne illustration en est donnée par l'extrait suivant, tiré d'une rubrique d'aide aux associations étudiantes désireuses d'organiser un événement : « Moins votre approche sera institutionnelle, plus elle aura de chance de*

soulignent peut-être la justesse d'une proposition parlementaire, faite à la fin des années 1980 mais restée sans suite, préconisant que le 9 mai soit proclamé «Journée du drapeau européen» pour créer une solidarité entre les deux symboles rituel et matériel de l'UE et donner une concrétude accrue à la Journée de l'Europe [19]. On constate *de facto* l'ambiguïté d'une célébration de l'idée européenne plus que de l'Europe politique, qui est entérinée par les États membres mais sans qu'ils s'engagent pour autant véritablement dans son organisation en tant que puissance publique [20]. Un peu comme les premières fêtes révolutionnaires françaises glorifiant la raison qui ne touchaient guère que les citoyens les plus engagés en faveur des nouvelles idées, la Journée de l'Europe reflète dans ses modalités et son impact l'étroitesse de sa base sociale au vu du caractère élitaire des forces qui l'organisent et de l'absence d'acteurs politiques prenant explicitement en charge une politique d'identité et d'unité.

Si l'on tente en guise de synthèse de replacer la Journée de l'Europe dans une grille de lecture comparative, on constate qu'elle ne présente qu'un seul des quatre attributs constitutifs des fêtes nationales [21] : elle est bien la célébration d'un événement historique dont la mémoire est soigneusement construite et entretenue ; mais elle n'est pas un jour férié pour le peuple au sens d'un jour chômé qui rend disponible pour la participation au rituel privé ou public ; elle n'est pas non plus une réunion annuelle de la communauté destinée à être une expérience partagée, dans la mesure où elle est très peu «vécue» par les individus ; elle n'est enfin pas un symbole de la collectivité humaine dans laquelle elle s'enracine faute de mobiliser les représentations consacrées du groupe et de l'État, les deux se révélant généralement étroitement associés au niveau national. Elle n'occasionne ni la participation systématique des foules par des parades folkloriques ou des réjouissances populaires, ni l'exhibition de la majesté de l'État par des défilés militaires ou des dispositifs

séduire les journaux et plus encore la population du campus. En plus, l'Europe est suffisamment perçue comme technocratique pour que vous n'ayez pas besoin d'en rajouter de votre côté.» Voir fiche 32, «Participer à la Journée de l'Europe», http://www.animafac.net, consultation le 12 octobre 2006.

19. «Rapport sur le drapeau européen», rapporteur José Gama, Parlement européen, PE 119.350/déf, 9 juin 1988, p. 16.

20. Il a fallu que la fête de l'Europe soit déclarée «événement culturel», suite à un lobbying acharné de la Commission et du Parlement, pour que les activités s'y rattachant puissent bénéficier de financements européens.

21. Gabriella Elgenius, «National Days and Nation-Building», dans Linas Eriksona et Leos Müller (eds), Statehood Before and Beyond Ethnicity. Minor States in Northern and Eastern Europe 1600-2000, *Bruxelles, Peter Lang, 2005, p. 365.*

politiques forts. Il lui manque surtout un centre, point focal de tout dispositif symbolique qui structure le sens de l'événement. Elle ressemble sur bien des points (faible tradition, caractère non consensuel, participation élitaire, absence de centre, avec toutefois la dimension religieuse en moins) au 3 octobre allemand[22], célébration de la réunification des deux Allemagnes, effectuée depuis 1990. Ce n'est pas un hasard si cette fête est communément donnée en exemple d'un échec de créer une fête nationale.

La même logique prévaut pour toutes les commémorations européennes. À l'occasion du cinquantième anniversaire du traité de Rome en 2007, les propositions ambitieuses de la Commission (notamment celle d'organiser un concours de chant paneuropéen parmi les citoyens) ont été pour la plupart refusées par les États membres ou considérablement revues à la baisse par peur des coûts, du risque politique induit par des activités s'apparentant trop à de la propagande ou du ridicule. Il faut aussi faire la part des temps qui changent. Les rituels collectifs ont pâti de la désinstitutionalisation et de l'individualisation des allégeances politiques. Si le 9 mai n'est pas un 14 juillet, le 14 juillet lui-même n'est plus ce qu'il était. La Journée de l'Europe ne doit donc plus s'apprécier comme un potentiel vecteur de conscience unitaire, même si cela participait de son ambition initiale. Elle apparaît davantage comme une opération de communication présentant dans son organisation, son contenu et ses effets les caractéristiques habituelles des opérations de légitimation européenne.

Les balbutiements de l'hymne européen

La musique peut être considérée comme un élément de ritualisation, dans la mesure où elle est partie intégrante d'un dispositif cérémoniel. Pour que son caractère symbolique soit avéré, il faut qu'elle s'accompagne d'un certain niveau de contrainte sur les conduites exprimant respect et communion collective. Les institutions européennes se sont dotées d'un hymne en optant en juin 1985 pour le «prélude à l'Ode à la Joie», le quatrième mouvement de la neuvième symphonie de Ludwig van Beethoven, s'inscrivant à nouveau dans l'ornière du Conseil de l'Europe. Son officialisation reste pourtant moins affirmée que celle de

---

22. Ibid., p. 377-380.

l'emblème[23] et, à certains égards, le « bricolage symbolique » qui prévalait avant sa création n'a pas totalement cessé[24]. L'œuvre du compositeur allemand est aujourd'hui largement identifiée en tant qu'hymne européen, ce qui constitue un premier aboutissement dans la mesure où il s'agissait d'un des morceaux les plus connus du répertoire musical classique et que de nombreuses entités se l'étaient approprié à des fins promotionnelles. Historiquement, elle a été mise au service alternativement de causes nationalistes ou universalistes, et son retour dans les années 1970 marqué du sceau européen n'est pas sans rappeler sa résurgence dans les années 1920 comme symbole du rapprochement des peuples après les déchirements de 1914-1918[25]. Le Conseil de l'Europe hésitait initialement entre une création contemporaine, éventuellement d'initiative populaire, ou un chef-d'œuvre de la culture classique. L'institution justifia sa décision d'opter pour « une œuvre musicale représentant le génie de l'Europe et dont l'utilisation dans les manifestations à caractère européen constitue déjà l'ébauche d'une tradition[26] ». Elle traduit ainsi une quête d'enracinement dans une haute culture européenne qui en quelque sorte préexiste et transcende les États modernes ayant nationalisé les masses, ce qui autorise à les dépasser, au risque une fois encore d'un tropisme élitaire.

La « Neuvième » est loin d'avoir acquis la même signification politique que ses équivalents nationaux. Les institutions bruxelloises l'utilisent peu dans leur pratique cérémonielle. Il n'a guère jusqu'à présent été joué dans leurs murs car « les locaux ne s'y prêtent pas » selon un fonctionnaire du service du protocole de la Commission[27]. Cela devrait néanmoins changer, compte tenu de la volonté du Parlement d'intégrer davantage

23. *Le Parlement européen a approuvé formellement le 15 avril 1986 la forme du drapeau européen après l'avoir adopté en 1983 et pris note avec satisfaction de son choix par les autres instances des Communautés. Mais ce même jour, il n'a fait que « prendre acte de la pratique actuelle à propos de l'hymne européen ». « Rapport sur le drapeau européen », op. cit., p. 8.*

24. *À titre d'exemple, avant l'adoption de l'hymne actuel, une musique de convenance avait été composée par une parente d'un fonctionnaire européen. Jacques René Rabier avait réussi à la faire mettre au répertoire de la Garde républicaine à Paris, et elle avait été jouée le 1er mai 1958 devant le Premier ministre Michel Debré et un membre de la Haute Autorité chargé de l'information, sans susciter aucune réaction. Felice Dasseto et Michel Dumoulin (textes réunis par),* Naissance et développement de l'information européenne, *Berne, Louvain-La-Neuve, Peter Lang, 1993, p. 83-84.*

25. *Esteban Buch,* La Neuvième de Beethoven. Une histoire politique, *Paris, Gallimard, 1999, p. 268.*

26. *Ibid., p. 271.*

27. *Interview d'un fonctionnaire du service du protocole de la Commission, 5 mai 1999.*

l'hymne dans son fonctionnement lors de l'accueil de délégations étrangères ou de célébrations pour défendre son existence et son sens face aux États membres après son effacement des traités en 2007 [28]. Il arrive qu'il soit exécuté en l'honneur du président de la Commission ou du Parlement en voyage dans un pays tiers, si telle est la coutume locale. L'hymne européen est par ailleurs utilisé dans le cadre de structures militaires multinationales. L'acte fondateur de son usage sous les armes réside dans son exécution lors de la création officielle du Corps européen à Strasbourg le 5 novembre 1993 [29]. Il est depuis lors joué en certaines occasions, comme les cérémonies de prises d'armes de l'Euromarfor [30] ou le défilé de détachements représentant tous les États membres le 14 juillet 2007 sur les Champs-Élysées. La solennisation de son emploi est parfois jugée incongrue. Un député européen s'insurgea auprès de Romano Prodi en 2000 du fait qu'il se soit mis debout, de concert avec les autres membres de la Commission, aux premières mesures de la composition de Beethoven dans l'hémicycle du Parlement européen. Selon l'élu, une telle déférence ne saurait être décernée qu'à un hymne national, ce que ne peut être l'hymne européen puisque l'UE n'est ni une nation, ni un État. La Commission répondit en réfutant l'assimilation à un hymne national et en soulignant que « les membres de la Commission, comme tout citoyen qui le souhaite, se lèvent pour témoigner de leur attachement à l'entreprise commune [31] ». Les tentatives du Conseil de l'Europe de le populariser en en proposant sur son site Internet des versions hip-hop, techno, trance ou jazz ne suscitèrent guère d'indignation comme ce fut parfois le cas concernant des réinterprétations « profanes » des hymnes nationaux, pas plus d'ailleurs que d'enthousiasme marqué. Au rebours, les institutions européennes n'ont guère de moyens leur permettant de réguler les usages sociaux du morceau. Un cas d'étude se présenta en 1974, lorsque la Rhodésie (futur Zimbabwe), pays au ban de la communauté internationale pour sa pratique de l'apartheid et d'une idéologie raciste, l'adopta. Le Conseil de l'Europe, dont une mission fondamentale est la défense des droits de l'homme, fut interpellé sur le désagrément de partager son hymne avec un tel acteur. Le service juridique de l'institution strasbourgeoise répondit qu'aucune action n'était

28. Mark Beunderman, « *MEPs Defy Member States on EU symbols* », disponible sur le site Internet *www.euobserver.com, 11 juillet 2007.*
29. *Armée et défense, 616, novembre-décembre 1993, p. 10.*
30. Cols Bleus, *2369, 26 octobre 1996.*
31. *Question écrite E-3318/00 posée par Esko Seppänen (GUE-NGL) à la Commission, JO n° C 136 E du 8 mai 2001, p. 0193.*

possible si la Rhodésie avait utilisé l'œuvre de Beethoven dans sa version originale tombée dans le domaine public ; et que même si la version retenue était celle adoptée par le Conseil de l'Europe et que celui-ci était mandaté par le propriétaire des droits intellectuels (Karajan), une action judiciaire n'avait aucune chance d'aboutir car le pays africain ne protégeait pas les auteurs étrangers sur son sol[32].

Outre les réticences – marginales – qu'il peut encore rencontrer, l'hymne européen garde le handicap de ne pas avoir de paroles. Le Conseil de l'Europe, lors de son adoption en 1971, concevait cet état comme momentané, en attendant avec optimisme le temps où les Européens pourraient spontanément convenir d'un texte commun. Cela n'a pas empêché le texte de Friedrich Schiller associé de coutume à la musique de Beethoven d'être souvent employé. Les Communautés européennes elles-mêmes l'ont souvent fait chanter, dès avant l'officialisation de l'hymne dans les années 1970 et lors de la première exhibition du drapeau européen à Bruxelles comme symbole des CE le 29 mai 1986. Elles ne reconnaissent cependant aux mots du poète allemand aucune valeur formelle[33]. L'hymne ne peut dès lors être repris en chœur, seul moyen selon de nombreux analystes de susciter une véritable identification[34]. Un musicologue voit joliment dans ce morceau sans paroles «un enfant bâtard des Lumières, un espoir sans texte», lors même que Beethoven appelait dans son discours et dans la structure de sa composition les mots comme complément nécessaire à l'apogée de sa musique[35]. Le poème de Schiller semble susciter des réticences[36] du fait de son caractère trop universel, trop allemand et trop mièvre (du point de vue de son auteur lui-même). Si le dernier critère reste difficile à apprécier objectivement, on remarquera que l'universalité n'a pas été une raison suffisante pour empêcher l'adoption de la mélodie, qui, avant de devenir

32. *Esteban Buch*, La Neuvième de Beethoven, op. cit., *p. 281-283.*

33. *La Commission a longtemps tergiversé à ce sujet (réponses aux questions écrites 84/88, 10 juin 1988, 89/C 180/05 et 595/90, 16 mars 1990, 91/C 115/03), avant d'arrêter une position définitive sans ambiguïté : «L'hymne n'a pas de paroles» (réponse à la question écrite 2383/94, 22 novembre 1994, 95/ C 81/54). Le Conseil des ministres avait tranché d'emblée en ce sens (réponse à la question écrite 2108/87, 28 janvier 1988, 88/C 121/63).*

34. *Ulf Hedetoft*, Signs of Nations – Studies in the Political Semiotics of Self and Other in Contemporary European Nationalism, *Aldershot, Dartmouth, 1995, p. 141.*

35. *Caryl Clark, «Forging Identity: Beethoven's "Ode" as European Anthem»,* Critical Inquiry, *23, été 1997, p. 801.*

36. *Markus Göldner,* Politische Symbole der europäischen Integration, *Frankfurt, Peter Lang, 1988.*

hymne européen, avait fait l'objet d'une multitude d'usages autour du monde. C'est même précisément la célébrité de cette composition qui semble avoir été un des déterminants de son choix. Le caractère trop allemand aurait pu aussi constituer un handicap pour la musique, utilisée notamment par les deux Allemagnes comme hymne olympique de 1952 à 1964 ainsi que par les nazis lors de certaines célébrations (mais aussi dans le bloc communiste ou par l'OTAN). Le choix d'une orchestration par Herbert von Karajan, à qui il avait été reproché des compromissions avec l'ordre hitlérien, montre que le souci marketing de s'associer une figure médiatique supplante la crainte de renvoyer l'image d'une Europe sous emprise germanique au risque de réveiller un passé encore douloureux [37]. Lorsque l'on touche aux mots cependant, les susceptibilités nationales ressortent du fait du lien étroit dans l'imaginaire européen entre langue, culture et identité. C'est la raison pour laquelle, parmi les propositions faites pour mettre des paroles sur les notes de Beethoven, certaines s'énoncent en latin pour ne fâcher personne [38]. Le compromis promet cependant d'être difficile tant les traditions symboliques des États membres restent très hétérogènes [39]. Au vu des féroces controverses en Espagne sur l'éventualité de doter l'hymne du royaume de paroles officielles ou des discussions récurrentes en Allemagne ou en France sur la nécessité de corriger les strophes les plus belliqueuses des chants nationaux, on peut augurer de la difficulté de la tâche au niveau européen. Les textes des hymnes ne sont pas toujours connus, mais ils gardent une symbolique explosive. On a pu le constater lorsque, convié à entonner l'hymne belge, le Premier ministre flamand, Yves Leterme – alors futur Premier ministre belge présumé suite aux élections législatives – a entamé par erreur ou malice les premiers mots de la *Marseillaise* au lieu de la *Brabançonne* [40]. Nombreuses ont été les voix interprétant ce manquement comme le chant du cygne de la Belgique en tant qu'État unifié faute d'avoir pu se construire une nation afférente. Tout cela peut expliquer que l'on ait préféré laisser l'hymne européen dans l'aimable

---

37. *Esteban Buch*, La Neuvième de Beethoven, op. cit., *p. 276.*

38. *Il en va ainsi d'une proposition (sans lendemain) soumise par un professeur autrichien de l'Académie de Vienne à Romano Prodi, alors président de la Commission. En anglais, cela donne : «Europe is united now/United it may remain/Our unity is diversity/May contribute to world peace// May there forever reign in Europe/Faith and Justice/And Freedom for its people/In a bigger motherland// Citizens, Europe shall flourish/A great task calls on you./Golden stars in the sky are/The symbols that shall unite us.» (www.euobserver.com, 2 février 2004).*

39. *Lydia Flem, «Allegro marziale», Le Genre humain, 20, automne 1989.*

40. *«Leterme chante faux», Le Soir, 23 juillet 2007.*

indifférence muette qui lui était habituellement réservée. Il faut croire qu'il apparaissait encore trop comme un attribut étatique puisqu'il a été jugé nécessaire de le faire disparaître des traités en 2007, de concert avec le drapeau et toute la symbolique constitutionnelle.

Les représentations du « tout » européen

Les chiffres

Aux côtés des rituels, la statistique constitue un autre moyen de construire une collectivité sociale en « tout » par la représentation qu'elle en propose. Benedict Anderson fait du recensement l'un des vecteurs de constitution de la nation, jouant le rôle sur le plan humain de la cartographie sur le plan spatial et du musée sur le plan chronologique. Il s'agit dans tous les cas de délimiter le groupe en le définissant dans sa globalité et en ordonnant ses parties en catégories administratives[41]. L'exemple français est là encore riche d'enseignements. Compter et qualifier les individus, c'est élaborer une communauté, mais c'est aussi développer un État en lui donnant un moyen de contrôle et d'action sur sa population. La statistique institutionnelle joue des fonctions alternatives dans l'histoire, entre instrument de domination (compter les hommes et les choses pour les exploiter) et outil de réforme et d'intervention (connaître les problèmes pour y remédier). L'élaboration des indicateurs constitue de tout temps un enjeu idéologique et politique de première importance, étroitement lié au type de régime en place. Des chiffres officiels et de leurs usages découlent en effet la décision et les choix publics, et partant l'allocation des ressources et des compétences[42].

La production et l'usage des statistiques institutionnelles au niveau européen sont soumis aux mêmes tensions entre impératifs contradictoires et aux mêmes controverses. L'enjeu est d'importance dans le cadre d'une gouvernance européenne qui a fait des indicateurs quantitatifs sa réponse privilégiée à la demande sociale de responsabilité et de contrôle sur les processus d'action publique. L'UE apparaît en la matière comme

---

41. *Benedict Anderson*, L'Imaginaire national. Réflexions sur l'origine et l'essor du nationalisme, *Paris, La Découverte, 1996, p. 168-174 [1ʳᵉ éd. 1983].*
42. *Hervé Le Bras, « La statistique générale de la France », dans Pierre Nora (dir.),* Les Lieux de mémoire, *t. 1,* La République, *Paris, Gallimard, 1997, p. 1353-1384 [1ʳᵉ éd. 1984].*

l'exemple le plus abouti d'une tendance, évidente aussi au niveau national, qui aboutit à la «société d'audit[43]». Cette appellation désigne la configuration contemporaine régie par l'idéologie de la transparence propre au nouveau management public, la représentation du monde selon laquelle le fait de rendre accessible au public l'information concernant la décision et l'action politique, les normes techniques et les choix budgétaires oblige toutes les organisations à être responsables et fiables. La mise en statistiques est vue par les élites européennes comme un moyen de rendre compte aux citoyens des choix faits en leur nom et de renforcer ainsi leur allégeance à l'UE. Elle constitue en outre une ressource pour établir des bases de comparaison entre sociétés nationales indépendantes des frontières des États. En cela, elle est un mode de renforcement de l'Europe qui prend corps à travers des données agrégées et par les lectures transnationales des problèmes à résoudre qui l'habilitent comme niveau d'action. L'énonciation de l'UE sous forme de ratios comptables en fait une «positivité[44]», quelque chose qui peut être calculé par l'addition de parties, parties dès lors proclamées commensurables et appréciées à l'aune les unes des autres dans un cadre global qui témoigne de leur communauté de destins.

Le *benchmarking* constitue un exemple particulièrement intéressant de technique en apparence neutre, qui a cependant des implications sur la distribution et l'exercice du pouvoir. Il marque le passage d'une intégration par le droit à une intégration par le chiffre et une mutation des critères d'évaluation et de justification de la décision publique, même si ce processus reste en grande partie indéchiffrable aux yeux du grand public. Le *benchmarking* ou étalonnage[45] apparaît dans l'industrie japonaise des années 1950 avant d'être systématisé comme outil de gestion par objectifs aux États-Unis à la fin des années 1980 puis d'être importé en Europe comme composante du «nouveau management public» à partir du milieu des années 1990. Il constitue la base méthodologique de «l'agenda de Lisbonne», programme défini en 2000 par lequel les chefs d'États et de gouvernement entendent faire de l'Europe «l'économie de la connaissance» la plus compétitive du monde. Il s'agit pour les États

43. *Michael Power,* The Audit Society. Rituals of Verification, *Oxford, Oxford University Press, 1999 [1997].*
44. *William Walters et Jens Henrik Haahr,* Governing Europe. Discourse, Governmentality and European Integration, *Londres, Routledge, 2005, p. 168.*
45. *Isabelle Bruno,* Déchiffrer l'«Europe compétitive»: étude du benchmarking comme technique de coordination intergouvernementale dans le cadre de la stratégie de Lisbonne, *thèse, IEP de Paris, décembre 2006.*

membres, tout en conservant pleinement leur souveraineté et leurs spécificités nationales, de mettre en commun leurs expériences de politique publique pour favoriser l'apprentissage mutuel et de progresser vers des objectifs communs par l'émulation réciproque. Cette « méthode ouverte de coordination » passe avant tout par la création d'indicateurs statistiques pour évaluer et classer les performances de chaque pays et préconiser les résultats à atteindre. Le *benchmarking* n'est pas qu'une technique de support à la concertation intergouvernementale. Il crée un effet de levier qui s'exerce sur tous les niveaux de l'action publique nationale en suscitant des cadres gestionnaires et des échéanciers justifiés par la contrainte externe, celle de la comparaison avec les pays plus performants. Il constitue donc un mécanisme général de rationalisation au nom de la compétitivité. À ce titre, il rencontre les résistances d'acteurs sociaux qui n'acceptent pas d'être soumis à des déterminants d'ordre économique et se réclament d'autres logiques.

Les effets du *benchmarking* sont très contrastés, selon notamment le secteur de compétences où il s'exerce. Sa mise en œuvre pour réaliser un « espace européen de la recherche » montre comment il opère pour développer la coopération intergouvernementale sur le mode de la « coopétition ». Il s'agit notamment d'étalonner les performances scientifiques et technologiques pour pouvoir orienter au mieux les dépenses de recherche et de développement. Cela passe par la formalisation d'un langage statistique commun entre acteurs nationaux et communautaires, langage qui, une fois objectivé par tous, acquiert une autorité rendant les classements et les normes issus du *benchmarking* difficile à contester. Ce travail politique de mise en chiffres de la réalité se révèle néanmoins beaucoup moins aisé dans des mondes normativement plus clivés que l'univers scientifique, comme par exemple celui des politiques sociales. Lorsqu'il s'agit d'évaluer la pauvreté, la notion même d'indicateur quantitatif et les critères la définissant suscitent de nombreux conflits. Les rapports de force qui se nouent au niveau technique comme au niveau décisionnel traduisent les tensions idéologiques suscitées par le projet de l'agenda de Lisbonne de réorganisation de la production et des solidarités autour des mécanismes du marché davantage que des rouages de l'État providence traditionnel [46].

---

46. *Les limites et les effets inattendus des processus d'apprentissage dans le cadre de la méthode ouverte de coordination en l'absence d'un véritable paradigme de politique publique sont attestés par d'autres exemples, comme celui de la politique contre la pauvreté et l'exclusion des enfants. Voir Deborah Mabbett, « Learning by Numbers ? The Use of Indicators in the Coordination of Social Inclusion in Europe ? »*, Journal of European Public Policy, *14 (1), janvier 2007, p. 78-95.*

La politique de l'emploi offre une autre illustration de la façon dont se négocient la production et la signification de la statistique publique communautaire. L'anthropologue Renita Thedvall [47] a suivi au jour le jour les réunions des comités techniques de fonctionnaires nationaux chargés d'élaborer des indicateurs pour comparer et évaluer les politiques des États membres en la matière et dégager les « meilleures pratiques » à ériger en exemple. Elle s'est notamment attachée à cerner la façon dont émergeait une vision de « l'Europe sociale » à travers la détermination des critères d'évaluation de la notion de « qualité du travail ». Son récit montre que la « méthode ouverte de coordination » mise en œuvre dans ce domaine est loin de s'apparenter à un processus rationnel de délibération et d'apprentissage mutuel par la mise en commun des expériences. Plutôt qu'à la recherche de la meilleure solution sur une base technocratique, la discussion s'apparente à l'affrontement d'intérêts nationaux. Les fonctionnaires visent en effet à obtenir que les indicateurs qui seront finalement retenus avantagent le plus possible – ou désavantagent le moins possible – leur État d'origine. Lorsqu'il s'agit par exemple de mesurer la qualité des modèles de régulation sociale, les délégations nationales militent pour ou contre la prise en compte du nombre de jours de grève perdus pour la production selon que leur propre histoire sociale est marquée davantage par la loi du marché du travail ou par une tradition d'accords collectifs. L'indicateur finalement adopté va déterminer la place de chaque État dans les classements comparatifs et le type de mesure commune susceptible d'être prise sur cette base. Dès lors, il importe avant tout de promouvoir la version la plus acceptable par chaque acteur national, et l'accord se fait souvent moins par consensus autour de la meilleure solution que par compromis. Cette analyse a le mérite de rappeler que la statistique est socialement et politiquement construite. L'indicateur chiffré tend, une fois énoncé, à acquérir une valeur objective propre en tant que critère d'évaluation et à s'autonomiser de ses conditions de production, y compris aux yeux des négociateurs qui l'ont mis au point en arbitrant de façon relativiste entre les stratégies des parties prenantes. La référence à la genèse des représentations quantitatives du politique rappelle leur caractère d'artefact, comme tout symbole, et nuance les effets d'autorité qu'elles sont susceptibles d'exercer. Par là même, la gouvernance européenne qui repose largement sur

---

47. *Renita Thedvall, « Eurocrats at Work. Negotiating Transparency in Post-national Employment Policy »,* Stockholm Studies in Social Anthropology, 58, 2006.

l'usage de ces indicateurs se trouve ramenée au statut d'un dispositif de légitimation parmi d'autres, ni plus ni moins rationnel et incontestable que ceux qui existent au niveau national.

La mise en question de la rationalité scientifique, des rapports de force et des stratégies d'intérêt qui président à l'élaboration des indicateurs de politique publique vaut aussi concernant d'autres statistiques, celles entendant rendre compte de l'opinion publique et des orientations politiques des citoyens. Les avantages et les faiblesses méthodologiques des *Eurobaromètres* ont été bien documentés[48], même si leur usage répandu est souvent peu précautionneux. La diversité culturelle, sociale et politique des Européens renforce encore les critiques faites aux sondages en général d'accentuer les inégalités face à une prise de parole sollicitée par l'enquêteur et de niveler artificiellement des opinions ayant une intensité et une structuration très différentes selon les sujets traités et les personnes interrogées. *A contrario*, les défenseurs traditionnels des sondages argumentent qu'ils donnent une image raisonnablement fiable des représentations sociales et constituent un moyen d'interaction entre gouvernants et gouvernés, et qu'ils jouent donc un rôle crucial pour une Europe éloignée du citoyen.

Au-delà des controverses sur l'outil, les différences de regard sur l'existence ou non d'une opinion publique européenne renvoient à des postures théoriques indissociables d'une évaluation des réalités politiques. Ceux qui croient en une opinion publique européenne[49] mettent en avant un système de valeurs commun aux Européens, exprimé notamment par leur opposition à la guerre du Golfe et leur ouverture au dialogue interculturel plus grand que dans d'autres régions du monde. Ils contrebalancent la persistance des citoyens européens à lire la globalisation au prisme de leur intérêt national propre par le sentiment que ces derniers ont de leur différence avec les Américains, en argumentant que cette autodistinction suffit à attester une identité commune. Les opposants à l'idée d'une opinion publique européenne[50] soulignent les travers des enquêtes *Eurobaromètres* qui postulent les représentations du monde qu'elles entendent mesurer et contribuent ainsi à les créer. Ils

48. Pierre Bréchon et Bruno Cautrès (dir.), Les Enquêtes *Eurobaromètres*, Paris, L'Harmattan, 1998.

49. Dominique Reynié, La Fracture occidentale. Naissance d'une opinion publique européenne, *Paris, La Table ronde, 2004.*

50. Olivier Baisnée, « Les réalités de "l'espace public européen" », dans François Foret et Guillaume Soulez, « Europe : la quête d'un espace médiatique ? », op. cit., p. 39-44.

pointent les pratiques journalistiques des correspondants permanents à Bruxelles et la sélectivité de l'information européenne qui en découle, accentuant les disparités de compétences politiques entre les élites spécialisées et les groupes sociaux profanes en la matière. Ils insistent enfin sur l'absence de conflit mobilisateur capable de structurer une représentation médiatique de l'UE, et ainsi d'offrir au plus grand nombre la base cognitive nécessaire pour pouvoir se forger un avis raisonné. En bref, l'opinion publique européenne est selon eux un dispositif de légitimation et une «catégorie d'entendement europhile[51]» qui est avant tout fondée sur une croyance politique volontariste.

L'usage fait des *Eurobaromètres* dans la communication institutionnelle européenne illustre que cette opinion publique européenne est perçue comme une référence tentante[52] mais que son existence est trop incertaine pour constituer un argument efficace et crédible. Dans presque toutes les occurrences relevées dans les publications grand public de la Commission, le terme d'«opinion publique» renvoie à la fois aux espaces communautaires et nationaux. Les formules du type «X% des Européens pensent que...» ne font que précéder la déclinaison de la variété des attitudes des citoyens de différents pays face aux questions qui leur sont posées. La mobilisation des *Eurobaromètres* a certes crû depuis les années 1970, mais elle renvoie davantage à l'affichage d'un consensus de façade sur des points précis qu'à la construction d'une véritable légitimité fondée sur une adhésion au projet politique d'intégration[53]. Cette mobilisation est très inégale selon les domaines d'action communautaires. Les directions générales de la Commission faisant la plus grande utilisation des *Eurobaromètres* sont celles en charge de l'information, de l'éducation, de l'emploi et des affaires sociales. Celles qui en sont le moins consommatrices ont pour domaines de compétence les relations extérieures, la politique industrielle, les télécommunications et la concurrence.

51. Jean-Baptiste Legavre, «*Opinion publique européenne*», dans Yves Déloye (dir.), Dictionnaire des élections européennes, *Paris, Economica, 2005, p. 491.*
52. *Les manifestations de cette opinion publique européenne peuvent parfois être embarrassantes. La Commission européenne avait été ainsi interpellée par Israël suite à un sondage* Eurobaromètre Flash *désignant cet État comme celui qui menaçait le plus la paix dans le monde d'après les Européens. La Commission avait manifesté ses regrets, soulignant le fait que son porte-parole chargé de la supervision politique des résultats n'avait pu se rendre à la réunion de contrôle. Voir* Le Monde, *5 novembre 2003.*
53. *Andy Smith, «La Commission et "le peuple". L'exemple de l'usage politique des* Eurobaromètres *», dans Pierre Bréchon et Bruno Cautrès (dir.),* Les Enquêtes Eurobaromètres, *op. cit., p. 59-63.*

Nos propres relevés indiquent que les deux tiers des références aux *Euro-baromètres* dans les brochures grand public de la Commission sont le fait de publications traitant de questions institutionnelles et de présentation générale de l'UE. La sollicitation dans l'argumentation d'une « opinion publique européenne » n'apparaît possible que sur des enjeux spécifiquement communautaires.

Si l'opinion publique peut être une variable invoquée dans la légitimation de l'Europe, l'Europe est à rebours dans certains cas utilisée pour faire pression sur les opinions publiques. On se souvient du rôle de référence vertueuse (ou de bouc émissaire) joué par le niveau communautaire dans la construction d'une contrainte externe justifiant la discipline économique dans les années 1980 et 1990, les critères de convergence du processus d'unification monétaire en constituant la meilleure traduction. L'élargissement a de même été dans les pays candidats une configuration propice à ériger l'UE comme instance de tutelle justifiant les efforts demandés aux populations par les gouvernements. Mais là encore, c'est le caractère interactif du processus de construction de l'opinion publique qui apparaît. Les sondages ont en effet très rapidement fonctionné comme une ressource politique pour les dirigeants nationaux, notamment en leur permettant de résister aux préconisations des négociateurs européens en mettant en avant l'opposition de leurs administrés. Les mobilisations diplomatiques des opinions publiques nationales ont notamment eu lieu en 2001 pour protester contre des mesures jugées particulièrement stigmatisantes et dommageables par les citoyens, comme les restrictions à la liberté de circulation des travailleurs ou à la mise en œuvre des accords Schengen pour les nouveaux États membres[54]. On a vu en 2006 se répéter les mêmes appels à ne pas donner aux ressortissants bulgares et roumains le sentiment qu'ils étaient des citoyens de seconde zone, avec relativement peu de succès puisque des mesures de restriction ont été prises par la plupart des capitales nationales. L'opinion publique au niveau européen constitue donc une représentation à multiples échelons, construite par d'innombrables logiques et stratégies politiques qui se concurrencent pour en imposer la version la plus légitime, et qui exerce des effets d'influence sur les masses comme sur les élites et le système décisionnel. Si son invocation s'apparente à un rituel de justification, il serait cependant réducteur de la considérer comme un instrument de manipulation univoque. Elle offre en effet un moyen

---

54. *Laure Neumayer,* L'Enjeu européen dans les transformations postcommunistes. Hongrie, Pologne, République tchèque, 1989-2004, *Paris, Belin, 2006, p. 117.*

parmi bien d'autres de montée en généralité à la recherche d'une autorité symbolique ou d'une coalition plus large dans la défense d'intérêts particuliers, y compris contre les institutions européennes.

L'image

Outre la statistique, l'image est un autre vecteur symbolique traditionnel de mise en représentation d'une entité politique. On parle ici davantage de l'image fixe que de la télévision, dont il a été traité en évoquant la question de la médiatisation du jeu politique européen. Ce support a toujours déchaîné les passions les plus violentes, de la guerre des icônes à Byzance à (toutes proportions gardées...) la crise des caricatures du prophète Mahomet en 2006. Cela peut expliquer pourquoi les pouvoirs politiques se sont toujours montrés ambivalents à son encontre, dédaignant rarement de le mobiliser à leur profit mais peinant souvent à en assumer l'emploi comme registre de légitimation. C'est particulièrement vrai des régimes démocratiques fondés en rationalité. L'image est en effet en permanence soupçonnée d'aliéner la conscience claire du citoyen par des moyens contournant la perception rationnelle et activant des affects. Il y a quelque chose d'irrémédiablement enfantin dans l'image qui fait qu'on la considérera légitime uniquement comme élément décoratif ou comme instrument pédagogique à délaisser dès qu'un discours plus construit est possible. Cela ressort notamment de l'examen des manuels scolaires d'éducation civique où le matériau iconographique se raréfie drastiquement à mesure que l'on monte dans les classes d'âge supérieures. Pourtant, la recherche d'une communication efficace fait qu'on y vient souvent bon gré mal gré. Les constructeurs de la Républicaine française offrent un exemple patent d'acteurs porteurs d'un projet politique se voulant résolument rationaliste et donc « an-iconique » mais qui en vinrent néanmoins à lui donner un corps et un visage, ceux de Marianne, à décliner sous des formes multiples pour faciliter son acceptation par le plus grand nombre [55]. Les fonctionnaires européens en charge de la communication de l'UE, ordre rationalisant, s'il en est, effectuent bon gré mal gré une conversion obligée à l'image. Les représentations symboliques utilisées pour donner à voir l'Europe constituent ainsi un éclairage utile, moins par leurs caractéristiques intrinsèques ou par leur plus ou moins grande adéquation à leur référent, mais parce

---

55. *Maurice Agulhon*, Marianne au combat, *Paris, Flammarion, 1979.*

qu'elles traduisent les croyances et les anticipations de ceux qui les choisissent[56]. Les images de l'Europe des publications grand public éditées par la Commission européenne renseignent à cet égard davantage sur ceux qui les proposent que sur ceux à qui elles sont destinées.

La représentation iconographique de l'UE doit composer avec le fait que cette dernière offre peu de matière à prises de vue[57]. Cela explique qu'il soit souvent fait recours au dessin, la subjectivité de l'artiste permettant de signifier ce qui n'a pas d'existence concrète (par exemple le budget européen ou la politique agricole) en jouant de codes d'interprétation supposés largement partagés. Pour figurer l'Europe, il n'est pas possible d'utiliser un vecteur symbolique traditionnel, le territoire, avec la même efficacité qu'au niveau national. L'espace européen aux contours périodiquement révisés et aux niveaux territoriaux mal hiérarchisés ne fait pas autant sens que par exemple « l'hexagone » français[58]. Aucune histoire de l'Union européenne n'a été formulée et diffusée avec suffisamment d'intensité dans le corps social pour fonctionner comme un vivier de personnages et de références consensuelles. Les dirigeants politiques communautaires proprement dits (commissaires, députés européens) sont trop peu connus et insuffisamment légitimes. Les douze étoiles apparaissent somme toute comme le seul signe susceptible d'exprimer sans contestation possible le référent européen dans sa complétude, et elles sont dès lors abondamment utilisées.

Faute d'autres ressources, lorsqu'il s'agit de montrer l'Europe comme globalité politique, on utilise aussi bien souvent ses institutions. Cela se fait de façon différenciée selon l'organisation mise en avant. Le Parlement européen a fait de son hémicycle un support de communication privilégié et son statut d'assemblée délibérante se manifeste à travers des images de débat ou de vote. Il peut ainsi jouer pleinement de sa légitimité démocratique. La Commission utilise beaucoup plus rarement ses infrastructures et recourt plutôt à des photos de groupe du collège où les commissaires sont à peine reconnaissables, ce qui renvoie à

---

56. Hanna Fenichel Pitkin, The Concept of Representation, *Berkeley (Calif.)*, *California University Press*, 1972, p. 92-111.

57. *Les enquêtes utilisant des photographies supposées évoquer l'intégration européenne buttent ainsi parfois sur l'incapacité des individus à les identifier comme telles. Voir Ulrike Hanna Meinhof, « Europe Viewed from Below : Agents, Victims and the Threat of the Other », dans Richard K. Herrmann et al.,* Transnational Identities, op. cit., *p. 222-225.*

58. *Eugen Weber, « L'Hexagone », dans Pierre Nora (dir.),* Les Lieux de mémoire, *t. 2,* La Nation, *Paris, Gallimard, 1997, p. 1171-1190.*

l'image d'un pouvoir collectif, sinon anonyme, du moins peu personnalisé. Le Conseil des ministres de l'Union européenne et le Conseil européen s'incarnent essentiellement, de façon politiquement ambiguë, à travers les gouvernants nationaux. La mise en avant des institutions fait toutefois craindre que ces dernières ne finissent par occulter le projet politique global, et que les frustrations et les rancœurs dont elles sont l'objet rejaillissent sur l'Union européenne dans son ensemble. C'est pourquoi le rapport de Clercq sur la communication communautaire prônait de dissocier clairement l'Europe comme entité globale de l'appareil bureaucratique qui la fait exister au quotidien : «Les institutions constituent un moyen, et non une fin en soi. Les bureaucrates sont un mal nécessaire. Ils ne doivent pas être confondus avec l'Europe [59].» L'idéal communautaire est conçu comme devant rester intangible et conserver son unité par-delà la succession ou la concomitance des différentes configurations d'acteurs qu'il suscite, sans pâtir du discrédit que ces dernières peuvent rencontrer. Les institutions constituent donc un médium très usité mais qui ne laisse pas de susciter quelques réserves. Cette tension entre la tentation de promouvoir les composantes de l'UE pour elles-mêmes et la crainte qu'elles ne nuisent à la cause européenne se retrouve à bien des égards dans tous les discours sur l'intégration, à commencer par les *Mémoires* de Jean Monnet qui constituent une référence identitaire pour nombre d'acteurs communautaires. Monnet y célèbre à plusieurs reprises les institutions comme patrimoine doté d'une valeur intrinsèque que sa génération lègue à celles qui suivront [60], mais il insiste aussi sur le fait qu'elles ne représentent qu'une forme transitoire d'organisation politique qu'il convient de ne pas figer sous peine de bloquer le processus de construction européenne [61].

Si la représentation de l'Europe comme globalité politique ne va pas de soi, celle de ses «parties» n'est pas non plus aisée. Dans une configuration où, pour reprendre les termes de Marc Abélès, «le tout ne subsume pas les parties [62]», toute particularisation tend à être perçue comme une

---

59. *«Réflexion sur la politique d'information et de communication de la Communauté européenne»*, rapport du groupe d'experts présidé par Willy De Clercq, op. cit., p. 14.
60. Jean Monnet, Mémoires, op. cit., p. 449, 552.
61. Ibid., p. 617.
62. Cet intitulé fait référence à la formule de Marc Abélès selon laquelle, dans le cadre de l'espace politique communautaire, le niveau européen ne subsume pas le national comme le national subsume le local. Marc Abélès, En attente d'Europe, *Paris, PUF, 1996, p. 60 et suiv.*

fragmentation. La mention d'une illustration perçue comme désobligeante pour un pays dans les publications grand public de la Commission suscite souvent des réactions des lecteurs, voire des États concernés. Des photographies trop nombreuses de projets bénéficiant de financements communautaires au Portugal occasionneront des protestations portugaises dénonçant la propension à dépeindre leur pays comme une contrée défavorisée, mais aussi des critiques polonaises déplorant la focalisation de l'intérêt communautaire sur le territoire lusitanien[63]. Il est néanmoins une configuration où le traitement de l'Europe par l'image apparaît plus abondant et facile, c'est lorsqu'il est question de ses relations avec le reste du monde. Elle devient plus visible, tangible et concrète lorsqu'elle est confrontée à l'altérité de pays tiers et n'existe jamais avec autant de force que quand elle est définie parce qu'elle n'est pas. Reste néanmoins ensuite à trouver les moyens d'appréhender la diversité interne de la communauté européenne. La volonté de passer outre les barrières culturelles amène à instrumentaliser les stéréotypes.

L'usage des stéréotypes comme catalyseurs

Les stéréotypes peuvent être définis comme des représentations standardisées réduisant les singularités, des associations stables d'éléments (idées, images, etc.) formant une unité de sens. Les recherches actuelles en psychologie sociale, en histoire et en littérature tendent à montrer que tous les individus et les groupes recourent aux stéréotypes comme forme première de connaissance fondant leurs projets et leurs comportements à l'encontre des autres individus et des autres groupes auxquels ils s'appliquent[64]. Ces concentrés de réalité simplificateurs proposent un schéma d'interprétation du monde (« cette personne se conduit ainsi car elle appartient à tel groupe ») ; ils orientent l'action en conséquence (« la réaction appropriée à telle conduite émanant de tel groupe est celle-ci ») ; ils servent à la justifier, aux yeux du sujet agissant et à l'attention des autres (« je réponds ainsi car le sens commun le prescrit et je l'explique en conséquence ») ; enfin, ils ont une fonction identitaire en confortant

---

63. Ces deux interprétations ressortent notamment du courrier et des réactions qui parviennent à l'unité Publications de la Commission.
64. Laurence van Ypersele et Olivier Klein, « Les stéréotypes », dans Laurence van Ypersele (dir.), Questions d'histoire contemporaine. Conflits, mémoires et identités, Paris, PUF, 2006, p. 65.

la conscience de soi de ceux qui les manipulent («je me distingue de ceux qui sont l'objet de ce stéréotype») et leur appartenance au groupe qui a en partage ces représentations («tous les gens normaux/les bons citoyens/les bons Européens/etc. pensent et font comme moi»).

On prête souvent à l'intégration communautaire la capacité de diminuer les stéréotypes existant dans les représentations mutuelles des Européens par l'intensification des échanges, ce qui serait un premier pas vers la constitution d'une communauté. Les données disponibles incitent à la prudence en la matière[65]. L'habillage symbolique de l'autre en concitoyen de l'UE ne suffit pas nécessairement à modifier en profondeur sa perception. Les stéréotypes évoluent en fonction des rapports sociaux dont ils sont le produit, et tout dépend donc de la réalité, de l'intensité et du sens des interactions qu'un espace politique européen peut susciter en son sein. À ce titre, comme on l'a vu précédemment, les circuits de communication élitaire de l'UE ne suffisent pas à corriger les représentations populaires sommaires des eurocrates. Les stéréotypes ne sont pas figés et immuables, même s'ils ont une propension à «essentialiser» en construisant des idéaux-types appliqués systématiquement et qui peuvent résister durablement à tout démenti. On considérera plutôt ces stéréotypes comme des structures bipolaires dont le pôle négatif et le pôle positif sont activés alternativement selon la logique sociale du rapport entre groupes[66]. Ainsi, dans l'histoire coloniale, le bon sauvage naïf à mettre en tutelle se transforme rapidement en bête primitive à dompter quand il se révolte. De la même façon, entre sociétés européennes, le rapport à l'autre conserve une dualité dont la polarité favorable ou défavorable peut se renverser très vite. Le «Polonais» sera ainsi le courageux résistant au joug communiste enraciné dans les valeurs morales du christianisme, avec en figure de proue Jean-Paul II, et la victime de l'histoire dont on accueille avec émotion le retour au sein de la famille européenne. Mais il sera aussi le redoutable plombier venant tirer les salaires à la baisse ou le zélote catholique menaçant la liberté d'avortement. Il y a donc tout lieu de penser que l'intégration européenne ne supprime pas les stéréotypes, qui constituent une étape indépassable de la lecture du monde, pas plus qu'elle ne les connote positivement ou négativement, puisqu'ils sont dans une dynamique perpétuelle d'ajustement à l'évolution des relations sociales. Il faudrait donc

---

65. *Jean-Noël Jeanneney (dir.)*, Une idée fausse est un fait vrai. Les stéréotypes nationaux en Europe, *Paris, Odile Jacob, 2000.*
66. *Laurence van Ypersele et Olivier Klein,* Questions d'histoire contemporaine, *op. cit., p. 68.*

« faire avec » en s'en servant au besoin pour s'en libérer. Les professionnels des affaires européennes militent fréquemment pour un tel usage des stéréotypes[67]. Il conviendrait de les assumer pleinement pour mieux les « dépasser[68] ».

Pour les acteurs vivant au jour le jour la réalité de l'Europe et exposés à une diversité culturelle dont ils ne possèdent pas tous les codes, les stéréotypes fonctionnent effectivement comme réducteurs d'incertitude. À titre d'exemple, dans cette matrice de futurs praticiens de l'Europe que constitue le collège de Bruges, les étudiants sont amenés à développer des typologies simplificatrices. « La vie quotidienne à Bruges est ainsi l'occasion de nombreuses opérations de typification, au travers desquelles les étudiants confrontent en permanence les stéréotypes existants sur chacune des nationalités représentées au Collège aux individualités qu'ils ont en face d'eux. [...] Les nationaux qui perturbent leur vision de ce que doit être un Espagnol, un Grec, un Suédois, etc., sont ainsi bien souvent qualifiés par les autres d'"atypiques[69]". C'est vrai aussi des étudiants Erasmus qui, confronté à l'étranger, organisent leur perception de "l'autre" autour de représentations standardisées que l'expérience vient tendanciellement confirmer et durcir[70]. » De même, les stéréotypes constituent un facteur de normalisation du fonctionnement du Parlement européen. Un nouveau venu dans une commission se verra confier un dossier très technique s'il s'agit d'un énarque français à qui l'on attribue spontanément l'étiquette de « technocrate » ; d'un Italien, il sera attendu qu'il prête beaucoup d'importance aux performances oratoires, et il sera donc volontiers appelé à la tribune ; le Danois sera présumé très attaché au travail collectif préparatoire, etc.[71].

Lorsqu'il s'agit de mettre l'Europe en scène par le discours, le stéréotype a toute chance d'abonder. D'une part, l'usage de représentations standardisées est constitutif de toute rhétorique ou activité institutionnelles dans la mesure où ils permettent à l'appareil politico-bureaucratique de réifier la réalité en un système de catégories fixes et reproductibles[72]. D'autre part, les communicants européens peuvent être particulièrement tentés

67. Michel Petit (dir.), L'Europe interculturelle. Mythe ou réalité ?, Paris, Éditions d'Organisation, 1991, p. 292.

68. Dominique Wolton, La Dernière Utopie. Naissance de l'Europe démocratique, Paris, Flammarion, 1993, p. 382.

69. Virginie Schnabel, « Élites européennes en formation », art.cité, p. 50-51.

70. Vassiliki Papatsiba, Des étudiants européens, op. cit., p. 139-140.

71. Olivier Costa, Le Parlement européen, op. cit., p. 288-290.

72. Michael Hertzfeld, The Social Production of Indifference, op. cit., p. 70.

de mobiliser les plus petits dénominateurs communs disponibles pour désigner les composantes nationales de l'entité communautaire afin de faire sens sans mobiliser de références trop spécifiques, avec cette contrainte majeure de ne froisser aucune susceptibilité. Il en découle dans les publications de la Commission un recours aux stéréotypes marqué de la plus grande prudence.

Les illustrations jouent de codes et de signes sociologiques abstraits supposés universellement partagés par les citoyens européens. Le costume cravate dans les croquis humoristiques symbolise ainsi l'opulence face aux guenilles du pauvre [73], et devient parfois l'uniforme distinctif du technocrate mis en scène de manière un peu péjorative [74] ou de l'homme d'affaires cynique [75]. Le volume des personnages renvoie à leur plus ou moins grande prospérité, dans une application scrupuleuse de cette constante de l'imaginaire collectif qu'est la confrontation des « petits » et des « gros [76] ». L'usine reste l'image de l'activité économique associée tant au progrès et à la richesse [77] qu'à ses nuisances [78]. Ces codes postulent l'existence d'un patrimoine de représentations commun à tous les Européens mais qui, avec la diffusion du mode de vie à l'occidentale et du capitalisme, ne leur est pas exclusif et ne suffit donc pas à les particulariser. L'utilisation de ces stéréotypes élémentaires atteste la possible communion des ressortissants communautaires dans un même univers de références, mais dans un mouvement qui peut tout aussi bien signifier la dilution de leur identité spécifique dans un ensemble plus vaste englobant toutes les sociétés développées et au-delà.

L'usage des stéréotypes sert aussi à désigner l'Autre. L'Asiatique a de bonnes chances d'être accroupi à côté d'un vélo et coiffé d'un chapeau-cloche, alors que l'Africain en boubou et toque chamarrés sera hiératique devant ses régimes de bananes [79]. Le recours aux stéréotypes pour caractériser les citoyens des États membres dans les brochures grand public de la Commission est beaucoup plus rare et précautionneux. Lorsqu'il

---

73. *« Le fonds de cohésion de l'Union européenne »*, 1994, couverture et p. 1 et 8 ; *« De quelle façon l'Union européenne soutient-elle les régions ? »*, 1998, p. 9.
74. *« L'Union européenne »*, 1994, p. 21.
75. *« La protection de l'environnement : une responsabilité partagée »*, 1996, p. 3.
76. Pierre Birnbaum, Le Peuple et les « gros ». Histoire d'un mythe, *Paris*, Grasset, 1984.
77. *« Créer des emplois »*, 1995, couverture et p. 3.
78. *« L'Union européenne et l'environnement »*, 1998, p. 16 ; *« Questions et réponses sur l'Union européenne »*, 1994, p. 8.
79. *« Making Globalisation Work for Everyone. The European Union and World Trade »*, 2003, p. 11 et 14.

survient, c'est généralement à destination d'un public de jeunes et sous formes de bandes dessinées[80]. Pour le reste, la prudence est de mise. Les auteurs ont recours au stéréotype tant pour le stigmatiser (dénonciation du racisme) que pour l'instrumentaliser (illustration sur un mode plaisant des identités nationales des États membres). Dans le premier cas, lorsqu'il s'agit de fustiger des formes de discrimination ou des attitudes protectionnistes, la Commission monte ouvertement en première ligne au nom d'une position morale. Dans le second cas, l'allusion à des clichés pourtant peu polémiques sur chaque pays (la corrida et la paella pour l'Espagne, Bergman et les blonds pour la Suède, le pub, James Joyce et U2 pour l'Irlande, etc.) suscite de multiples précautions oratoires de la Commission pour se dédouaner de la plus grande part de responsabilité[81]. Comme dans d'autres domaines, les documents qui ne sont pas produits directement par les services de la Commission en charge de la communication envers le grand public, services particulièrement attentifs aux retombées politiques du message, sont plus audacieux. C'est le cas d'une plaquette éditée par la direction générale des Affaires économiques et financières intitulée «Unie dans la diversité» dans toutes les langues officielles de l'UE[82]. Elle présente les différents symboles de l'Europe et caractérise chaque État membre par une carte de son territoire agrémenté de tout ce qui est supposé le caractériser le mieux en termes d'attractions touristiques, d'éléments de gastronomie, de patrimoine historique et culturel et de réalisations technologiques. Le choix de mobiliser des stéréotypes a été le fait du concepteur[83] et n'a été accepté qu'après d'intenses discussions avec les fonctionnaires européens en charge du dossier et la consultation de délégations nationales des États membres. Entre les deux versions du document (2005 et 2007), des points polémiques ont en outre été corrigés. À titre d'exemple, Airbus, attribué d'abord exclusivement à la France au détriment de ses partenaires industriels, a été supprimé à la demande de celle-ci du fait des déboires de l'avionneur dans l'intervalle. La Hongrie n'a pas souhaité voir figurer

---

80. «À la découverte de l'Europe», 1996; «La guerre de la glace à la framboise», 1998; «Moi, raciste!?» 1998.

81. Dans «À la découverte de l'Europe», la Commission s'abrite soigneusement derrière l'opinion publique et l'auteur de la bande dessinée pour justifier le choix des stéréotypes évoqués et leur usage.

82. Commission européenne «Unida en la diversidad...», 2005 et 2007, 32 p. Le copyright, détenu dans la première version par le créateur, semble-t-il pour minorer l'exposition de l'institution, est cédé ensuite à la Commission.

83. Entretien avec Gonzalo Lopez-Menchero, Freeform Communication, créateur de la brochure, Bruxelles, 18 mars 2008.

à nouveau Attila à son panthéon. Certains pays ont fait part de leurs contrariétés d'être cantonnés à des symboles uniquement folkloriques. Outre les réserves qui peuvent perdurer sur leur efficacité à susciter un sentiment d'appartenance, les stéréotypes sont perçus comme une ressource discursive potentiellement dangereuse à exploiter, et surtout en contradiction normative avec le postulat de rationalité dont se targue l'entité européenne.

Chapitre 6

LE DRAPEAU, CORPS MANQUANT DE LA COMMUNAUTÉ POLITIQUE?

L e drapeau européen constitue l'objectivation de l'Europe la plus réussie de par sa notoriété et son succès populaire. Dans la manière dont il est donné à voir, il renseigne sur les spécificités du système politique qu'il représente et sur ses modalités de légitimation. L'étude de la création du symbole et de ses usages permet d'éclairer le processus d'encodage social et culturel de l'emblème aux douze étoiles. Elle montre comment l'on passe d'un simple artefact institutionnel dicté par une conjoncture historique particulière à un signe politique fort investi d'une certaine valeur, sans toutefois atteindre le niveau d'icône politique qui est celui de certains de ses homologues étatiques.

Le drapeau européen se comprend de façon privilégiée en interaction et en comparaison avec les drapeaux nationaux, dont certains apparaissent comme des références particulièrement utiles : le français, comme archétype d'incarnation d'un État théâtralisé ; l'américain, renvoyant comme les douze étoiles européennes à un référent à plusieurs niveaux mais infiniment plus sacralisé ; l'allemand, illustration d'une transition symbolique suite à la réunification ; le polonais, pour lequel le référent religieux reste très prégnant ; le britannique, comme vecteur de résistance acharnée à l'emblème communautaire.

Le drapeau est d'abord objet. La forme symbolique matérielle n'est pas neutre, elle s'impose souvent à l'acteur politique comme un impératif de représentation. Il faut avoir un drapeau dans un monde étatisé, et le signe qualifie ce à quoi il renvoie. Néanmoins, l'explication par la « technologie » du symbole tourne court. Le sens de l'emblème ne se lit pas dans ses couleurs ou son graphisme, et son histoire apparaît comme une somme de contingences. Mais c'est précisément cette inertie non signifiante, offrant à l'acteur un lieu vide à investir, qui fait de la matière une nécessité pour tout pouvoir. Le drapeau est l'objectivation du projet collectif, le signe qui lui donne la concrétude qui lui manquait. À la fois illustration et instrument, il situe le groupe dans le temps et dans l'espace. Témoin voulu immuable transmis de génération en génération, il est gage de pérennité de la communauté. Incarnation modelable et reproductible à l'infini, il dit la centralité et l'ubiquité du pouvoir qui le manie. Le drapeau met ainsi à la disposition des gouvernants sa puissance performatrice. Traduction ostensible de la légitimité de leur action, il les habilite à réaliser le groupe. Le drapeau hiérarchise, en traçant les lignes de séparation entre les dignitaires de son culte et la masse des simples participants, mais plus fondamentalement proclame l'unité de tous ceux qui s'y reconnaissent. Il délimite par là même l'appartenance. Le drapeau s'inscrit donc dans un processus de signification très ouvert où se négocie l'identité commune. À ce jeu des sens possibles il faut néanmoins assurer des règles minimales pour que les citoyens puissent toujours se réunir autour de l'emblème en transcendant leurs différences. Le drapeau objet de droit peine souvent à réussir cette figure de solidarité sans consensus. Il doit alors se sacraliser pour acquérir une autorité normative devant laquelle tout dissentiment s'effacera. Le symbole se fait médiation de l'individuel vers le collectif, de la nation soumise aux aléas de l'histoire à l'entité mystique irréfragable.

Les drapeaux nationaux ont de façon inégale suivi ce chemin de la matérialité à l'abstraction sacrée. Le drapeau européen, à la lumière de son vécu d'un demi-siècle, semble emprunter un parcours dicté par les mêmes aspirations mais jalonné de déterminants qui à la fois l'empêchent d'arriver à son terme et l'aiguillent vers d'autres voies.

Un objet-concept à penser dans sa matérialité

Qu'est-ce qu'un drapeau ? Étymologiquement, il faut remonter à 1119 pour retrouver la première trace du terme en français[1]. Le mot *drapel* désigne alors un morceau de tissu, un chiffon et par extension un vêtement.

---

1. *Paul Imbs*, Trésor de la langue française, *Paris, CNRS, 1979, p. 495 et suiv. L'inventaire qui suit des différents sens et dérivés du mot est inspiré de cette précieuse source de références.*

Cette origine tendrait à affirmer l'hypothèse de Withney Smith, selon laquelle les premiers drapeaux ne seraient que les substituts de vêtements de saints, reliques primitivement arborées comme signe de ralliement (on pense par exemple à la chape bleue de saint Martin, symbole des Mérovingiens). Cette fonction de mobilisation, effective dans la pratique, se traduit au XVIᵉ siècle dans le langage. Sous l'influence de l'italien *drapello* fort anciennement utilisé dans cette acception au-delà des Alpes, le mot *drapeau* commence à remplacer *enseigne* dans le vocabulaire des armées. De ce bref rappel, on peut d'ores et déjà dégager deux traits dominants qui se retrouveront tout au long de notre réflexion : la parenté étroite du drapeau avec les symboles religieux, et son caractère militaire prononcé.

De l'objet contemporain, les auteurs du *Trésor de la langue française* proposent la définition suivante : « pièce d'étoffe portant les couleurs, les emblèmes d'une nation, d'un gouvernement, d'un groupe ou d'un chef et qui est attachée à une hampe de manière qu'elle puisse se déployer et flotter pour servir de signe de ralliement, de symbole ». L'idée-force est donc que le drapeau est le symbole d'un collectif ou d'une autorité, les deux propositions étant intimement liées. La dimension de signe de commandement se retrouve dans de nombreux emplois du terme, notamment pour désigner la personne qui représente le mieux un parti, un courant de pensée (« le drapeau de l'Ordre »...). Le drapeau est ainsi l'attribut du chef dans lequel vont se reconnaître tous ceux qui lui font allégeance et proclament sa légitimité. Il suscite l'identification, implique un engagement, une croyance, une foi. Il est par là même affirmation d'une conscience de soi. Dans la relation au drapeau se négocie une identité. On prend position vis-à-vis de lui, comme l'attestent des expressions telles que « tenir haut son drapeau », « se rallier au drapeau de », « trahir son drapeau », « mettre son drapeau dans sa poche ». L'objet est fait pour être vu ; lorsqu'on le dissimule, il y a reniement, aliénation de la personnalité. Par extension, le drapeau devient l'idée pour laquelle on combat, la cause proprement dite.

« Chaque groupement organisé, écrit Van Gennep, a besoin, pour s'affirmer et pour persévérer, de se distinguer de tous les autres par des marques visibles, dont l'étude constitue l'une des sections les plus intéressantes de l'ethnographie[2]. » Faut-il voir, à l'instar de Van Gennep, une continuité entre les tatouages et scarifications des groupes primitifs

---

2. Arnold *Van Gennep*, Traité comparatif des nationalités, *Paris, réédition CTHS, 1995, p. 49 [1922].*

et les costumes nationaux des sociétés d'ancien régime, pour arriver aux drapeaux de l'ère moderne ? L'abandon progressif du vêtement traditionnel, pour des raisons d'abord économiques, a suscité selon lui une transposition. « Le sentiment exprimé par des couleurs et des étoffes taillées qu'on portait sur soi a été transféré à des couleurs et à des étoffes disposées de manière spéciale et constituant un étendard, de nos jours un drapeau [3]. » L'hypothèse est intéressante, mais mériterait une vérification empirique sans doute difficile à mener à bien. Elle illustre en tout cas la nécessité, ressentie comme permanente, de traduire dans les faits tout particularisme revendiqué sur le plan culturel.

Comment alors expliquer que le drapeau, morceau de tissu attaché au bout d'un bâton, se soit imposé comme un mode d'emblématisation privilégié à travers les âges ? Ses caractéristiques matérielles plaident en sa faveur : visible, simple à déchiffrer, maniable, mobile de telle façon que son aspect est perpétuellement renouvelé, déclinable en versions innombrables ou en exemplaire précieux, il offre à l'entrepreneur politique de multiples ressources. Ces facteurs concourent pour expliquer qu'il se soit imposé comme technologie symbolique dominante. Le grand médiéviste allemand Percy Ernst Schramm a bien mis en évidence dans ses travaux sur la symbolique médiévale l'importance du choix des codes d'expression préexistants. « On peut à bon droit reconnaître dans l'art médiéval des "formules de dévotion" et des "formules de majesté", empruntées les unes à la tradition chrétienne, les autres à la tradition antique. » Les premières se référeront davantage à une signification contextuelle et profonde, les secondes s'en tiendront à des sens premiers clairs et univoques [4]. Dans le mode de représentation choisie se joue toute une vision du monde. La définition du symbole est donc enjeu de pouvoir. Ainsi du drapeau. Pour exercer pleinement son statut de membre reconnu de la communauté internationale, tout État est contraint de se doter d'un tel symbole. Cela est particulièrement flagrant dans le droit de la mer, où un navire sans pavillon est considéré comme apatride et s'expose à de multiples désagréments [5]. L'emblématisation particulière que constitue la création d'un drapeau devient de ce fait normative, cette forme d'expression symbolique apparaît comme la condition nécessaire et impérative pour tout groupement politique voulant asseoir son identité.

3. Ibid., p. 53.
4. Percy Ernst Schramm, « Les signes du pouvoir et la symbolique de l'État » (extraits présentés et traduits de l'allemand par Philippe Braunstein), Le Débat, 14, juillet-août 1981, p. 166-192.
5. Martine Remond-Gouilloud, Droit maritime, Paris, Pedone, 1993, p. 69.

L'imposition de l'objet traduit un rapport de force, phénomène de longue durée et de grande ampleur selon Michel Pastoureau[6]. C'est en effet l'Occident qui réussit à imposer ses valeurs et ses codes, notamment par la confection de répertoires vexillaires servant de références internationales. Les pays musulmans, à l'instar de l'Empire ottoman, procédèrent du XVIe siècle au début du XXe siècle à une « autocorrection » progressive de leurs propres drapeaux, pour s'aligner sur le modèle occidental que leur renvoyaient les Européens. Le mouvement d'uniformisation s'accéléra ensuite avec l'apparition des États postcoloniaux qui adoptèrent d'emblée une symbolique orthodoxe. Le rôle du protocole des grandes institutions internationales comme l'ONU, ou des manifestations planétaires telles que les Jeux olympiques, est ici déterminant.

Le Conseil de l'Europe subit comme toute institution cette contrainte d'emblématisation sous la pression de son environnement. Une première motivation est de se doter d'un drapeau par crainte de voir des enthousiastes s'emparer de bonne foi de couleurs appartenant en propre à certains mouvements (en l'occurrence surtout le Mouvement européen) ou de voir surgir des emblèmes fantaisistes[7]. C'est aussi un besoin sur le plan spirituel, comme l'exprime avec emphase Paul Lévy, directeur de l'Information et de la presse et figure historique du Conseil de l'Europe : « Le cœur des hommes, des vrais hommes qui vivent et qui s'émeuvent, s'attache au symbole. L'esprit des hommes, encore qu'il puisse embrasser l'Univers, a besoin d'images pour se le représenter. Si demain l'Europe s'unit enfin, il faudra que son symbole visible rallie les partisans de son unité, matérialise sous une forme palpable leurs aspirations, soit présent partout où les hommes voudront dire leur foi et leur espoir en elle. Pour les hommes de 1950, comme pour les hommes des siècles passés, le drapeau reste le chiffon prestigieux auquel ils accrochent leurs espérances, dans lequel ils voient l'image de leurs pensées[8]. » La nécessité en est enfin ressentie sur le plan politique. Le Conseil de l'Europe s'est doté du signe et surtout a entrepris de l'utiliser largement en réponse à une certaine désillusion qui s'instaurait après les espoirs de l'après-guerre et à la résurgence des nationalismes[9].

---

6. *Michel Pastoureau*, Dictionnaire des couleurs de notre temps, *Paris, Bonneton,* 1992, *p. 63-67.*

7. *Carole Lager*, L'Europe en quête de ses symboles, *Berne, Peter Lang,* 1995, *p. 40.*

8. *Paul M.G. Lévy et Paul Martin, « Un drapeau pour l'Europe »,* Saisons d'Alsace, 1950, *3, p. 1.*

9. *Carole Lager,* L'Europe en quête de ses symboles, op. cit., *p. 108.*

De manière analogue, l'UE se dote donc d'un drapeau car cela est requis de tout acteur politique amené à prendre place dans la communauté internationale, et le symbole est vu comme un outil pour surmonter la crise de confiance en l'intégration résultant du camouflet des deuxièmes élections européennes de 1984 à la participation décevante. L'emblème communautaire est notifié à l'Organisation mondiale de la propriété intellectuelle sous l'article 6 *ter* de la Convention de Paris réglementant les symboles des organisations internationales, et non sous l'article de la même Convention régissant ceux des États. Mais cette réalité juridique est contrebalancée par les discours politiques invitant explicitement les Européens à se reconnaître dans le signe qui leur est donné comme point de ralliement d'une façon qui se rapproche du discours patriotique (sans s'y assimiler) davantage que de la promotion du drapeau de l'ONU. Sur ce point comme sur bien d'autres, l'UE apparaît donc à mi-chemin entre un modèle stato-national qu'elle ne peut ni ne veut assumer et celui d'une organisation internationale qui se révèle insuffisant au regard de l'étendue de ses prérogatives.

Si la forme du drapeau traduit clairement l'influence de modèles dominants de mise en représentation du politique, il convient de nuancer très fortement l'importance traditionnellement donnée aux couleurs. Ces dernières sont en effet elles-mêmes passées au crible de paramètres uniformes d'origine occidentale (coloration, luminosité, saturation) pour assurer leur reproductibilité, ce qui fait qu'elles ont en pratique peu de rapport avec les données culturelles qu'elles sont supposées refléter. À titre d'exemple, le vert du drapeau italien n'a initialement rien à voir avec le vert des pays de la Ligue arabe, et cependant leur coloration est la même sur les documents officiels, nationaux et internationaux [10]. Par ailleurs, les couleurs comme les motifs du drapeau font l'objet d'un conflit d'interprétations incessant dès les origines. Cette polysémie fait la richesse et la puissance du symbole, mais interdit de dégager une version «autorisée» qui prenne primauté sur les autres, un «sens caché» véritable [11]. Au final, cela invite à proscrire toute lecture substantialiste et déterministe d'un emblème au profit d'un recensement des stratégies et des usages dont il fait l'objet.

---

10. *Michel Pastoureau*, Dictionnaire des couleurs de notre temps, op. cit., *p. 67*.
11. *Un exemple de l'aporie d'une quête de la vérité d'un symbole est offert par le bel article de Raoul Girardet sur le drapeau français. Raoul Girardet, «Les trois couleurs», dans Pierre Nora (dir.),* Les Lieux de mémoire, *t. 1,* La République, *Paris, Gallimard, 1984, p. 5-35.*

On n'entrera par conséquent pas ici dans la discussion des raisons et des modalités du choix du drapeau bleu aux douze étoiles comme symbole européen par préférence à d'autres versions. Cet exercice d'érudition vexillaire au demeurant intéressant et déjà bien documenté ne peut fournir qu'une information restreinte sur sa véritable dimension politique. La définition officielle du sens du bleu européen est vite épuisée. Ce dernier renvoie selon la résolution 55.32 du 9 décembre 1955 du Conseil de l'Europe au «bleu du ciel d'Occident». Les significations plus générales attribuées à cette couleur n'apportent pas non plus d'éclairage décisif. Selon un expert en la matière, Michel Pastoureau, le bleu [12] a pour lui d'être la couleur préférée de plus de la moitié de la population occidentale. Il suscite une sensation d'infini, voisine avec le rêve, le romantisme. Il est fidélité, amour, paix, mais aussi froid. Il prend une connotation aristocratique dans le sang des rois et sur le manteau du sacre, mais il s'apparente à un «sous-noir» sur les uniformes et les maillots des sportifs. Cela permet un grand nombre d'interprétations positives ou négatives. Toujours est-il qu'une thèse fréquemment défendue, celle d'une référence chrétienne explicite au bleu marial, encore renforcée par la signification sacrée du douze en hommage aux apôtres, ne constitue qu'une lecture particulière parmi d'autres dans la compétition contemporaine pour s'approprier le symbole et en faire une ressource politique.

Une modestie similaire prévaut dans la définition officielle du graphisme du drapeau européen. Selon la résolution de 1955 du Conseil de l'Europe, «les étoiles figurant les peuples d'Europe forment le cercle en forme d'union. Elles sont au nombre invariable de douze, symbole de la perfection et de la plénitude». Un enrichissement progressif se fait cependant jour. Dans le communiqué de presse du 7 décembre 1995 célébrant le quarantième anniversaire de l'emblème, on peut lire : «Selon le "père spirituel" du drapeau, Paul M. G. Levy, premier fonctionnaire européen et directeur de l'Information et de la presse du Conseil de l'Europe de 1949 à 1966, "le nombre 12 est hautement symbolique car il est le nombre de signes du zodiaque, des travaux d'Hercule, le nombre des apôtres, le nombre des fils de Jacob, le nombre d'heures du jour et de mois de l'année[13]"». Ce mélange de références historiques et religieuses figure encore aujourd'hui sur le site Internet de l'institution dans la présentation du symbole. L'UE surenchérit en voyant dans le cercle

---

12. *Michel Pastoureau*, Dictionnaire des couleurs de notre temps, op. cit., p. 31-33.

13. *Direction de la communication du Conseil de l'Europe, Communiqué de presse du 7 décembre 1995, «40ᵉ anniversaire du drapeau européen», Réf. 614 (95).*

d'étoiles la représentation de « la solidarité et l'harmonie entre les peuples d'Europe [14] ». Un travail de sédimentation du sens se traduit donc ici, mais sans déterminisme culturel particulier, même si les allusions aux traditions antiques et chrétiennes se renforcent.

Il est rappelé par les deux institutions que le nombre d'étoiles n'est pas lié au nombre d'États membres. C'est historiquement vrai par défaut, les circonstances ayant conduit à un calcul diplomatique. Le Conseil de l'Europe comptait en 1954, au moment du choix du symbole, quinze membres dont la Sarre, zone au statut encore incertain dans le règlement territorial de l'après-guerre. Opter pour quinze étoiles, c'était conférer à la Sarre le statut d'État et donc entériner sa séparation avec l'Allemagne. Quatorze, c'était au contraire lui dénier prématurément ce statut. Treize était impossible compte tenu des superstitions attachées à ce chiffre dans la culture occidentale. Ce fut donc douze, solution adéquate du fait des significations de cette quantité pouvant alimenter une justification *a posteriori*. Rappeler que le nombre d'étoiles n'est pas lié au nombre d'États est une précaution qui, encore aujourd'hui, est loin d'être superflue. L'assimilation au drapeau américain fait que l'idée a du mal à passer dans les esprits, même ceux supposés les mieux informés. En 1993 encore, soit sept ans après l'adoption du symbole, un parlementaire européen allemand s'enquérait auprès de la Commission d'un éventuel rajout d'étoiles en cas de nouvelles adhésions [15].

Fausses ruptures et continuités symboliques

Les ignorances et les conflits d'interprétation autour d'un symbole ne sont en aucun cas la marque de son échec et un obstacle à son efficacité. Bien au contraire, le mystère de la création lui confère plasticité et fluidité de sens, et lui permet dans certains cas de revendiquer une légitimité traditionnelle se perdant dans la nuit des temps tout en conservant intacte sa capacité de réactualisation perpétuelle. Les acteurs politiques résistent rarement à la tentation de revendiquer pour le drapeau auquel ils s'identifient la primordialité sur les autres emblèmes. Même le drapeau rouge, internationaliste et fraternel sans exclusive, ne dédaigne pas faire remonter sa généalogie jusqu'au manteau de Spartacus. L'enjeu est de

---

14. *http://europa.eu.*
15. *Question écrite à la Commission E-1701/93 par Rüdiger von Wechman, 28 juin 1993, 94/C 219/65.*

taille, car l'ancienneté du symbole atteste celle de son référent et fournit ainsi la légitimation de la longue durée. Cette prétention à la continuité explique pourquoi, bien souvent, l'imaginaire collectif se cristallise autour de la version contemporaine du symbole en postulant qu'il a traversé les âges de façon immuable. Ainsi sont niées ou occultées les altérations dans sa forme ou son aspect. Le bleu-blanc-rouge français apparaît comme l'héritage direct de la Révolution de 1789. Une minorité de citoyens a connaissance de son éclipse de 1814 à 1830 et des hésitations sur l'ordre et la disposition des couleurs qui ont duré jusqu'au milieu du XIXe siècle. Dans les esprits, le drapeau national flotte aujourd'hui sur les édifices publics comme il flottait hier sur les barricades parisiennes où s'est forgée sa légende. Les deux siècles écoulés depuis l'événement fondateur sont effacés. Dans la relation au symbole se vit le moment originel, un véritable retour au commencement. Peu importe que ce commencement doive lui-même passer au moule des représentations contemporaines : toutes les peintures de la période révolutionnaire américaine mettent en scène le *Stars and stripes*, alors qu'il n'existait pas encore, ou sous les formes les plus fantaisistes[16]. L'important est que s'opère par ce biais une réactualisation, ou plutôt une recréation du symbole, aussi neuf et aussi inédit qu'au premier jour. En matière vexillaire comme en matière patriotique – et les deux se confondent – l'oubli est un devoir civique.

Le temps symbolique est a-historique. Il fait des bonds en avant et en arrière, se saisissant des signes d'un passé éloigné pour se démarquer de ceux d'un passé plus récent, sans pour autant faire jamais rupture. Car l'innovation radicale est rare en matière symbolique. Rien ne se crée, mais tout se transforme en fonction des impératifs politiques du présent. Tout n'est pas possible, il faut composer avec le matériau culturel disponible, mais les combinaisons potentielles sont innombrables. La façon dont s'est opérée la réunification allemande sous le drapeau de la RFA illustre en quoi l'opération a été facilitée par une remontée aux origines du signe communes aux deux Allemagnes, ce qui a permis son appropriation sans aliénation par les *Ossies*[17] (Allemands de l'Est). Bien souvent,

---

16. Scott M. Guenter, The American Flag 1777-1924, *Rutherford, Associated Universiy Presses, 1990, p. 213.*

17. Michael E. Geisler, « In the Shadow of Exceptionalism. Germany's National Symbols and Public Memory after 1989», *dans Michael E. Geisler (eds)*, National Symbols, Fractured Identities : Contesting the National Narrative, *Middlebury (Vt), Middlebury College Press, 2005, p. 68 ; Joseph Jurt, « La nouvelle Allemagne : quels symboles ? »*, Actes de la recherche en sciences sociales, *98, juin 1993, p. 45-58.*

un pouvoir doit composer avec son histoire proche, fût-elle de dépendance. De nombreuses colonies d'Afrique se sont inspirées de leur ancienne métropole de tutelle dans le choix du drapeau. Le retour du drapeau rouge en Russie est la preuve qu'il n'est pas si facile de faire table rase du passé[18]. C'est qu'en reprenant pour partie les symboles des régimes précédents, le pouvoir en place gère la réorganisation de la mémoire collective et s'investit de l'autorité de la tradition. L'ancienneté du groupe cristallisée dans l'objet semble être une promesse tangible de sa pérennité dans le futur. Qu'il les renie, et il est alors voué à l'improvisation ; mais l'acte de création qui s'ensuit n'est jamais qu'une tentative de retrouver des signes exploitables dans une époque antérieure à celle que l'on refuse d'assumer. L'invention de la tradition doit se comprendre comme la redécouverte d'un trésor enfoui dans le vécu commun, à partir duquel va se légitimer l'innovation.

L'inscription dans une continuité est explicite dans le choix par l'Europe communautaire du drapeau aux douze étoiles[19]. En 1986, on opte en effet pour un signe trentenaire. Dès 1955, le Conseil de l'Europe l'avait adopté pour symboliser l'idée européenne, en prévoyant déjà qu'il aurait vocation à emblématiser toutes les entreprises politiques d'unification continentale qui suivraient. La documentation officielle souligne cet aspect volontariste de production d'un artefact comme un pari sur l'avenir. « Dès sa création en 1949, le Conseil de l'Europe est conscient de la nécessité de donner à l'Europe un symbole auquel les peuples puissent s'identifier[20]. » On remarquera au passage que cette institution joue le même rôle pionnier pour l'hymne européen, adopté par le Conseil de l'Europe dès 1972 et repris par les Communautés en 1986. Il n'en va pas autrement de la Journée de l'Europe, inaugurée dans son principe en 1964 par le Conseil de l'Europe qui l'avait initialement placée le 5 mai,

---

18. *Boris Eltsine a autorisé l'usage du drapeau rouge pendant les jours fériés nationaux, à l'égal du drapeau tricolore en vigueur comme emblème du pays. Le drapeau rouge en question n'est toutefois pas celui du régime soviétique, frappé de la faucille et du marteau, mais celui de l'ancienne armée rouge, orné d'une étoile dorée à cinq branches (Le Monde, 17 avril 1996). Les récentes dispositions proscrivant l'emblème dans des pays voisins sont perçues par Moscou comme une manifestation d'hostilité.*

19. *La reprise du drapeau du Conseil de l'Europe était loin de faire l'unanimité, notamment en raison des risques de confusion entre les deux institutions et des problèmes de droit que cela pouvait engendrer. Voir Avis de la Commission juridique du Parlement à l'intention du Bureau du Parlement sur l'adoption d'un drapeau pour la Communauté européenne, PE 90-049/déf, 26 avril 1984.*

20. *Commission européenne et Conseil de l'Europe, « Guide graphique », Bruxelles et Strasbourg, 1996, p. 1.*

date anniversaire de sa fondation. On pourrait aussi invoquer l'influence de la localisation à Strasbourg de cette dernière institution qui renforce le caractère européen de la ville et milite pour que le Parlement européen y soit maintenu. Le Conseil de l'Europe exerce une sorte de magistrature morale sur la symbolisation de l'idée européenne, symbolisation qu'il a pensée d'emblée comme unique et généralisable à toutes les formes institutionnelles ultérieures que l'unité du continent pourrait emprunter. Cela ne l'empêche pas d'avoir le souci de son image propre. Il s'est doté à cet effet d'un logo à l'occasion de son anniversaire en mai 1999, entériné par une résolution du Comité des ministres en 2000.

La «continuité dans la pluralité» de l'idée européenne et de ses principes fondamentaux (paix, démocratie...) est ainsi affichée. Le message est réaffirmé lors de chaque élargissement pour expliquer que le nombre d'étoiles ne varie pas en fonction du nombre d'États membres, illustration de la stabilité du système politique communautaire au-delà de ses changements de périmètres et de configurations. Cette continuité ne s'accompagne cependant pas d'une mise en scène héroïque de la genèse du symbole, décrite au contraire froidement dans le détail procédural des décisions qui conduisent à son adoption. La littérature institutionnelle sur le drapeau lui recherche encore moins une «ascendance» auprès d'emblèmes historiques glorieux qui seraient inévitablement marqués par les prismes nationaux. À travers les tribulations plutôt sages des douze étoiles, on est en présence d'un récit des origines concentré sur la deuxième moitié du XXᵉ siècle [21], sans remonter beaucoup au-delà du traumatisme fondateur de 1939-1945, voire de 1914-1918. Sur cette période, l'intégration européenne fait figure de «destinée manifeste», puisque des projets très divers finissent par converger jusqu'à pouvoir se résumer en un même signe. La multiplicité des initiatives souvent désordonnées et contradictoires se fond virtuellement dans un processus qui les transcende toutes, et qui tire de cette diversité surmontée la preuve de sa nécessité. Il y a bien invention d'une tradition déterministe, mais cette tradition commence avec l'intégration européenne elle-même.

Dans tous les cas de figure, le pouvoir à travers ses symboles s'inscrit dans le temps et, par les formes qu'il se donne, dit ce qu'il ne veut

---

21. *La reprise du drapeau du Conseil de l'Europe permet notamment aux institutions communautaires de s'approprier le Congrès de la Haye de mai 1948, événement fondateur sur le plan des principes de cette institution et qui est posé fréquemment en concurrence/complémentarité avec la déclaration Schuman comme l'acte initiateur de la construction européenne dans sa dimension supranationale. Voir Jean-Louis Burban,* Le Conseil de l'Europe, *Paris, PUF, 1993.*

plus être et ce qu'il aspire à devenir. Objectivant ainsi une temporalité commune, il renvoie à un cadre dans lequel elle prend sens.

Le pavoisement met le territoire aux couleurs de la nation. Il renvoie organiquement, à travers l'autorité qui le met en œuvre, et symboliquement, par sa signification, à un centre dont il affirme en même temps l'ubiquité. Le drapeau devient ainsi l'instrument de création d'un milieu identitaire dans lequel le citoyen se voit rappeler à chaque pas son allégeance à l'État et à la communauté nationale.

—— Centralité et ubiquité du pouvoir

Le symbole résume l'histoire de la communauté et du pouvoir qui la constitue. Il actualise en quelque sorte le passé, en marquant dans l'espace contemporain les limites et le centre de la sphère de souveraineté du groupe, les points saillants du périmètre de la «grandeur nationale» hérité des générations précédentes.

Le drapeau organise d'abord cet espace en le dotant d'un centre. Présent au fronton de tous les édifices publics, il signale les lieux d'autorité et d'action de l'État sur tout le territoire. Il est l'expression d'une volonté à l'œuvre, le refus du chaos d'un monde livré à lui-même. Localisant le pouvoir, l'emblème travaille à augmenter sa puissance. Marc Augé a montré comment le fait de situer précisément le dieu dans la matière contribuait à le sacraliser[22]. L'assignation à résidence de l'autorité suscite l'effet du *hic et nunc*, analogue à celui éprouvé devant l'œuvre d'art. C'est ici et c'est maintenant que se prend une décision dont les retombées vont s'étendre bien au-delà de l'environnement immédiat. Mais le drapeau flottant dans les contrées les plus reculées ne se contente pas de renvoyer au centre administratif, d'évoquer l'autorité lointaine. Il est présence de cette autorité. Proclamant la centralité du pouvoir, il établit aussi l'ubiquité de l'État et de la nation qui le mandate.

Le drapeau se révèle un symbole particulièrement précieux pour saturer un univers identitaire. Aisé et peu coûteux à dupliquer à l'infini, il permet de marquer l'espace aux couleurs de la collectivité. Se fondant dans le quotidien de l'individu, il concrétise et rappelle en permanence son appartenance au groupe, contribuant ainsi à la naturaliser. De manière banale, ou plus solennelle lors des grandes commémorations, la

22. *Marc Augé*, Le Dieu objet, *Paris, Flammarion, 1988, p. 74 et suiv.*

présence du signe signifie que l'État est maître chez lui. Ici, on distingue nettement une différence de culture politique entre États forts et États faibles[23]. L'État fort, dont la France est l'archétype historique, est plus susceptible de montrer un haut niveau de violence symbolique[24], définie comme la capacité de transcender les règles ordinaires du jeu politique par une profusion de symboles pour démontrer sa valeur infinie et sa démesure en tant que dépositaire de l'intérêt général. L'État faible, à l'exemple des États-Unis et de la Grande-Bretagne, sera beaucoup moins théâtralisé et ne revendiquera pas le monopole du drapeau qu'il laissera largement aux mains des citoyens. L'Europe serait à cet égard un État faible, mais sans la société civile adéquate pour se substituer à la puissance publique.

En France, le pavoisement est d'abord une décision émanant du pouvoir central. C'est traditionnellement le ministère des Anciens Combattants qui en prend l'initiative en s'appuyant sur la seule force de la tradition. La Nation fait soudain irruption dans le quotidien en peuplant les rues de drapeaux tricolores. Les innombrables emblèmes qui fleurissent sur tout le territoire renvoient implicitement à la Grande Flamme, drapeau géant flottant sous l'Arc de Triomphe à Paris, véritable cœur du dispositif symbolique consacré par les représentations médiatiques. Le pouvoir est partout et surtout en ce point focal, conjuguant centralité et ubiquité. Il démontre à la fois sa maîtrise du temps et de l'espace en décidant qu'à un moment précis, auquel il confère sens au regard de l'histoire, le pays prendra ses couleurs. L'État fait étalage de sa puissance, se donne à voir dans toute son efficacité, comme à l'occasion des grandes cérémonies du 8 mai 1995, cinquantenaire de la fin du deuxième conflit mondial, qui suscitèrent un pavoisement particulièrement fourni. Le dispositif ainsi mis en place était très lourd et onéreux mais, selon les mots du chargé du protocole du ministère des Anciens Combattants, « tout le monde était ravi de voir que la France était capable de faire ça[25] ». La débauche vexillaire prend figure d'acte de majesté. Sur ce terrain encore, l'Europe reste timide. La Journée de l'Europe illustre de manière frappante l'absence d'une volonté politique centrale ou de l'autorité d'une tradition pour impulser un pavoisement. Les drapeaux aux douze étoiles fleurissent néanmoins avec une certaine abondance, preuve de l'existence d'une dynamique symbolique européenne propre. Mais il s'agit

---

23. Bertrand Badie et Pierre Birnbaum, Sociologie de l'État, *Paris, Hachette, 1983.*
24. *Paul Veyne,* Le Pain et le Cirque, *Paris, Seuil, 1976, p. 642.*
25. *Entretien avec Laurent Bellini, chargé du protocole au ministère des Anciens Combattants, 23 février 1996.*

d'initiatives clairsemées associant librement acteurs publics, parapublics et privés. Les collectivités territoriales, les associations militantes plutôt élitaires, les milieux éducatifs et les entreprises sont les principaux maîtres d'œuvre de la mise aux couleurs de l'Europe de l'espace public, opération qui suscite souvent la surprise des simples citoyens peu au fait de l'existence du 9 mai.

Le drapeau national au temps de sa splendeur établissait l'évidence et l'incommensurabilité du pouvoir, et lui donnait ainsi la force et la légitimité nécessaire pour réaliser l'unité collective. Dans les luttes sociales et mémorielles, il relayait le discours identitaire formulé par l'autorité. Autour de l'emblème s'opérait une cristallisation de sens qui faisait que l'arborer devenait un acte prescriptif de valeurs et de comportements. La célèbre controverse autour du rétablissement du drapeau blanc comme condition de la restauration monarchique dans la France de 1871 en fournit une illustration sans ambages. Le rétablissement des couleurs royales est vu par l'héritier du trône comme un acte performatif, un point de passage obligé pour renouveler l'ordre politique [26]. Le changement de drapeau, ou l'apparition d'un nouveau, va donc signifier une remise en cause fondamentale. La multiplication des douze étoiles dans les espaces nationaux a pu ainsi être ressentie comme un ébranlement massif des cadres de l'expérience et de l'identification. Si le drapeau européen est aujourd'hui largement connu et apprécié selon les enquêtes d'opinion, on a peut-être négligé les effets traumatiques qu'il a pu exercer dans les inconscients collectifs et individuels. Certaines réactions d'opposition s'expriment de manière explicite, en dénonçant la « folklorisation » des couleurs nationales [27]. D'autres, beaucoup plus répandues, ont pris des formes détournées. Il suffit de se rappeler les polémiques soulevées dans les premiers temps par l'obligation de signalement des

26. *Le comte de Chambord justifia dans une lettre au marquis de la Ferté-Millon datée du 24 mai 1871 l'intransigeance de sa position : « La question du drapeau n'est pas seulement pour moi une répugnance trop facile à comprendre, c'est une question de principe. Avec l'emblème de la Révolution, il me serait impossible de faire aucun bien, de réparer aucun mal [...]. Si cela ne représente rien, il n'y a aucune raison d'attacher de l'importance à une couleur plutôt qu'à une autre et je puis conserver la mienne. Mais si au contraire cela représente tout un ordre d'idées et je le pense ainsi, je ne dois pas, je ne veux pas abandonner le drapeau de mes pères qui, pour moi, veut dire respect de la religion, protection de tout ce qui est juste, de tout ce qui est bien, de tout ce qui est le droit, uni à tout ce que demandent les exigences de notre temps. »* Jean-Paul Garnier, Le Drapeau blanc, *Paris, Librairie Académique Perrin, 1971, p. 447.*
27. *Jean-Pierre Airut, « Drapeau français et sentiment national : le chant du cygne ? », Crises, 2, 1994, p. 131-153.*

financements communautaires en arborant les douze étoiles sur les chantiers qui en bénéficiaient[28]. Dans certains pays, la France en premier lieu, cela fut vécu comme une atteinte à la souveraineté de l'État.

Même si l'on trouve des exemples dans de nombreux pays, la terre d'élection de la guérilla contre le drapeau européen est sans contestation possible la Grande-Bretagne. En guise d'illustration, le City Council de Newcastle s'est vu contraint en 2006 de retirer la bannière communautaire qu'il arborait sur ses bâtiments. Des élus du United Kingdom Independence Party avait en effet exploité les règlements en vigueur stipulant que les drapeaux nationaux pouvaient figurer librement sur les édifices publics (ce qui renvoie aux drapeaux anglais, écossais ou gallois) mais que l'UE ne constituait en aucun cas une nation et que son signe relevait donc d'un accord publicitaire. Ces élus manifestaient l'intention de s'opposer en outre à toute demande des pouvoirs publics locaux de solliciter une autorisation pour utiliser le drapeau européen dans ce cadre d'une permission publicitaire[29]. On voit les conséquences de l'ambiguïté de la nature des douze étoiles et de leur référent politique.

Les transports, domaine inhérent au thème de la mobilité chère à l'Europe sans frontières, constituent également un champ de bataille permanent. Une conductrice britannique à la retraite, arguant qu'elle ne conduisait jamais sur le continent, estimait ne pas avoir à arborer les douze étoiles sur son permis de conduire et l'avait donc recouvert d'un autocollant portant l'*Union Jack*. L'autorité administrative l'avait menacée d'un procès et d'une amende, non pour atteinte au symbole européen, mais pour dégradation d'un document officiel. Finalement, l'affaire ayant été médiatisée, des excuses avaient été faites à la conductrice et les frais de remplacement de son permis pris en charge[30]. Cela ne fait que confirmer l'attention très relative des pouvoirs publics nationaux à protéger l'intégrité du symbole européen et la sensibilité politique de telles questions. Il faut dire que les esprits avaient été échaudés par les féroces polémiques déclenchées par l'instauration en septembre 2001[31] d'un nouveau système d'enregistrement imposant comme modèle unique de plaque d'immatriculation[32] celles comportant les douze étoiles avec les

28. *Commission européenne, décision 94/342/CE du 31 mai 1994, JO L 152 du 18 juin 1994.*

29. *Ian Morgan, «City Council Forced to Take Down a European Flag», http:// 24dash.com, 27 juin 2006.*

30. *«DVLA Sorry over OAP Licence Row», http://news.bbc.co.uk, 4 juillet 2005.*

31. *Pour un exemple très riche de la teneur des débats suscités à cette occasion, voir «Flags on Car Plates – Right or Wrong ?», http://news.bbc.co.uk, 4 janvier 2002.*

32. *L'exigence d'une plaque d'immatriculation comportant les douze étoiles sur fond bleu (Euroband) est prévue par le «règlement du Conseil 2411/98 du*

lettres « GB ». Cette mesure avait provoqué la fureur d'individus désireux de rouler sous les emblèmes écossais, anglais ou gallois, et qui obtinrent finalement gain de cause, le gouvernement cédant sous l'ampleur de la pression populaire[33].

Ces faits rendent bien compte de la façon dont l'Europe est perçue par les Britanniques sur le plan symbolique. En 2007, 45 % des Britanniques déclarent s'identifier au drapeau européen contre 54 % de l'ensemble des Européens. Selon une enquête de 2004, moins d'un tiers pensent que le drapeau européen doit figurer sur les bâtiments publics, alors que plus de cinquante pour cent des citoyens de l'UE soutiennent cette option[34]. L'exemple vient du plus haut niveau de l'État, où les responsables politiques ne manquent de faire entendre leur attachement aux couleurs nationales. Ainsi en 2000, le secrétaire d'État à la Défense Geoff Hoon, tout en soutenant le plan d'une force de réaction rapide européenne, insistait sur le fait que les soldats continueraient à se battre sous le drapeau national et en aucun cas européen, reproduisant en cela les pratiques en vigueur à l'OTAN.

Les élus européens britanniques ne sont pas en reste. En juin-juillet 2002, plusieurs membres du Parti populaire européen-Démocrates européens se sont mobilisés face à une supposée menace pesant sur l'emblème aux douze étoiles, mais non sans arrière-pensée. L'origine de l'affaire vient d'une rumeur relayée dans les médias selon laquelle la Commission avait l'intention de remplacer le drapeau existant par une création d'un designer hollandais, Rem Koolhaas, qui se présentait sous la forme d'un code-barres multicolore. Les députés britanniques ont saisi l'opportunité pour dénoncer l'incurie des autorités européennes qui s'apprêtaient à procéder à une opération très coûteuse compte tenu de la large diffusion du précédent symbole[35]. Ils ont pointé la signification consumériste et mercantile du graphisme envisagé et n'ont pas manqué d'en inférer des implications peu avantageuses sur la relation de l'Europe

3 novembre 1998 relatif à la reconnaissance en circulation intracommunautaire du signe distinctif de l'État membre d'immatriculation des véhicules à moteur et de leurs remorques ».

33. *Une controverse à propos des plaques d'immatriculation est survenue dans d'autres pays, mais dans un esprit bien différent. Ainsi en Pologne, le ministère des Infrastructures a menacé d'une amende tout citoyen arborant prématurément sur son véhicule les étoiles européennes avant que la réglementation officielle soit modifiée en ce sens. M. Frydrich, « EU Emblem Outlawed on Polish Number Plates », www.euobserver.com, 19 août 2004.*

34. *Commission européenne*, Eurobaromètre, 67, automne 2007, p. 80.

35. *Question écrite E-1992/02 posée par Theresa Villiers (PPE-DE) à la Commission, JO n° C309 E du 12 décembre 2002, p. 149.*

au citoyen[36]. La Commission a choisi de répondre de façon groupée, en s'adressant à un parlementaire allemand[37], que le code-barres incriminé ne constituait qu'une œuvre artistique proposée dans le cadre d'une opération de communication «Bruxelles, capitale de l'Europe» patronnée par l'UE, et qu'il n'avait jamais été question de remplacer le drapeau aux étoiles.

La sphère intellectuelle britannique n'est pas beaucoup plus hospitalière pour les douze étoiles. Dans une récente histoire du drapeau national[38], une dizaine de lignes sont consacrées à l'entrée du Royaume-Uni dans les Communautés européennes pour signaler que cela se fit malgré le manque d'enthousiasme de la population et que l'événement fut salué à Bruxelles par le pavoisement de l'Union Jack à l'envers. Il est aussi pointé, parmi d'autres effets négatifs, que l'intégration européenne a eu l'inconvénient de susciter une résurgence de l'extrême droite qui entacha les couleurs nationales de connotations idéologiques radicales et racistes par l'usage exacerbé qu'elle en faisait. Même ceux qui s'érigent en défenseur du drapeau européen en Grande-Bretagne le font d'une manière loin d'être univoque. L'historien et éditorialiste Timothy Garton Ash prend ainsi position pour sa présence accrue. Il déplore son absence aux côtés du drapeau espagnol lors de l'allocution du roi d'Espagne suite aux attentats de Madrid, ce qui aurait permis d'illustrer que le deuil touchait tous les Européens unis dans une communauté d'émotion et de destin[39]. Mais lorsque Garton Ash marque son scepticisme sur la volonté de Gordon Brown de renouveler l'affirmation de la «Britishness» par une présence renforcée de «l'Union Jack» dans l'espace public, c'est pour proposer en alternative un pavoisement pluriel marquant la multiplicité des identités britanniques contemporaines. Dans la floraison de drapeaux qu'il appelle de ses vœux, les emblèmes de villes, d'écoles, de clubs, d'universités, des nations qui composent la Grande-Bretagne tiennent une bonne place, et celui de l'Europe est laissé à l'appréciation de chacun au même titre que celui de l'ONU[40].

---

36. *Question écrite E-1676/02 posée par Charles Tannok (PPE-DE) à la Commission, JO n° C309 E du 12 décembre 2002, p. 148-149.*
37. *Question écrite P-1952 posée par Bernd Posselt (PPE-DE) à la Commission, JO n° C309 E du 12 décembre 2002, p. 179-180.*
38. Nick Groom, The Union Jack. The Story of the British Flag, *Londres, Atlantic Books, 2006, p. 283.*
39. *Timothy Garton Ash, «Is this Europe's 9/11 ?», The Guardian, 13 avril 2004.*
40. *Timothy Garton Ash, «In Our Search for Britishness, We Should Put out More Flags, or None», The Guardian, 19 janvier 2007.*

Ces résistances attestent qu'on ne modifie pas de façon anodine le monde du « nationalisme banal[41] » des Européens en y introduisant de nouvelles références, et les résurgences patriotiques d'aujourd'hui peuvent en partie être comprises comme des réponses aux secousses identitaires des deux dernières décennies. Quand l'environnement de sens habituel est bouleversé et que l'anomie menace, l'invocation répétée d'un point fixe, d'un signe fort ayant surmonté les épreuves précédentes permet de contrebalancer les incertitudes[42]. *A contrario*, l'intrusion d'un symbole perçu comme « étranger » concourt encore à la déshérence des cadres cognitifs et affectifs qui structurent la perception du monde des individus et alimente des réactions de distanciation ou de rejet. Exemplaire est à cet égard en France la réaction d'un lecteur du *Courrier Picard* qui, dans le concert dominant d'appréciations louangeuses sur la présence des armées des vingt-sept États membres lors du défilé du 14 juillet 2007 sur les Champs-Élysées, fait entendre son désarroi devant le mélange du bleu-blanc-rouge avec d'autres couleurs : « J'ai l'impression que notre 14 juillet devient, d'année en année, une fête européenne tant les nations étrangères y sont représentées. Je ne suis pas opposé aux rassemblements du peuple français avec les autres nations, mais cela pourrait se faire en d'autres occasions, au moment des commémorations des armistices qui ont mis fin aux grandes guerres par exemple. Laissons à la France ce qui est français : sa fête, ses origines, ses traditions. Respectons les hommes qui se sont battus et qui sont morts pour la sauver et sauvegarder ainsi notre liberté. Chaque jour, j'ai l'impression que l'on me vole une partie de mon identité[43]. »

—— Le drapeau ordonne la communauté politique

Le drapeau ne vise pas qu'à la cohésion de la communauté politique. Il est aussi l'instrument d'une négociation des conditions de la domination. Il reproduit dans son usage une partie des discriminations de l'ordre

41. Michael Billig, Banal Nationalism, *Londres, Sage Publications, 1995.*
42. *On peut à ce sujet faire l'analogie avec l'histoire tourmentée de la Marseillaise, victime sous les gouvernements autoritaires de son caractère révolutionnaire mais qui revient au premier plan à la faveur des périodes de troubles : défaites impériales de 1814, Cent Jours, conflit autour de la Question d'Orient, etc.* Michel Vovelle, « La Marseillaise », dans Pierre Nora (dir.), Les Lieux de mémoire, t. 3, Les France, *Paris, Gallimard, 1993, p. 85-136.*
43. Courrier Picard, *Courrier des lecteurs, 19 juillet 2007.*

social en les transfigurant pour les rendre plus acceptables. Les couleurs nationales seront mises en berne lors du décès d'un président de la République ou d'un monarque ou d'autres deuils collectifs. Elles recouvriront le cercueil des serviteurs de l'État illustres ou morts en se distinguant à son service. Sous les formes les plus diverses (cocardes, fanions de voiture, insignes, écharpes...) ces couleurs signalent les prérogatives attachées à la personne qui les portent. Mais tous ces statuts hors norme n'existent que par et pour l'État. Ces distinctions ne sont admises que parce qu'elles travaillent à l'utilité commune, et c'est en quelque sorte la nation qui se rend hommage à elle-même et qui identifie son action en y apposant sa marque.

Le drapeau légitime les gouvernants en se posant en arrière-plan d'un discours officiel, l'officier de police judiciaire dispersant une manifestation en se faisant brassard tricolore, le maire prononçant un mariage en devenant écharpe, etc.[44]. Mais de tous ces usages, il retire aussi un surcroît de prestige. Il y a véritablement échange de puissance entre l'emblème et son porteur. Ce dernier appuie son autorité sur le mandat que lui a confié la nation toute entière, dont il arbore le signe. En retour, le drapeau capte à son profit une bonne part de ce qui est fait en son nom ; il apparaît aux yeux de la masse des citoyens comme un objet vivant dans la proximité des puissants, et il devient par là même encore davantage matière de pouvoir. Quand un athlète victorieux s'en ceint pour effectuer son tour d'honneur, il se signale à l'admiration de ses compatriotes pour avoir gagné le droit de s'approprier un temps l'emblème, et proclame symétriquement la grandeur de la communauté à laquelle il dédie son succès. Un mécanisme de gratification réciproque se met en place.

Il s'instaure donc un continuum sur lequel viennent se situer selon leur plus ou moins grande proximité au symbole tous ceux qui s'en réclament. L'inégalité résiduelle ne se traduit pas en termes de rupture mais de distance. Même ceux qui se tiennent volontairement éloignés du drapeau, refusant d'intégrer la communauté émotionnelle dont ils rejettent le caractère factice, subissent son emprise. L'objet pris par le rite surmonte la critique et exerce son effet. Les rituels politiques auxquels il

---

44. *Dans les deux derniers cas de figure, ceux qui arborent le signe n'en tirent pas leur pouvoir au sens littéral du terme : ils le tiennent d'un titre juridique de nomination. Mais l'écharpe ou le bandeau leur facilitent grandement la tâche en mettant* ab initio *hors de doute leur qualité. «Une habilitation s'évince du signe : au niveau de la vie juridique non contentieuse, l'habit fait le moine.»* Voir Jean-Pierre Gridel, Le Signe et le Droit, *Paris, LGDJ, 1979, p. 140.*

donne lieu n'ont pas seulement, selon Kertzer, un impact sur «ceux qui y croient et qui ne pénètrent pas le sens véritable des événements aussi manifestement arrangés, mais affectent également les individus *politiquement conscients*[45]». Le drapeau parvient à susciter entre tous «une solidarité sans consensus» (Kertzer), une union sans accord sur les fins communes, agissant à des degrés divers mais de même façon sur le leader le plus cynique et le partisan le plus crédule.

Le drapeau européen voisine avec ses homologues nationaux devant les bâtiments officiels[46] ou derrière les orateurs gouvernementaux[47]. Il est bien signe de pouvoir. Mais il présente le handicap de ne pas se décliner en marques d'habilitation dans les actes de la vie sociale. Aucun Européen ne conserve le souvenir d'avoir été marié par un officiant ceint des douze étoiles. La généralisation du passeport communautaire ou des «couloirs UE» à la douane va en revanche dans le sens de l'usage du symbole pour articuler l'individuel et le collectif dans l'exercice de l'autorité publique.

Le drapeau classe aussi les institutions entre elles. Les plus ou moins grandes habilitations à dire les conditions d'usage des douze étoiles suscitent une hiérarchie des producteurs de l'universel européen. Le Conseil de l'Europe est l'instance fondatrice du symbole et l'initiatrice de son utilisation à partir de 1955. Il demeure l'autorité qui détient la tutelle du drapeau européen et consent à la partager avec la Commission. Au

45. *Dan Kertzer, «Rituel et symbolisme politique des sociétés occidentales»,* L'Homme, *XXXII, 121 (1), janvier-mars 1992, p. 79-90.*
46. *Le Parlement européen avait dès le milieu des années 1980 invité les membres du Conseil européen à prendre des dispositions en ce sens, et la coutume s'en est largement établie. Pour autant, elle ne peut être considérée comme acquise. En 2006 encore, Vaclav Havel interpellait Vaclav Klaus, son successeur à la présidence de la République tchèque, sur son refus de faire flotter le drapeau européen aux côtés du drapeau national devant le château de Prague, siège officiel du pouvoir (AFP, dépêche, 9 mai 2006).*
47. *Rien n'est jamais acquis en la matière, et les équilibres symboliques se redéfinissent en fonction de la conjoncture. Après le référendum français de 2005 rejetant le traité constitutionnel, Jacques Chirac modifia le décor de ses prises de parole en remplaçant les deux drapeaux français et européen de taille identique utilisés jusqu'alors par un grand fond bleu-blanc-rouge, les douze étoiles étant reléguées dans un coin. Mais l'emblème européen fit son retour en force après l'élection de Nicolas Sarkozy en figurant pour la première fois sur la photo officielle du président. Ce dernier accorda aussi une place de choix aux couleurs européennes lors du défilé du 14 juillet 2007. Enfin, le drapeau de l'UE a été hissé le 13 juillet 2007 sur le ministère des Affaires étrangères et européennes à Paris, où il flotte désormais en permanence, et les autres ministères ont vocation à suivre cet exemple. Le drapeau européen a aussi été adjoint au drapeau français sous l'Arc de Triomphe en juillet 2008 pour inaugurer la présidence française de l'UE.*

quotidien toutefois, son antériorité et sa préséance juridique ne suffisent pas à compenser sa moindre visibilité et, dans les faits, la Commission européenne est beaucoup plus sollicitée par les acteurs désireux de connaître les conditions d'usage de l'emblème. Le Conseil de l'Europe conserve néanmoins la compétence formelle pour toutes les demandes émanant de pays non membres de l'UE, même si la coutume autorise la Commission à répondre lorsqu'elle est interpellée en premier. Légère en pratique, la référence persistante au Conseil de l'Europe que porte le symbole prémunit néanmoins l'UE de se penser comme une construction politique classique. Cela maintient une altérité au cœur même de sa symbolique.

Les choix que chaque institution fait pour ses propres emblèmes sont révélateurs de son rapport à l'idée européenne et de sa place dans le système communautaire. À l'adoption du drapeau aux douze étoiles par les Communautés, il avait en effet été convenu que les institutions pourraient soit garder le symbole qu'elles utilisaient avant, soit l'incorporer dans le nouveau signe, soit adopter ce dernier exclusivement. Les douze étoiles et rien d'autre, c'est précisément ce qu'a retenu la Commission en arguant que sa position et ses fonctions rendaient toute alternative impossible. De fait, par son rôle de gardienne de l'intérêt général communautaire et de cheville ouvrière de l'intégration, la Commission jouit d'un statut de productrice d'universel incontestable, au sens où elle est habilitée à définir les conditions d'usage des symboles de l'Europe, même si elle en fait usage avec parcimonie et retenue. Elle est d'ailleurs parfois consultée de matière informelle par les différents services du protocole qui lui reconnaissent une sorte d'expertise et de légitimité en la matière. Cela n'est pas le cas des autres organisations qui, en sus du drapeau européen *stricto sensu*, se sont dotées d'emblèmes spécifiques. Le Parlement européen a dans un premier temps conservé son sigle « PE-EP » en remplaçant simplement la couronne de lauriers qui le ceignait par les douze étoiles, avant de supprimer les quatre lettres. Il a ensuite opté pour une représentation stylisée de l'hémicycle, rappel de sa légitimité populaire qui s'inscrit dans la culture politique des démocraties représentatives européennes assimilant étroitement souveraineté et Assemblée. Cette légitimité primordiale fait du Parlement un producteur symbolique important et une instance particulièrement attentive à solliciter l'allégeance des citoyens autour de signes de reconnaissance. De manière significative, c'est lui qui a adopté dès 1983 le drapeau aux douze étoiles, entraînant ensuite par l'exemple les autres institutions communautaires à le retenir. La première proposition allant en ce sens remonte à 1979, sous l'influence de l'organisation des premières élections européennes au suffrage universel direct. Son dernier engagement en date en faveur de l'emblème consiste en juillet 2007 à vouloir modifier son règlement intérieur pour y mentionner le drapeau et l'hymne européens afin de donner à ces derniers la base juridique qui leur a été déniée par leur effacement du «traité simplifié». Le Parlement conserve aussi un rôle informel de protecteur du symbole car ce sont souvent les députés européens qui saisissent la Commission sur un usage suspect dans leur espace national d'origine.

Les autres institutions se sont inscrites alternativement dans la continuité symbolique de leurs équivalents nationaux ou ont innové. La Cour de justice et le Tribunal de première instance ont ainsi repris les symboles judiciaires traditionnels (glaive, justice et livre de la loi), alors que la Banque centrale européenne a choisi d'articuler son image autour du sigle de l'euro. S'emblématiser est un impératif, comme l'illustre le fait que la multitude de nouvelles agences communautaires ayant vu le jour ces dernières années se dotent très rapidement d'un symbole[48]. Les étoiles européennes apparaissent dans la majorité des cas comme élément identificateur, mais pas toujours (Agence européenne pour la sécurité et la santé au travail) et pas toujours au nombre de douze (Agence européenne des médicaments).

Somme toute, les États apparaissent en la matière spectateurs de l'émergence d'une symbolique communautaire autonome, spectateurs tantôt bienveillants tantôt critiques. Le Conseil européen a souligné lors du sommet de Fontainebleau en juin 1984 la nécessité de promouvoir l'image et l'identité de l'Europe auprès des citoyens et dans le monde. Il a ensuite approuvé lors du sommet de Milan en juin 1985 la proposition du comité Adonnino concernant l'adoption du drapeau[49]. Sa solennisation par son intégration dans le traité constitutionnel lors de la Convention sur le futur de l'Europe a donné lieu à des passes d'armes montrant bien que le sujet n'est toujours pas pacifié. Finalement, sous la pression notamment du Royaume-Uni, de la République tchèque et des Pays-Bas, les symboles européens ont été effacés du texte final et gardent une existence sans base juridique.

Les États sont habilités à utiliser comme ils le veulent le drapeau européen. Ils sont en pratique les véritables garants de sa dignité puisqu'il appartient à chaque État de combattre sur son territoire les détournements et usages abusifs du symbole. Il existe donc autant de définitions

---

48. *Pour un aperçu de la variété des inspirations, voir http://publications.europa.eu/.*
49. *Commission européenne et Conseil de l'Europe, «Guide graphique», Bruxelles et Strasbourg, 1996, p. 1.*

de ce qui est permis ou non avec les douze étoiles que de législations nationales différentes. Les acteurs sociaux non institutionnels contribuent également aux modalités de représentation symbolique de l'Europe. Au premier rang arrivent les entreprises, du fait qu'une large partie des usages faits du drapeau européen s'inscrit dans le monde économique, que cela soit le pavoisement devant les bâtiments des firmes ou l'apposition du signe sur des produits commerciaux. Dans ce cadre, comme on le verra plus loin, c'est l'autorégulation des acteurs qui prévaut avec l'idée que les litiges sont prévenus par une consultation préalable des institutions européennes en cas d'hésitation sur les conditions d'exploitation des douze étoiles et que tout manquement est signalé par la concurrence. Les citoyens font enfin figure davantage de cibles que d'acteurs. Ils ne figurent en effet que très rarement parmi les interlocuteurs de la Commission ou du Conseil de l'Europe concernant le drapeau. Ils représentent néanmoins le principal enjeu pour un signe créé en vue de contribuer à la légitimation de l'Europe démocratique. Si un symbole suscite en effet une mobilisation cognitive et affective autour de lui, il est investi d'une multitude de sens. Il ne peut en aucun cas être conçu comme un outil docile de manipulation des masses aux mains du pouvoir. Tout va se jouer dans la réception qui en est faite.

Sens et usages sociaux du drapeau européen

Le secrétaire d'État américain à l'Intérieur Franklin K. Lane l'exprima de fort belle façon lors du *Flag Day* de 1914, en prêtant ces mots au drapeau des États-Unis : « Je suis ce que vous me faites, rien de plus. Je suis votre croyance en vous-mêmes, votre rêve de ce que peut devenir un Peuple... Je suis l'emprise d'une idée et l'objet raisonné de la volonté. Je ne suis pas plus que ce que vous me croyez être et je suis tout ce que vous me croyez être. Je suis ce que vous me faites, rien de plus [50]. » Et chacun, ressortissant d'une socialisation particulière, fait quelque chose de différent du drapeau [51].

50. *Extrait du discours « Makers of the Flag », cité par Scott M. Guenter,* The American Flag, op. cit., *p. 15 (nous traduisons).*
51. *Le rapport au symbole national est bien sûr culturellement et socialement déterminé, comme le souligne Scott Guenter traitant du cas américain. « À un âge très précoce nous apprenons à assimiler le drapeau à "La République qu'il incarne". La répétition de l'image dans une variété de contextes médiatiques renforce constamment nos réponses socialisées au drapeau. Comme citoyens ordinaires, nous en venons non seulement à reconnaître cette représentation de la configuration politique connue comme les États-Unis d'Amérique, mais à*

L'emblème européen apparaît comme un signe aujourd'hui reconnu et aimé, mais qui reste cependant sensiblement moins légitime et consensuel[52] que ses homologues nationaux. Un éclairage précieux est donné à cet égard par les enquêtes *Eurobaromètres*[53]. Le drapeau aux douze étoiles n'a cessé d'accroître sa visibilité et sa notoriété (qui implique qu'il soit identifié correctement comme la représentation de l'Europe). En 2007, 95 % des citoyens communautaires déclarent l'avoir vu auparavant, contre 94 % en 2004, 89 % en 2002, 80 % en 1992. Les proportions oscillaient déjà entre 60 et 80 % en 1986 dans certains pays (France et Benelux) ce qui s'explique par le fait que le signe représentait déjà depuis trente ans le Conseil de l'Europe. Mais ailleurs, il n'était connu que par un peu plus de la moitié des sondés, et moins d'un tiers en Grande-Bretagne. Le taux de reconnaissance du drapeau diminue avec l'âge et augmente avec l'éducation mais se maintient pour toutes les catégories sociodémographiques à un niveau très élevé, ce qui confirme sa dimension de vecteur de masse. On notera en passant que, selon l'enquête de 1992, la visibilité du drapeau européen est due principalement à la télévision, endroit où les trois quarts des personnes interrogées déclarent l'avoir vu, devant les affiches et les journaux. Le symbole est donc largement tributaire des médias, sa présence (alors timide) dans la vie publique étant un facteur de notoriété relativement faible.

Les résultats décroissent lorsque l'on soumet ensuite aux personnes interrogées une liste de propositions sur le drapeau européen (chiffres

nous identifier nous-mêmes comme citoyens de la nation que le drapeau représente. En répondant émotionnellement avec des niveaux variables de loyauté, patriotisme et nationalisme, nous faisons un engagement moral avec elle, conformément aux schémas de valeurs bien établis dans notre société. » Ibid., p. 15 (nous traduisons).

52. Dans ses travaux sur la socialisation politique, Annick Percheron montre par exemple que le mot drapeau recueille chez les enfants un taux d'approbation beaucoup plus élevé que les termes se rapportant à la lutte politique. « À l'inverse du domaine partisan qui est reconnu comme celui des différences et implique que tous ne partagent pas les mêmes opinions, le niveau de la communauté est un niveau extrêmement chargé affectivement et perçu comme positivement valorisé par l'ensemble de la population. C'est donc au niveau du vocabulaire communautaire que le phénomène de désirabilité sociale des réponses peut être le plus sensible. Il est très difficile d'affirmer que l'on n'aime pas des mots comme drapeau, patrie ou République. » Annick Percheron, La Socialisation politique, Paris, Armand Colin, 1993, p. 43.

53. Les sources principalement utilisées ici sont les Eurobaromètres *standards 62 et 67* publiés respectivement en mai 2005 et décembre 2007. La comparaison est effectuée ponctuellement avec d'autres vagues d'enquête, les données étant notamment tirées des rapports Eurobaromètres *standards 58, 37 et 26* publiés respectivement en 2003, 1992 et 1986. Les rapports sont accessibles en ligne : http://europa.eu/.

de 2007, en progression nette sur chaque item par rapport aux enquêtes précédentes). L'emblème est jugé être un bon symbole pour l'Europe à 85%, et ceci dans tous les pays même si les inégalités sont sensibles. Il est estimé représenter quelque chose de bien à 78%. Lorsqu'il s'agit de déterminer s'il devrait se trouver sur tous les bâtiments publics à côté du drapeau national, 61% des citoyens opinent. Cependant, si l'on prend cet indicateur dans la longue durée sur plusieurs enquêtes, on constate de fortes résistances, notamment dans les pays scandinaves qui s'opposent massivement à l'inscription des douze étoiles dans leur quotidien. Enfin, les citoyens européens sont 54% à déclarer s'identifier avec ce drapeau, c'est-à-dire à le considérer comme le leur. Sur ce dernier indicateur, on trouve les plus fervents adeptes en Italie, en Irlande, au Luxembourg et au Portugal, alors que les Suédois et les Néerlandais se montrent beaucoup plus réservés. On peut remarquer que la connaissance du drapeau ne signifie pas allégeance, puisqu'elle est très forte en Europe du Nord où le signe ne suscite néanmoins pas l'adhésion ni même l'acceptation dans l'espace public. Il ne suffit donc pas de connaître pour aimer.

Michael Bruter a tenté de mieux comprendre l'impact du drapeau européen sur les identités politiques des citoyens à partir d'une analyse mariant enquêtes comparatives d'opinion et analyse de focus groupes sur ce que signifie être Européen pour les individus, en réaction à l'exposition à des symboles ou à des coupures de presse [54]. Pour mieux cerner les effets du symbole, il propose de distinguer une «identité européenne civique», la mesure selon laquelle les personnes se reconnaissent citoyens d'un système politique européen dont les normes ont une influence sur leur vie quotidienne, d'une «identité européenne culturelle», le sentiment que les Européens sont plus proches de soi que les non-Européens, en fonction notamment de la perception d'un héritage commun [55]. Ses travaux confirment l'existence d'une identité européenne à caractère civique majoritaire, la dimension culturelle étant présente à un niveau un peu inférieur. L'effet des symboles est notable. Bruter observe d'abord

---

54. *Cette méthode novatrice constitue une tentative courageuse de prendre en charge la très difficile question de la mesure de réception d'un symbole. Elle présente néanmoins l'inconvénient d'organiser la confrontation du sujet au symbole «sous vide», alors que l'on sait l'importance décisive dans l'interprétation qui est faite de ce dernier du contexte social et matériel et de la façon dont il est donné à voir.*

55. Michael Bruter, «*Winning Hearts and Minds for Europe. The Impact of News and Symbols on Civic and Cultural European Identity*», Comparative Political Studies, *20 (10), 2003, p. 8-9.*

une nette corrélation entre leur introduction par les institutions et l'évo-lution du sentiment européen dans la longue durée[56]. Le drapeau européen contribue cependant à renforcer davantage l'identité culturelle euro-péenne que l'identité civique, alors que c'est l'inverse qui était attendu[57]. Cela atteste que, si cet artefact institutionnel joue un rôle non négli-geable dans la formation des représentations et des allégeances, il le fait d'une manière qui reste difficilement contrôlable par le système politique et les élites qui le promeuvent. Par ailleurs, son impact est très inégal selon les nationalités des individus qui y sont exposés, et porte alterna-tivement plutôt sur le versant culturel ou civique de leur identité. Il est donc loin d'être un vecteur neutre d'influence des masses, et son sens se négocie dans les usages et les réinterprétations dont il fait l'objet.

Les systèmes de valeurs qui dictent l'interprétation des symboles sont innombrables et disparates. Le discours de l'État, qui revendique la légi-timité de «dire le drapeau», ne cesse de rencontrer concurrence et résistance. Et à cette pluralité d'influences s'ajoute le rôle décisif du contexte. Ce processus de négociation du sens peut être défini comme l'oscillation propre à tout symbole entre le code social préexistant (règles institutionnelles, référents idéologiques, etc.) et la singularité d'expres-sion de la situation[58]. La seule façon de comprendre comment cette négociation du sens s'opère est de la saisir sur le vif par l'étude de l'usage du symbole en situation. La configuration où le drapeau quitte sa forme propre pour être décliné sous forme graphique est particulièrement intéressante. Les «drapeaux de papier[59]» sont alors retravaillés par les caricaturistes et les artistes et ses détournements permettent de mesurer le jeu entre le sens officiel du symbole et son utilisation comme ressource expressive. Bien souvent, l'emblème perd sa forme matérielle d'objet, seules ses couleurs ou ses signes les plus distinctifs étant conservés. Les illustrations des brochures grand public de la Commission fournis-sent à cet égard un échantillon parlant. Les douze étoiles constituent le signifiant le plus couramment mobilisé pour figurer l'Europe. Elles sont notamment utilisées lorsque l'Union européenne est évoquée comme référent politique global, comme système institutionnel ou dans le cadre de ses relations avec le reste du monde. Leur emploi devient plus malaisé

56. *Michael Bruter*, Citizens of Europe? The Emergence of a Mass European Identity, *Basingstoke, Palgrave Macmillan, 2005, p. 171.*

57. *Ibid., p. 172.*

58. *Philippe Braud*, Le Jardin des délices démocratiques, *Paris, Presses de Sciences Po, 1991, p. 23.*

59. *Pierre Fresnault-Deruelle*, «*Défigurations: drapeaux de papier*», Revue française d'études américaines, *58, novembre 1993, p. 401-409.*

dès lors que le propos se particularise et que l'image de l'Europe mise en scène se morcelle. Les douze étoiles ne se contentent pas d'évoquer l'entité européenne, elles la qualifient aussi selon le contexte dans lequel elles s'inscrivent et les signes avec lesquels elles sont associées. Elles restent nimbées d'un certain mystère comme en témoigne le fait qu'elles sont fréquemment associées à des points d'interrogation[60], voire à des opérations magiques qui suscitent l'image d'une Europe encore méconnue et aux effets incertains[61]. Plus largement, les thèmes récurrents de la légitimation de l'intégration européenne sont évoqués de façon abondante dans l'imagerie offerte au lecteur. Les étoiles communautaires remplacent les bornes frontières pour manifester l'effacement des lignes de partage internes de l'Union. Elles s'apposent sur une multitude d'objets et d'endroits évoquant le mouvement et la mobilité, et pas du tout sur des représentations de monumentalité et de majesté, donnant à voir que l'Europe est avant tout une force qui va, et non un état. Les étoiles sont relativement peu articulées aux symboles classiques de la démocratie (urne, vote...), traduisant en cela la relation distanciée de l'UE au suffrage universel. À l'opposé, les évocations de la paix telles que la colombe ou le rameau d'olivier sont légion, en écho au message des pères fondateurs. Au final, les « drapeaux de papier », adaptables et polysémiques, donnent à voir avec une grande fidélité l'Europe et ses principes de justification.

Au-delà de ses usages institutionnels dans l'espace social, les appropriations par la société civile du drapeau européen restent faibles, ou plus exactement circonscrites à certains domaines. Les entreprises y recourent souvent, que cela soit pour le faire flotter devant leur siège ou pour l'apposer sur leur produit. Il est apparu, notamment dans la période euphorique de la fin des années 1980 et du début des années 1990 avec la réalisation du marché unique, comme un signe d'internationalisation et de modernité qu'il était valorisant d'arborer. Mais le pavoisement civique par de simples citoyens ressort de l'exceptionnel. Cela est certes vrai aussi de beaucoup de drapeaux nationaux. Mais il est un domaine où les couleurs nationales fleurissent volontiers aux mains des particuliers et où celles de l'Europe restent totalement absentes, c'est celui du sport. Le sport peut être défini comme un mode de mise en action

---

60. *Commission européenne, « L'Union européenne : quel intérêt pour moi ? », Luxembourg, Opoce, 1996, page de couverture.*
61. *Parmi d'autres exemples, une magicienne à la robe floquée des douze étoiles agite sa baguette au-dessus d'un chapeau en illustration des dépenses européennes pour la recherche. Voir Commission européenne, « L'Europe et son budget : à quoi sert votre argent ? », Luxembourg, Opoce, 1996, p. 5.*

pacifique de l'identité nationale [62] que le pouvoir politique convie volontiers comme vecteur de légitimation et de cohésion. La spectaculaire résurgence des drapeaux à l'occasion des coupes du monde de football en France en 1998 et en Allemagne en 2006 a souligné l'actualité de ce mode d'expression. Un tel support n'a pas laissé les responsables européens indifférents. Une déclaration figurant en annexe à l'acte final du Conseil européen d'Amsterdam consacre le sport comme «ferment de l'identité et trait d'union entre les peuples». Le traité de Lisbonne entérine la création d'une véritable politique sportive européenne, en définissant comme objectifs dans ce secteur d'action publique la promotion de l'équité, de l'ouverture et de la coopération. L'intention de mobiliser le sport au profit de la cause communautaire est réaffirmée de manière récurrente dans tous les rapports consacrés à la communication. En pratique cependant, les initiatives visant à concrétiser ce projet ont connu un succès discutable. Le parrainage d'événements sportifs *ad hoc*, initié au milieu des années 1980, a montré ses limites. À titre d'exemples, le tour des Communautés européennes n'a duré tel quel que de 1986 à 1990 et la course de l'Europe à la voile s'est achevée sous cette forme en 1999. Le sport fournit cependant toujours l'opportunité de «coups» de communication ponctuels à l'effet incertain. En 2004, pour saluer l'élargissement, les footballeurs italiens de première et deuxième division sont entrés sur le terrain lors d'un match avec un maillot bleu aux étoiles jaunes portant le message *Benvenuti in Europa*, adressé aux soixante-quinze millions de nouveaux Européens, avant d'endosser leurs maillots habituels pour jouer. Cette célébration découlait d'une initiative conjointe du bureau du Parlement européen en Italie, de la ligue de football italienne et de la chaîne de télévision publique RAI [63]. De façon plus ambitieuse, le président de la Commission Romano Prodi souhaitait voir les athlètes européens défiler à la fois derrière le drapeau européen et leur drapeau national aux Jeux olympiques de Pékin en 2008. L'argument avancé était que, sur la base d'un référencement typiquement communautaire, cela permettrait à l'UE de totaliser le nombre de médailles de ses États membres et de devancer ainsi largement les États-Unis [64]. Il avait déjà par le passé été formulé des hypothèses encore plus audacieuses visant à faire défiler les athlètes en une délégation unique, propositions se heurtant à de nombreuses susceptibilités nationales et à

---

62. *Ulf Hedetoft,* Signs of Nations, op. cit., *p. 135-140.*
63. *AFP, dépêche, 30 avril 2004.*
64. *Commission européenne, «Jeux Olympiques 2004 – Félicitations du Président Prodi», IP/04/1052, 30 août 2004, http://europa.eu/.*

des problèmes protocolaires ou administratifs. Les tentatives faites aux Jeux olympiques d'Albertville et de Barcelone d'assurer une présence massive des couleurs européennes par le biais d'opérations de relations publiques et de subventions avaient agacé les États membres, ce qui explique qu'elles n'aient pas été renouvelées à l'identique, y compris lors des jeux d'Athènes, en un lieu pourtant propice à la célébration de la culture européenne[65]. Il n'est de toute façon pas certain que cela suffirait pour amener les spectateurs à brandir la bannière en douze étoiles en tribune conformément à l'objectif recherché. Les enquêtes d'opinion montrent qu'une équipe olympique européenne figure en queue de liste des éléments qui pourraient renforcer le sentiment d'être européen, loin derrière une harmonisation des systèmes sociaux ou une constitution européenne[66]. En la matière, la tyrannie du national continue à exercer pleinement ses effets[67].

L'objectif de tout pouvoir est de réduire au maximum l'oscillation de ses symboles pour prévenir la production d'un sens qui lui échappe et qui peut à tout moment se retourner contre lui. C'est pourquoi il va s'attacher à en codifier la signification et l'usage, notamment en édictant des dispositions juridiques. Le droit est un moyen de saisir le doute qui nimbe le drapeau et de le réduire. Mais assez vite, le droit est lui-même saisi par le doute face à la difficulté d'encadrer la profusion du symbolique.

Le drapeau, un signe juridique qui déborde le droit

La polysémie du drapeau, gage de son efficacité, n'en pose pas moins un problème insoluble à l'autorité qui l'utilise. La marge d'interprétation qu'elle ménage permet de réaliser le consensus dans la diversité, mais laisse la porte ouverte à des dissidences qui peuvent devenir incontrôlables, au risque de pervertir l'usage du symbole. C'est dans cette tension entre une liberté nécessaire et une autonomie inacceptable que se définit le sens du drapeau. Partant de là, l'emblème peut-il être un signe juridique selon la définition qu'en donne Jean-Pierre Gridel : «Le véritable

65. *Rene Smits*, «*An Opportunity to Wave the EU Flag, Too*», Financial Times, *17 août 2004.*
66. *Commission européenne*, Eurobaromètre spécial, *251*, «*Le futur de l'Europe*», *terrain février-mars 2006, publication mai 2006, p. 45.*
67. *Andy Smith*, La Passion du sport. Le football, le rugby et les appartenances en Europe, *Rennes, Presses universitaires de Rennes, 2002.*

signe juridique se caractérise par l'intention de communication juridique[68] »? Support d'un message de nature juridique, le drapeau l'est incontestablement, et notamment hors des frontières de l'État qu'il représente. À cet égard, l'exemple du droit de la mer et de la loi du pavillon est particulièrement révélateur. Au large, le symbole est davantage encore qu'un signe juridique. Il est *le* signe du droit[69]. Tout navire incapable de montrer son pavillon, apatride, est considéré comme pirate. L'embarcation circule sans cesse entre des eaux territoriales relevant de souverainetés différentes et la haute mer échappe à toute souveraineté. La loi de lieu de situation des meubles, qui fournit d'ordinaire la solution des problèmes de localisation juridique en matière de bien mobiliers, est donc inappropriée. On lui substitue celle dite «loi du pavillon», qui consiste à appliquer à bord le droit de l'État de rattachement du navire. Cette pratique a l'avantage de représenter un élément de stabilité, les actes passés à bord du navire gardant la même forme quelle que soit sa position géographique. Elle imprime en outre une unité au statut des personnes embarquées, indépendamment de leur nationalité. Si l'abus des pavillons de complaisance, les risques d'insécurité et de pollution incitent de plus en plus les États à imposer leurs propres lois dans leur sphère de compétence, la loi du pavillon demeure toutefois la norme dominante.

Dans cette configuration, le drapeau véhicule bien une information de nature totalement juridique. Mais cette netteté se brouille dès lors que l'on s'intéresse à l'usage de l'objet dans le protocole des honneurs navals. Le pavoisement en l'honneur d'un pays étranger revêt une dimension essentiellement politique, tant dans son régime que dans son contenu. Les bâtiments de commerce, de pêche et de plaisance se trouvant dans un port étranger sont certes tenus réglementairement d'arborer le pavillon national local les dimanches, jours fériés et fêtes légales, mais pour toute autre occasion et pour les modalités de mise en œuvre, c'est avant tout une affaire d'opportunité laissée à l'appréciation des autorités

---

68. Jean-Pierre Gridel, Le Signe et le Droit, op. cit., *p. 36. D'un point de vue profane, on serait tenté de dire qu'un signe peut être juridique par son origine (lorsqu'il est institué par le droit), par son contenu (lorsque son message est défini par le droit), par son régime (lorsque le droit régit son utilisation). Cependant, le critère du régime aboutirait à transformer en signe juridique tous les objets auxquels s'intéresse le droit, ce qui serait un non-sens. De même, l'entité famille est établie par le droit ; mais ressort-elle d'abord et principalement de la norme ? C'est pourquoi l'on ne retient que la définition par le contenu.*
69. Martine Remond-Gouilloud, *Droit maritime, op. cit., p. 68.*

diplomatiques et militaires présentes[70]. La signification de ce qui est alors décidé est d'ordre politique et non juridique. Il en va de même si l'on regagne la terre ferme pour s'intéresser au drapeau flottant sur les locaux diplomatiques et consulaires d'un État à l'étranger. Le symbole exprime le statut juridique du bien immobilier sur lequel il est planté, signalant son caractère inviolable, son exemption de juridiction et d'impôts. Mais il devient aussi le support de messages purement politiques lorsqu'il est mis en berne pour un deuil national ou lorsqu'il prend la forme du pavillon du chef d'État en visite dans l'enceinte diplomatique[71].

Le drapeau est donc bien davantage qu'un signe juridique ou un objet de droit. Il est dans certaines de ses fonctions un agent de «réalisibilité du droit» (Gridel), exprimant ouvertement la situation juridique relative à une personne ou à une chose déterminée, et travaillant à l'assimilation de la règle par le corps social[72], comme lorsqu'il identifie des individus investis d'une mission par l'État. Mais il est aussi bien souvent un instrument de contestation du droit. Il est le premier signe que l'on lève en se dressant contre l'ordre établi, l'appel à la sédition par excellence, et il n'est d'ailleurs pas anodin que nombre de drapeaux modernes aient une origine révolutionnaire[73]. Il précède le plus souvent l'évolution juridique, comme l'atteste le pavoisement de Bordeaux puis d'autres villes avec des drapeaux et des cocardes de couleur blanche le 12 mars 1814, avant même que ne paraisse l'arrêté du gouvernement provisoire érigeant le blanc en couleur officielle. Est-il alors objet de non-droit, selon la définition que Jean Carbonnier donne de cet état : une violation volontaire de la loi[74] ? Aux juristes de trancher sur la forme. Dans la pratique, le drapeau crée un état de fait que le droit ne peut venir qu'entériner. Le symbolique est ainsi le plus souvent «primordial», dans la mesure où il précède sa codification. Les drapeaux européens de la révolution de 1989, troués à la place des emblèmes communistes, flottent encore dans les mémoires européennes comme l'annonce d'une ère nouvelle. Parfois encore, le drapeau prend à revers le droit dans un spectaculaire renversement identitaire, à l'instar du drapeau rouge, d'abord

---

70. Jean Serres, *Manuel pratique du protocole*, *Bièvre, Éditions de la Bièvre*, 1992, p. 152 et suiv.
71. Ibid., p. 172 et suiv.
72. Ibid., p. 252.
73. Pascal Ory, «Y a-t-il des familles de drapeaux ? Introduction à la vexillologie comparée», dans Maurice Agulhon et al., La République en représentations : autour de l'œuvre de Maurice Agulhon, *Paris, Publications de la Sorbonne*, 2006, p. 396.
74. Jean Carbonnier, Flexible droit, *Paris, LGDJ, 1995, p. 22 et suiv. [8ᵉ éd.]*.

signe brandi par l'officier municipal pour annoncer l'imminence de l'emploi de la force publique contre les contrevenants, avant d'être récupéré par ces derniers pour devenir le symbole des mouvements de contestation de l'ordre établi[75].

Ainsi, le drapeau bouscule et déborde le droit. Et à terme, la question de son statut devient secondaire. «La remontée interrogative du destinataire de la loi vers l'intention législatrice[76]» ramène ce dernier à la source de la norme, l'État. Objet de droit quand l'usage l'emporte, c'est alors la Nation qui s'incarne en lui. Y a-t-il une véritable différence entre les deux cas de figure? Henri Lévy-Bruhl, dans un article classique[77], distinguait un formalisme antique, marqué du sceau de l'affectivité, d'un formalisme moderne, à visée purement utilitaire. Le premier, d'essence religieuse, parlant plus au cœur qu'à l'esprit, serait l'apanage des sociétés primitives. Le second, dit «de sécurité», pragmatique et rationnel, caractériserait les civilisations modernes en quête d'instruments fonctionnels. Force est de constater que le drapeau fait voler en éclat la frontière établie entre les deux formalismes, comme le reconnaît Lévy-Bruhl lui-même. «Certains symboles, certains emblèmes restent entourés d'un sentiment très proche du sentiment religieux, ou tout au moins sont susceptibles de susciter un dévouement allant jusqu'au sacrifice de la vie. Qu'on pense, par exemple, au drapeau[78].»

Le drapeau européen apparaît néanmoins sur ce point comme un signe largement fonctionnel. Son utilisation par des tiers est soumise à trois règles principales. Le premier impératif est de le reproduire correctement dans sa géométrie et ses couleurs, l'aspect du signe étant codifié de manière très précise. Par ailleurs:

«L'utilisation de l'emblème européen peut être autorisée dans la mesure où elle n'est pas:
– de nature à créer une confusion entre l'utilisateur et l'Union européenne ou le Conseil de l'Europe;
– liée à des objectifs ou activités incompatibles avec les principes et les buts de l'Union européenne et du Conseil de l'Europe[79].»

---

75. *Maurice Dommanget,* Histoire du drapeau rouge, *Paris, Librairie de l'Étoile, 1967, p. 21.*

76. *Jean Carbonnier dans Jean-Pierre Gridel,* Le Signe et le Droit, op. cit., *préface, p. III.*

77. *Henri Lévy-Bruhl, «Réflexions sur le formalisme social», Cahiers internationaux de sociologie, XV, 1953.*

78. *Ibid., p. 58 note 2.*

79. *Commission européenne et Conseil de l'Europe, «Guide graphique», Bruxelles et Strasbourg, 1996. Sur les onze pages que comptent la brochure, neuf sont consacrées à la définition graphique de l'emblème, une à l'historique et une seule*

On peut résumer en évoquant des critères de forme légitime (reproduction graphique correcte), de non-usurpation de la place des locuteurs légitimes (ne pas créer d'assimilation avec les autorités habilitées à parler au nom de l'Europe) et d'emploi en situation légitime (ne pas utiliser le symbole en contradiction avec ce qu'il représente[80]). La préservation de la forme légitime contraste avec l'imprécision qui prévaut souvent dans la codification matérielle des drapeaux nationaux. Il s'agit d'éviter les erreurs les plus courantes (mauvaise orientation ou disposition des étoiles, nombre incorrect...). La rigueur du contrôle formel est encore accentuée par l'interdiction absolue de porter atteinte à son intégrité en apposant une quelconque inscription au centre du cercle d'étoiles, afin d'éviter toute confusion avec les institutions officielles. Le critère de non-confusion avec les locuteurs légitimes vise à éviter les cas où l'utilisateur de l'emblème pourrait être assimilé à l'Union européenne ou au Conseil de l'Europe et ainsi bénéficier d'une caution indue auprès de ses clients dans une transaction commerciale. Plus qu'un souci politique, il s'agit ici d'un objectif de protection du consommateur. L'appréciation se fait au cas par cas, selon que le risque de confusion est jugé réel ou non. La vigilance porte notamment sur la distinction claire entre les douze étoiles et les normes de production « CE » qui répondent à des directives techniques précises. La Commission se prononce de façon plus stricte sur des produits où il est plus vraisemblable qu'elle soit impliquée (comme l'organisation de conférences) que sur des biens manufacturés où le citoyen lambda a moins de chances de croire que l'UE recommande le produit[81]. Même dans le cas de l'usage abondant de l'emblème par une organisation privée nommée « EU-Student Vote » organisant une élection en ligne d'un Conseil étudiant européen et laissant croire indûment qu'elle bénéficiait du soutien communautaire, la Commission n'a pas jugé utile d'intervenir[82]. La ligne directrice conjointe de l'UE et du Conseil en la matière se veut néanmoins assez libérale[83]. Aucune procédure en justice n'a à

---

aux règles d'usage. Il est à noter que ces règles ne découlent d'aucun texte juridique mais d'un échange de lettres entre la Commission et le Conseil de l'Europe (voir aussi la même version en ligne en octobre 2006 : http://www.coe.int/).

80. Pierre Bourdieu, « Le langage autorisé. Note sur les conditions sociales de l'efficacité du discours rituel », Actes de la recherche en sciences sociales, 5-6, 1975.

81. Entretien avec Hartmut Offele, chef de l'unité Affaires institutionnelles, Commission européenne, 15 décembre 1998.

82. Question écrite E-2311/02 posée par Maurizio Turco (NI) à la Commission, JO n° C092 E du 17 avril 2003, p. 154.

83. Le Conseil de l'Europe avait décidé à l'origine de ne pas accorder d'autorisation d'utilisation du drapeau européen pour des actions à but lucratif. La Commission européenne a jugé nécessaire de se montrer plus souple sur ce point, en autorisant l'utilisation de l'emblème à des fins commerciales à la condition

ce jour été enclenchée. La perspective de le faire apparaît presque incongrue aux différents fonctionnaires en charge du dossier. Le plus souvent, lorsqu'elles sont consultées et qu'un problème survient, une solution est trouvée par le dialogue[84]. La mise en avant dans la «doctrine» du contrôle de l'emblème de la protection du consommateur et du respect des objectifs européens en matière de juste concurrence illustre bien la posture technocratique que l'institution prend sur ce dossier. Il s'agit de dépolitiser au maximum son rôle de gardienne du drapeau en rationalisant les critères qui fondent son action. On retrouve la même logique, déjà mise en exergue concernant l'incarnation ou la rhétorique.

Le dernier critère d'emploi en situation légitime de l'emblème ne fait que confirmer encore cette stratégie de retrait de la Commission. Le but est de s'assurer que la dignité du signe est préservée en le protégeant de tout usage contraire avec les principes et objectifs de l'UE et du Conseil de l'Europe. Ce paramètre, pas toujours facile à identifier, est très rarement utilisé pour justifier un refus ou une demande d'aménagement d'un projet[85]. Il amènerait en effet l'institution à prendre une position de censeur symbolique et la poserait en régulateur autoritaire du sens, rôle qu'elle rejette par-dessus tout. Elle évite d'endosser cette fonction principalement par deux moyens : en ne se reconnaissant pas le droit de mettre en cause les utilisateurs institutionnels de l'emblème, et en déléguant aux instances nationales la responsabilité de veiller au respect de la dignité du symbole sur leur territoire.

Tout d'abord, les États membres, les institutions communautaires et toutes les forces politiques représentées au Parlement européen jouissent d'une liberté totale dans l'utilisation du drapeau européen, du fait de leurs positions qui en font des locuteurs légitimes. Ainsi par exemple le Parti socialiste européen peut arborer comme symbole une rose entourée

---

que cela ne porte pas atteinte à l'idée et aux institutions européennes, à l'ordre public et aux bonnes mœurs. On peut attribuer cette différence à un souci plus grand de la Commission d'utiliser ce signe comme un outil de légitimation auprès du grand public. Jean-Louis Burban, Les Institutions européennes, Paris, Vuibert, 1997, p. 95.

84. *Le cas d'une marque automobile japonaise est à cet égard illustratif. Les publicitaires voulaient représenter une voiture avec le nom et la marque du modèle imprimés dans le cercle d'étoiles. La Commission a exprimé son désaccord, en soulignant que la nationalité de la firme n'intervenait aucunement. Finalement, la publicité a apposé les douze étoiles à côté du véhicule mais sans rien à l'intérieur, avec la mention «Une majorité des Européens a voté pour elle», ce qui supprimait tout risque de confusion avec les institutions. Entretien avec Hartmut Offele, entretien cité.*

85. *Entretien avec Karen Banks, Service juridique du secrétariat général de la Commission, 25 janvier 1999.*

des douze étoiles, s'appropriant ainsi le cœur du cercle interdit à un usager lambda. L'Alliance des démocrates et des libéraux pour l'Europe et les Verts font de même. Les fonctionnaires de la Commission s'interdisent absolument tout droit de regard sur les usages du symbole par ces acteurs politiques, là où le Code électoral français prévoit par contre des restrictions dans l'usage des couleurs nationales pour prévenir toute assimilation à une candidature officielle[86].

Ensuite, la préservation de la dignité du symbole est dans la pratique entièrement laissée aux soins des États. À l'origine, le Conseil de l'Europe avait invité ses membres à accorder au drapeau européen la même protection qu'à leur drapeau national. L'Union a repris les mêmes dispositions en confiant à la Commission un rôle de veille. Mais l'absence d'acte juridique communautaire explicite concernant le drapeau prive cette dernière des ressources nécessaires. Dès lors, toute action judiciaire concernant une atteinte au symbole s'inscrit nécessairement dans le cadre du droit national. Quand cela survient, la Commission n'en est souvent informée qu'indirectement, par le biais d'une question d'un parlementaire européen du pays impliqué sollicitant l'avis du service communautaire compétent. Les fonctionnaires en charge du dossier ont grande difficulté à se remémorer avec précision des cas précis, preuve de leur rareté. Un exemple donné par l'un d'eux concerne une agence de publicité distribuant abusivement un titre européen aux établissements d'hôtellerie et de restauration avec une plaque signalétique comportant les douze étoiles, ce qui motiva l'intervention de la justice[87]. Un autre cas en 1994 renvoie à une affiche de British Rail visant à la fois à promouvoir la carte Interrail permettant de voyager en Europe et à soutenir la campagne européenne contre le sida. Les douze étoiles y étaient remplacées par des préservatifs. L'Advertising Standards Authorthy britannique condamna le graphisme à la fois pour outrage au drapeau européen et pour incitation irresponsable à la liberté sexuelle. Interrogé par un député européen sur l'usage du symbole et les critères moraux le sous-tendant, le président de la Commission Jacques Delors déclina dans sa réponse les règles en vigueur en ne prenant aucune position sur le dossier et en s'en remettant entièrement aux autorités nationales,

---

86. *La Commission nationale de contrôle de la campagne présidentielle a ainsi refusé l'affiche du candidat de Démocratie libérale Alain Madelin en 2002, car les couleurs bleu-blanc-rouge y figuraient, ce qui est interdit sauf si elles sont intégrées dans l'emblème ou le sigle du parti.*
87. *Entretien avec Hartmut Offele, entretien cité.*

illustrant ainsi de façon patente la stratégie de déresponsabilisation de son institution sur ce point[88].

L'appréciation quantitative de cette action régulatrice au double niveau européen et national est difficile à évaluer faute de données en la matière. Au moment de notre enquête, l'unité de la Commission gérant cette tâche n'effectuait aucun suivi de ses recommandations. Le service juridique, consulté en cas d'incertitude[89], considère que ses avis ont été couronnés de succès quand il n'est pas sollicité à nouveau, ceci postulant que le litige a été résolu. Cette situation découle d'un choix explicite, celui d'un « laisser-faire symbolique » misant sur la capacité d'auto-régulation des acteurs. La juriste en charge de la question au Conseil de l'Europe abonde dans le même sens : « Il y avait une portée politique au début, quand il s'agissait de marquer l'unité de l'idée européenne dans ses différentes institutions. Mais maintenant, c'est plus une question technique que politique[90]. » Prosaïquement, la motivation est aussi de faciliter au maximum l'usage des douze étoiles pour en favoriser une diffusion extensive en encadrant simplement leur utilisation à des fins économiques, et en empêchant les entreprises de déposer un logo comportant les douze étoiles afin de garder le monopole de la propriété intellectuelle de l'emblème. Leur popularisation avérée depuis le milieu des années 1980 corrobore ce choix. Une volonté des institutions européennes d'exercer un contrôle plus strict sur les usages de leurs symboles aurait de toute façon été vraisemblablement vouée à l'échec, les États membres étant peu disposés à leur en accorder les moyens juridiques. Cette retenue sied parfaitement à l'ethos bureaucratique européen rétif à toute politisation affichée dans l'espace public. Enfin, c'est la culture politique relativiste et apaisée que promeut l'intégration européenne qui se traduit dans cette décontraction vis-à-vis de ses signes.

L'irréductibilité du drapeau européen au droit est aussi liée à son référent à géométrie variable. L'UE demeure elle-même en effet très ambiguë quand il s'agit d'articuler communauté juridique et communauté symbolique. Ainsi lors de la signature du traité constitutionnel à Rome le 29 octobre 2004, vingt-huit drapeaux nationaux flottaient à l'extérieur

---

88. *Question écrite E-2227/94 par Nel Van Dijk à la Commission, 21 octobre 1994, 95/C 55/87.*

89. *À titre indicatif, le service juridique du secrétariat général de la Commission est consulté dans 10 % des dossiers, ce qui représente pour le fonctionnaire impliqué une charge n'excédant pas dans le pire des cas une heure de travail hebdomadaire. Entretien avec Karen Banks, entretien cité.*

90. *Entretien avec Madame Ramtallah, administratrice à la direction Affaires juridiques du Conseil de l'Europe, 11 mai 2000.*

du bâtiment (ceux des vingt-cinq États membres plus la Bulgarie, la Roumanie et la Turquie), les gouvernants de ces trois pays signant aussi les documents[91]. Ce symbole fut souvent repris par les opposants à la constitution pour exprimer le « vol de souveraineté populaire » qui consistait à associer des pays et des peuples alors non membres du corps politique européen à un acte politique aussi fondamental.

Le drapeau comme hiérophanie

Le drapeau national, symbole récent au regard de l'histoire et image d'une certaine modernité politique, garde dans ses plis du sacré. S'il défie la norme, c'est que la volonté commune exprimée par la loi rencontre une représentation de dignité égale qui prétend renvoyer à la nation toute entière. Discourant sur le drapeau, la collectivité parle d'elle-même et d'une manière infiniment plus directe et chaleureuse que le droit ne pourrait faire. Le symbole devient médiation par l'émotionnel des parties au tout, et la médiation poussée à incandescence rapproche le référent jusqu'à le rendre présent. Le mouvement de transcendance achevé, le drapeau est icône d'une religion civile[92].

Quel meilleur exemple de sacralité d'un drapeau que le cas des États-Unis, où le *Stars and stripes* se trouve hissé à un « *pinnacle of holiness*[93] » ? L'emblème établit un lien privilégié entre la nation et Dieu, jouant le rôle pour les institutions de ce que la croix est à la religion chrétienne. La rhétorique américaine de la fin du XIXᵉ siècle entremêlait symboles et vocabulaires religieux et civil. Selon les mots de Bertrand Rougé[94], à la Bible (verbe du Père) et à la Croix (martyre du fils) s'ajoute le drapeau, qui vient se substituer au Saint-Esprit. Il émerge, par recomposition de l'histoire, dès la Déclaration d'indépendance. Il cimente, relie, marque la naissance de la nation. La Constitution est datée et vient trop tard. Le drapeau, lui, résout l'énigme de l'origine par la présence réelle

91. Lisbeth Kirk, « *Subdued Ceremony for Europe's first Constitution* », disponible sur le site Internet *www.euobserver.com*, 29 octobre 2004.

92. Icône doit ici s'entendre au sens religieux d'image sainte, acception à laquelle renvoie directement l'étymologie du mot (du russe ikona et du grec byzantin eikona). Elle n'est pas seulement représentation, mais aussi présence.

93. Scott M. Guenter, The American Flag, *op. cit.*, p. 43.

94. Bertrand Rougé, « *Une Véronique américaine : le drapeau des États-Unis à travers l'œuvre de Jasper Johns* », Revue française d'études américaines, 58, novembre 1993, p. 392.

du groupe, chaque jour et en tout lieu. Au sens plein du terme, il est une icône, marquée du refus de la représentation. Il ne figure pas, il est. Afficher le drapeau, c'est le « ceci est mon corps... » de la Nation, le retour du mystère de la Sainte Trinité dans la fusion du multiple dans l'un.

« L'icône relie verticalement le monde à l'au-delà de la transcendance, de l'origine et des principes, elle relie horizontalement les citoyens et fonde l'union[95]. » Le drapeau, présence et médiation, ne se contente pas de réaliser le groupe : il le sacralise. Lorsqu'il paraît, il y a véritablement hiérophanie. Sa puissance est telle que son intrusion modifie en profondeur le jeu des acteurs. Il est le signe chargé de réconcilier ce qui est demandé aux citoyens physiquement ou bureaucratiquement, et ce qui est requis d'eux sur le plan symbolique. Incarnant la nation et l'État, il opère la fusion totale. Tout conflit doit s'effacer devant lui. Il impose la pacification par la dramatisation. Entre les deux modes de régulation sociale définis par Murray Edelman[96], la prise de rôle mutuelle (acceptation de la sanction chez les régulés, de la fraude chez les régulateurs) et la menace mutuelle (refus de toute sanction et de toute tolérance), il trace une troisième voie. Il fait plus que rationaliser le résultat d'un *modus vivendi* entre deux parties ménageant leurs intérêts réciproques, et déclenche une violence émotionnelle dépassant largement toute contrainte légale. Mettant en scène et en jeu la nation, il instaure une relation d'exigence totale et univoque du tout sur ses parties. Le symbole est alors en mesure de revendiquer, comme la nation, une valeur infinie et absolue.

Cette absolutisation, c'est la vertu de l'Europe de la refuser, et sans doute n'est-elle de toute façon plus possible compte tenu de l'individualisation et du désenchantement de ses sociétés. Son drapeau reste donc un instrument de communication et de droit plus qu'un signe sacré, sollicitant une allégeance rationalisée. Cela s'explique aussi par le fait que les douze étoiles n'avaient jusqu'à il y a peu aucune dimension militaire. On sait le rôle matriciel que l'armée a joué dans la constitution des sentiments nationaux. Surnommé « l'école du drapeau » sous la Troisième République française, l'institution militaire était la sphère d'apprentissage du sacrifice suprême de l'individu à la collectivité. À ce titre, elle constituait un univers rituel dévolu à la célébration des couleurs nationales. En temps de paix, les soldats étaient les officiants de l'exhibition publique solennelle du drapeau.

---

95. Ibid., *p. 392*.
96. *Murray Edelman*, The Symbolic Uses of Politics, *Urbana (Ill.), University of Illinois, 1985, p. 189 [1ʳᵉ éd. 1964].*

L'Europe emprunte de façon timide cette double voie de socialisation et de théâtralisation des douze étoiles par l'armée. L'Eurocorps constitue un exemple particulièrement intéressant depuis sa création en 1992. Pour l'heure, cette unité en reste au stade de la « promesse » d'une défense européenne, dans la mesure où elle demeure structurée par la notion de souveraineté nationale et par la logique intergouvernementale[97]. Son fonctionnement sur le plan symbolique traduit l'inévitable fonctionnalisme propre à tout processus d'européanisation. La discipline et la ritualisation y sont moindres que dans les armées nationales, pour laisser aux individus une marge d'initiative et d'adaptation aux exigences d'un milieu multiculturel[98]. La décodification, entendue comme distanciation par rapport aux normes militaires dominantes habituelles que sont les règlements et la tradition, s'accompagne d'une recodification autour d'autres impératifs de conduite : politesse, respect des différences culturelles, responsabilité personnelle pour trouver le *modus operandi* adéquat dans un univers inédit auquel le soldat n'a pas été préparé dans sa formation initiale. À l'Eurocorps comme dans toute troupe, la symbolique reste une exigence forte suscitant des stratégies d'évitement ou d'adaptation, oscillant entre occultation discrète des particularismes et recherche de dispositifs de cohésion. Les fêtes nationales sont ainsi célébrées en les regroupant : 14 juillet français et 21 juillet belge, commémorations nationales allemande et espagnole en octobre[99]. Une identité institutionnelle propre est recherchée à travers des ressources classiques de l'organisation militaires comme les « marches d'unité », mais il n'y a pas d'officier des traditions chargé de la mémoire du corps. La sociabilité entre individus reste lourdement marquée par la nationalité, et ce sont toujours les emblèmes et rituels nationaux qui tendent à réguler le sens[100], même si les douze étoiles figurent sur l'insigne que portent les membres du quartier général de l'unité depuis sa création[101].

En ce qui concerne la mise en spectacle du drapeau européen à destination des citoyens, l'Eurocorps joue très occasionnellement la fonction protocolaire traditionnelle d'une armée. Avant la session exceptionnelle du Parlement européen du 3 au 5 mai 2004 à Strasbourg pour célébrer

---

97. *Laurence Tardivel, « La promesse européenne du corps européen »,* Défense nationale, *novembre 2004, p. 57-65.*
98. *Claude Weber, « L'Eurocorps : l'expérience d'une quotidienneté multinationale »,* Les Champs de Mars, *14, 2003, p. 20.*
99. *Ibid., p. 22.*
100. *Entretien avec le chef de la division Tradition du service historique de l'armée de terre française, 23 février 1997.*
101. *http://www.eurocorps.net/.*

l'élargissement, les militaires de cette formation ont hissé les drapeaux des dix nouveaux venus sur des mâts offerts par la Pologne et sortis des chantiers navals de Gdansk, hauts lieux de la lutte contre le communisme [102]. Cette image d'une communauté politique en armes est cependant complexe à mettre en œuvre. La participation du Corps européen au défilé du 14 juillet 1994 sur les Champs-Élysées avait été perçue comme un événement d'une grande signification. Mais elle avait donné lieu à la difficulté d'établir des normes protocolaires communes. Un problème s'est par exemple posé concernant la tradition française de baisser les couleurs en passant devant le chef de l'État. Les soldats belges n'étaient accoutumés à le faire que devant leur roi, alors que les Allemands n'inclinaient jamais leur drapeau. Finalement, après concertation, toutes les armées s'accordèrent pour réaliser le salut et le réitérer devant chaque chef d'État [103].

Il fallut de même innover lors du défilé du 14 juillet 2007 réunissant pour la première fois [104] des délégations des armées des vingt-sept États membres, y compris les neutres (Danemark et Irlande). La parade s'est faite par ordre alphabétique, solution ménageant les susceptibilités nationales et s'avérant plus compréhensible pour le public que l'ordre des présidences, classement protocolaire habituel. Sur la photo finale, tous les drapeaux nationaux figurent sur une même ligne en V avec au premier plan le drapeau de la puissance invitante (la France) et le drapeau européen porté par un militaire du pays exerçant la présidence de l'UE (le Portugal [105]). Cet exemple de l'intégration du symbole communautaire dans la principale commémoration française est intéressant car, de manière inédite, les douze étoiles tendent à ordonner les emblèmes nationaux autour d'elles sans néanmoins les transcender clairement. Il reste à voir si cela augure d'une affirmation durable de l'emblématique européenne sur le terrain militaire dans tous les pays européens ou si l'événement n'aura constitué qu'un épisode singulier.

Les douze étoiles sont par ailleurs de plus en plus arborées dans des opérations relevant des prérogatives classiques d'une puissance militaire. Il en va ainsi par exemple en 2006 de la surveillance par des forces de l'ordre européennes des frontières entre la Moldavie et l'Ukraine, à la

---

102. «*Devant Lech Walesa, les drapeaux des Dix ont été hissés au Parlement européen*», Le Monde, 4 mai 2004.
103. *Voir* Courrier international, *4-10 janvier 1996, p. 31-33.*
104. *Le symbole européen s'était invité dès 1992 au défilé du 14 juillet, à l'initiative des élèves de Polytechnique qui l'apposèrent en cocarde sur leur tricorne.*
105. *http://www.defense.gouv.fr, consulté le 17 juillet 2007.*

demande de ces deux États. Douaniers français et polonais en uniforme bleu patrouillent de concert à bord de véhicules frappés de l'emblème européen [106], qui figure aussi sur le brassard des gardes frontières en uniformes nationaux que l'agence Frontex peut déployer dans toute l'Europe à la demande des États en cas d'afflux massifs de réfugiés [107]. Les douze étoiles sont de même arborées par les forces armées européennes envoyées au Congo dans le cadre de l'opération Artémis [108]. Bien plus, pour la première fois, au cours de l'hiver 1992, des hommes sont morts au nom de l'Europe lors de la destruction d'un hélicoptère abattu en l'ex-Yougoslavie. Mais si l'Eufor arbore quelques étoiles jaunes sur son site Internet, le cercueil du sergent français tué au Tchad le 3 mars 2008 n'est recouvert que de bleu-blanc-rouge lorsqu'il lui est rendu les honneurs militaires [109]. La fin de la conscription et la professionnalisation générale – voire la privatisation – des armées, la mutation des allégeances civiques et l'évolution des risques géopolitiques qui modifient les scénarios d'engagement des forces, sont autant d'éléments qui rendent peu vraisemblable l'hypothèse d'une armée de masse fonctionnant comme univers rituel de socialisation au drapeau européen. Mais les avancées vers une défense commune laissent ouverte la potentialité d'une refonte identitaire de la « spécificité militaire [110] » supposée inhérente à une profession basée sur le don de sa vie. Prolongeant la belle réflexion de Kantorowicz [111], après être mort successivement dans l'histoire européenne pour sa cité, pour Dieu, pour son seigneur, pour son roi, pour l'État et pour la nation, mourra-t-on demain, s'il le faut encore, pour l'Europe [112] ?

Exprimée avec force sous les armes lorsqu'elle traduit la potentialité de voir la collectivité exiger de l'individu le sacrifice de sa vie, la sacralité

---

106. Lorraine Millot, « *Ukraine-Moldavie : frontières sous surveillance européenne* », Libération, *19 octobre 2006.*

107. Rafaële Rivais, « *L'Union européenne crée une force d'intervention rapide de garde-frontières* », Le Monde, *18 avril 2007.*

108. Question écrite E-2377/03 posée par James Nicholson (PPE-DE) au Conseil, JO n° C 070 E du 20 mars 2004, p. 92.

109. http://www.defense.gouv.fr, consultation le 27 mars 2008.

110. Bernard Boëne (dir.), La Spécificité militaire, Paris, Armand Colin, 1990.

111. Ernst Kantorowicz, Mourir pour la patrie, Paris, Gallimard, 1989 [1ʳᵉ éd. 1951].

112. Cette perspective a été fortement utilisée comme repoussoir par les activistes du non lors de la campagne référendaire de juin 2008 en Irlande. En témoignent notamment deux affiches : l'une mettant en scène un homme en armes dans une pose belliqueuse se découpant sur un arrière-fond aux couleurs européennes, l'autre rappelant en lettres de sang que des gens sont morts pour la liberté nationale et appelant à ne pas les trahir.

du drapeau national s'illustre aussi dans ses interactions avec les symboles religieux. Par sa prétention à s'ériger en absolu, à susciter un culte, le signe politique entre en rivalité avec eux. Dans la France républicaine et catholique, il s'oppose trait pour trait, en conjugaison avec Marianne et les statues de grands hommes, à la structuration de l'espace communal par les signes de la foi [113]. George Duruy développe la comparaison entre la croix, « auguste de toutes les espérances, de toutes les douleurs que de pauvres âmes ont apportées à son pied », et le drapeau, « Saint Sacrement de la Patrie [114] ». Les élevant à une dignité égale, il réfute toute possibilité d'allégeances subordonnées, ne laissant d'autre choix que la fusion ou la séparation. Avec la laïcité, la France choisit la deuxième solution et évite des conflits majeurs, en grande partie grâce à l'affaiblissement des passions investies dans chaque symbole. D'autres pays européens, tels la Pologne, furent conduits par l'histoire à identifier leur identité nationale à une croyance religieuse et à donner une dimension sacramentelle à ses modes d'expression [115].

L'exemple le plus éclatant de l'intimité antagoniste entre religion et politique est offert par les États-Unis. C'est notamment la cérémonie de prestation de serment au drapeau qui constitue le point de rencontre et de friction du spirituel et du temporel. Dans la célèbre affaire Gobitis en 1940 [116], deux enfants témoins de Jéhovah, élèves d'une école de Pennsylvanie, refusèrent de prêter serment au drapeau en avançant que leur religion leur interdisait d'adorer autre chose que Dieu. La Cour Suprême donna d'abord raison à l'État de Pennsylvannie contre la famille Gobitis qui s'appuyait sur la liberté religieuse garantie par la Constitution, en argumentant que le serment au drapeau ne constituait pas un acte d'adoration. Mais, refusant au symbole un caractère sacré, comment dès lors justifier son culte ? En 1943, dans un cas identique de refus de prestation de serment, la Cour Suprême renversa sa jurisprudence en se prononçant en faveur de la famille (affaire West Virginia State Board of Education/Barnette). La « guerre du serment » ne cessa

113. Maurice Agulhon, Marianne au pouvoir, Paris, Flammarion, 1989, p. 345.
114. Georges Duruy dans Marcel Loin, Au drapeau !, Paris, Hachette, 1897, page II et VI.
115. Laure Neumayer, L'Enjeu européen, op. cit., p. 57-63. Voir aussi la façon dont la Pologne instrumentalise la dimension religieuse pour justicier son adhésion à l'UE auprès de ses citoyens, ibid., p. 136 et 145.
116. Marie-France Toinet, « La Cour Suprême et le drapeau, une question toujours brûlante ? », Revue française d'études américaines, 58, novembre 1993, p. 342-354.

pas pour autant, et connut de nombreux autres épisodes[117]. En 1988, le candidat démocrate Michael Dukakis perdit l'élection présidentielle en partie par le fait qu'il avait en 1977, en tant que gouverneur du Massachussets, fait obstacle à une loi obligeant les enseignants et les écoliers à participer au serment aux couleurs alors qu'ils ont un droit constitutionnel de ne pas le faire, ce qui était la raison invoquée par Dukakis. Mais les républicains imposèrent une interprétation de sa position comme le symbole d'un libéralisme déconnecté des vraies valeurs et attachements du peuple américain. La bataille reprit de plus belle en juin 2002 suite à la décision d'un juge fédéral déclarant l'inconstitution-nalité de la mention « *under God*[118] » (introduit en 1954 pour souligner la différence profonde de la démocratie américaine avec le communisme sans âme) dans le serment au drapeau comme violant séparation de l'Église et de l'État, ce qui lança le pays dans une nouvelle série d'affrontements. La Cour Suprême confirma finalement la pratique en vigueur. À la lumière de cette histoire mouvementée, le serment au drapeau apparaît comme une tradition vivante constamment retravaillée et contestée, en constante interaction avec la religion civile américaine[119].

Les usages du symbole national dans la lutte politique aux États-Unis ont fait l'objet des mêmes mises en question de sa dimension sacrée. C'est bien en termes de profanation que la question s'énonce pour ses analystes[120]. Après la guerre civile qui a véritablement établi son sens et son pouvoir émotionnel, le *Stars and stripes* a fait l'objet d'usages commerciaux et partisans croissants, notamment lors de la campagne présidentielle de 1896 où les Républicains, déjà, entreprenaient de mettre en scène leur relation privilégiée aux couleurs nationales pour souligner leur proximité avec l'Amérique profonde au contraire de Démocrates étrangers à l'*american way of life*. Par la suite, toutes les périodes de tension et de crises de l'identité nationale (guerres mondiales, guerre du Vietnam, guerres du Golfe) se traduisirent par des controverses furieuses autour du drapeau, occasionnées soit par des attaques contre le symbole

---

117. *Richard J. Ellis*, To the Flag. The Unlikely History of the Pledge of Allegiance, *Lawrence (Kans.), University Press of Kansas, 2005.*
118. *Le texte du serment s'énonce comme suit : « Je jure allégeance au drapeau des États-Unis d'Amérique et à la République qu'il représente, une nation unie sous l'autorité de Dieu, indivisible, avec la liberté et la justice pour tous. »*
119. *Sébastien Fath,* Dieu bénisse l'Amérique. La religion de la Maison-Blanche, *Paris, Seuil, 2004, p. 55.*
120. *Robert Justin Goldstein,* Burning the Flag. The Great 1989-1990 American Flag Desecration Controversy, *Kent (Oh.), The Kent State University Press, 1996.*

– et notamment le fait de le livrer aux flammes –, soit par des conduites jugées insuffisamment enthousiastes à son encontre. À chaque fois, le débat enflamme la vie publique et monopolise l'agenda politique et médiatique avant de retomber soudainement, une fois la réaction émotionnelle épuisée, jusqu'à la prochaine résurgence. La dernière bataille majeure en date prit place en 1989-1990 (avec un bref retour de feu en 1995), lorsque la Cour Suprême des États-Unis décréta que brûler le drapeau américain était un droit constitutionnel relevant de la liberté d'expression protégée par le premier amendement et que des tentatives récurrentes impulsées par Georges Bush père pour protéger l'emblème échouèrent de peu au Congrès. La crise fut l'occasion d'une gigantesque introspection nationale sur les principes fondamentaux de la démocratie américaine à travers l'affrontement de deux sacrés, celui de la constitution et des libertés et celui de la bannière et de l'allégeance patriotique.

La sécularisation accentuée des cultures politiques européennes et la modération des passions en faveur de l'Europe font que la controverse autour de la sacralité du drapeau aux douze étoiles est bien moindre que celle suscitée par son homologue américain. Dès l'origine, la tentation de puiser dans le répertoire chrétien pour trouver des symboles à l'intégration dans le cadre du Conseil de l'Europe s'était exprimée. Une proposition de Richard de Coudenhove-Kalergi visait à reprendre l'emblème de l'Union paneuropéenne qui comportait notamment une croix rouge, représentant «la charité internationale» et «l'unité morale de l'Europe». La croix revenait dans d'autres propositions, mais les délégués turcs s'étaient formellement opposés à sa présence [121]. Si le Conseil de l'Europe puis l'Union européenne ont successivement refusé dans l'interprétation officielle de leurs symboles toute référence religieuse directe, les relectures qui vont en ce sens n'ont pas cessé et se sont encore multipliées au cours du débat sur les racines chrétiennes de l'Europe. Il est ainsi fréquemment rapporté que le créateur des douze étoiles aurait déclaré avoir été inspiré par une référence du Livre des Révélations du Nouveau testament à une femme habillée de soleil et à la tête couronnée d'étoiles [122]. Autre variante, Arsène Heitz, dessinateur

121. Viviane Obaton, «La promotion de l'identité culturelle européenne depuis 1946», Euryopa Études, 3, 1997, p. 85-86.
122. Peter J. Katzenstein, «Multiple Modernities as Limits to Secular Europeanization?», dans Timothy A. Byrnes et Peter J. Katzenstein (eds), Religion in an Expanding Europe, Cambridge, Cambridge University Press, 2006, p. 19.

qui travailla au service Courrier du Conseil de l'Europe et à qui est attribuée la paternité de l'emblème communautaire, déclara en 1987 à une revue catholique intégriste française, *Magnificat*, s'être inspiré de la médaille miraculeuse de Marie située rue du Bac à Paris. L'affaire fit quelque bruit à l'époque, *Le Canard enchaîné* titrant «L'Europe violée par la Sainte Vierge». Cette version officieuse des auspices sous lesquels est née la bannière aux douze étoiles a résisté depuis lors à tous les témoignages des acteurs de la communication européenne des origines attestant le caractère tout à fait laïque du projet officiel [123].

L'enjeu est de rattacher le signe à une source d'autorité normative dont on pourra s'autoriser ensuite dans d'autres arbitrages politiques. Même l'absence de signe fait sens et sacré. Le journaliste et théologien Olivier Abel trace un parallèle entre l'absence de référence religieuse dans la constitution, donc l'absence d'une fondation située qui renvoie au vide central caractérisant la démocratie, avec le fait que le drapeau européen ne comporte rien en son centre. «Dans le drapeau européen, il n'y a rien au centre, sinon le renoncement simultané de tous à se prétendre au centre et au sommet ; il n'y a rien que l'équidistance à une interrogation, à reformuler sans cesse ensemble [124].» La rémanence de ces débats montre bien que l'on ne se libère pas aussi facilement de la relation ancestrale de mimétisme/opposition entre symboliques politiques et religieuses, héritière de luttes d'institutions qui ont modelé notre imaginaire et qui continuent à peser sur les ressources politiques aujourd'hui.

Si discrétion ne rime pas forcément avec désaffection, il n'en reste pas moins que le drapeau national a perdu la flamboyance qui fut la sienne à ses heures les plus passionnelles. Est-ce parce qu'affermi par le temps, il n'est plus contesté à l'heure actuelle en Europe avec la violence qui prévalait encore au siècle dernier ? «Car il n'y a d'intérêt que là où il y a une opposition [125]», selon Hegel. L'identité nationale dans sa plénitude, pour avoir trop bien réussi à s'imposer comme donnée et étouffer toute contestation, s'étiole. «L'esprit national meurt dans la jouissance de lui-même [126]», et avec lui se fane l'éclat de ses couleurs.

123. *Yves Hersant, «Douze étoiles d'or», dans Luisa Passerini (ed.),* Figures d'Europe. Images and Myths of Europe, *Bruxelles, PIE-Peter Lang, 2003, p. 102-104.*
124. *Olivier Abel,* La Croix, *24 septembre 2003.*
125. *G. W. F. Hegel,* La Raison dans l'histoire, *Paris, Plon, 1965, p. 90 [1ʳᵉ éd. 1828].*
126. *Ibid, p. 90.*

C'est faire bon marché des remises en cause de la nation par le haut et par le bas. Surtout, conclure à l'irrémédiable serait oublier la réversibilité du temps symbolique.

Cette «réserve du symbolique» dont parle Claude Reichler, à l'instar de la réserve d'or naguère constituée pour garantir la valeur des monnaies, offre son efficacité toujours actualisable à des communautés nationales incertaines d'elles-mêmes. «Dans les sociétés modernes, vouées aux éclipses du sentiment de cohésion et à la diversification des apports, l'appartenance nationale semble passer au second plan, à certaines époques, mais elle est toujours susceptible de recueillir la nostalgie des partages purs : de sortir de sa réserve et de prétendre à nouveau régler la totalité des échanges [127]. » Lorsque la crise survient, le drapeau ressurgit promptement. L'apparition inusitée des couleurs nationales aux fenêtres des particuliers dans certaines parties de la Belgique au cours de la longue période de vacance gouvernementale laissant peser un doute sur la pérennité de l'État au cours de l'été 2007 en a constitué une illustration. Un exemple encore plus éclatant a été donné aux États-Unis à l'occasion du 11 septembre 2001. La culture politique américaine a toujours réservé au drapeau une place de choix. Mais on a assisté à une véritable explosion du pavoisement à la faveur de l'émotion collective qui a suivi les événements. Le *Stars and stripes* était partout. Dans la seule journée des attentats, la chaîne de grands magasins Wal-Mart affirmait avoir vendu cent seize mille bannières américaines, sans compter les rubans et cocardes [128]. La réaffirmation symbolique du patriotisme fonctionne dans l'épreuve comme une conjuration ostentatoire de la peur et du déclin [129]. Huntington relate cette multiplication du drapeau américain dans la vie sociale, qui s'atténue ensuite en se maintenant néanmoins à un niveau de présence supérieur à celui qui était le sien avant l'épisode traumatique [130]. Il convient néanmoins de ne pas exagérer la dimension nationaliste de cette flambée patriotique, en soulignant la volonté d'affiliation et d'appartenance à la collectivité que cela exprime.

---

127. Claude Reichler, « Symbolique et identité nationale dans l'Europe contemporaine », Les Temps modernes, 550, mai 1992, p. 90.

128. Patrick Jarreau, «L'Amérique fait face dans la douleur après l'attaque contre Washington et New York », Le Monde, 14 septembre 2001.

129. Pour une illustration des discours qui se font alors entendre dans l'espace public, voir Daniel Henninger, «Flags and Candles. America Hasn't Declined. It's Rising Higher », The Wall Street Journal Europe, 24 septembre 2001.

130. Samuel Huntington, Qui sommes-nous? Identité nationale et choc des cultures, Paris, Odile Jacob, 2004, p. 15-17 [trad. 2004].

Il s'agit avant tout de se rassembler autour d'un signe consensuel et de partager peur et solidarité, les implications politiques d'un tel mouvement demeurant incertaines. La preuve en est que la pulsion d'unité qui se fait alors jour se traduit également par un net regain du religieux de toutes obédiences où l'on ne recherche que la chaleur d'une communauté.

Toujours est-il que cela atteste la prégnance des symboles nationaux dès lors que la crise se noue et que la menace se précise. Ces symboles peuvent devenir eux-mêmes les vecteurs de la crise si le traitement qui leur est réservé est ressenti comme une atteinte à la cohésion et à la fierté nationales. Sur ce point, il n'est pas besoin de traverser l'Atlantique pour trouver des exemples. Il suffit de se rappeler les réactions suscitées par les sifflets adressés à la Marseillaise lors du match de football France-Algérie le 6 octobre 2001. De vifs débats éclatèrent aussitôt sur l'intégration des jeunes issus de l'immigration présumés être les auteurs du forfait. L'acte sacrilège venait corriger brutalement les discours optimistes sur la France émergeant en «black-blanc-beur» de la Coupe du monde de 1998. La controverse se renoua quelques mois plus tard quand la Marseillaise fut à nouveau sifflée au Stade de France en présence du Président de la République, cette fois par des supporters corses lors de la finale de la Coupe de France le 11 mai 2002. À travers le drapeau ou l'hymne, c'est à la nation que l'on s'en prend. Si le caractère profanateur du mauvais traitement au signe incarnant la dignité nationale est ressenti de façon beaucoup moins forte qu'au début du XXe siècle [131], c'est davantage la négation des règles du vivre-ensemble qui semble frapper les esprits. Dans une autre perspective, la suggestion faite par la candidate socialiste Ségolène Royal en 2007 lors de la campagne présidentielle française que chaque Français possède à son domicile un drapeau national et l'arbore en certaines occasions a suscité des appuis marqués et plus encore des critiques virulentes. Il fut dénoncé une substitution maladroite ou malhonnête d'enjeux identitaires secondaires au détriment

---

131. *L'affaire du «drapeau dans le fumier», déclenchée par un simple article d'un militant socialiste en 1901 appelant à faire subir aux couleurs nationales un sort peu enviable, suffit à déclencher une insurrection des esprits et suscita des affrontements politiques enflammés jusqu'à la première guerre mondiale. Voir Maurice Dommanget, Histoire du drapeau rouge, op. cit., p. 266 et suiv. Preuve des traces profondes laissées par les conflits en matière symbolique, l'épisode fut exploité dans la campagne de persécution dont sera victime Jean Zay à la fin des années 1930 de la part de l'extrême droite antisémite. Voir Olivier Loubes, «Jean Zay, Vichy et la résistance : une mise en abîme de l'éclipse», Revue d'histoire moderne et contemporaine, 43 (1), janvier-mars 1996.*

des «vrais» problèmes sociaux, ou encore une tentative anachronique de redonner vie à des symboles épuisés[132]. La vitalité de la polémique attesta pourtant que la charge de sens et d'affect du débat restait forte.

Le problème se pose en des termes différents pour l'Europe. Les passions investies dans le drapeau aux douze étoiles sont encore trop modestes pour que les attaques qu'il subit occasionnent de profondes blessures identitaires. On est plutôt en présence d'un symbole en mal d'ennemi, car rien ne met mieux en valeur le caractère sacré d'un emblème que ceux qui y portent atteinte et que les luttes pour le défendre. On fera ici l'hypothèse, à partir de nos relevés empiriques, que le drapeau européen devient de plus en plus l'objet de ces conflits fonda-teurs, de ces usages protestataires qui le confortent comme signe de pouvoir. On le brûle pour critiquer explicitement l'UE, tels ces pêcheurs en colère devant le Berlaymont en juin 2008, ces ouvriers polonais de la firme de tracteurs Ursus le 19 mars 1998 devant la Diète à Varsovie, lors d'une manifestation dans le cadre d'un débat parlementaire sur les négociations d'élargissement[133], ou ce boucher britannique se rebellant contre l'usage imposé des unités de poids continentales par fidélité aux *pounds* et *ounces* impériales[134]. On le donne en spectacle livré aux flammes comme signe politique fort autour duquel s'articule l'actualité, à l'instar d'une campagne de publicité de *The Economist* en 2001[135]. La crise des caricatures du prophète Mahomet en 2006 lui a valu parfois d'être incendié dans le monde musulman en référence à une Europe per-çue comme entité politique globale[136], avec une fréquence bien moindre que les drapeaux danois ou français. De tels usages demeurent néan-moins minoritaires. Le symbole semble trop sage, rationnel et pacifique pour se prêter à des instrumentalisations belliqueuses. On l'arbore de façon positive, notamment lorsqu'il est synonyme de paix, comme dans les manifestations contre la guerre en Irak à travers tout le continent européen, ou comme espoir de réintégrer pleinement le concert des nations européennes et la sphère de l'opulence occidentale, à l'instar des démo-crates serbes après leur victoire électorale sur les nationalistes en mai

132. Jean-Baptiste de Montvalon, «Du religieux dans la République», Le Monde, 29 mars 2007.

133. Henri de Bresson, «La Pologne s'efforce de séduire l'Union», Le Monde, 31 mars 1998.

134. Birmingham Evening Mail, 18 janvier 2001.

135. Voir par exemple Le Monde du 16 juin 2001.

136. Alexandre Shields, «Les dessins de la colère», Le Devoir, 4-5 février 2006.

2008[137]. On lutte contre sa présence jugée illégitime en faisant entendre son désaccord par des prises de parole publique ou en recourant au droit pour s'y opposer. Mais il attire bien moins de haine et d'enthousiasme[138] dans l'action collective que la bannière américaine. Il ne suscite pas d'affrontements homériques pouvant tourner à la confrontation physique, comme ont pu le faire en leurs temps les couleurs nationales. Le drapeau européen porte incontestablement un discours de valeurs, mais ces valeurs sont plus policées et/ou plus atténuées que celles exprimées par les signes nationaux analogues. C'est là la grande question des allégeances normatives sollicitées par l'Europe qui se pose, la question de la forme et de l'intensité de ces allégeances, et de savoir s'il y a là une différence ou un manque par rapport aux affiliations politiques traditionnelles.

---

137. *Hélène Despic-Popovic, «Les démocrates serbes en quête d'une coalition»,* Libération, *13 mai 2008.*
138. *On le brûle moins, mais on l'encense également moins. Au mieux, on le décongèle, à l'exemple de ces jeunes europhiles suisses qui expriment leur liesse après l'approbation par référendum en 2000 d'accords bilatéraux entre leur pays et l'UE en démolissant symboliquement devant le palais fédéral à Berne un bloc de glace d'où ils sortent le drapeau européen. «La Suisse resserre les liens économiques avec les Quinze»,* Le Monde, *23 mai 2000.*

Chapitre 7

L'EURO, UN PLÉBISCITE QUOTIDIEN POUR L'EUROPE ?

L'euro marque l'intrusion de l'Europe dans un domaine historiquement au cœur de la souveraineté des États. L'harmonisation des structures qui tendaient à converger malgré les différences marquées des modèles nationaux a pu se faire sans trop de difficultés[1], au-delà des luttes d'institutions rémanentes compte tenu de l'importance des enjeux. La question porte davantage sur la réception sociale de la monnaie commune et des effets qu'elle a pu exercer, notamment sur le développement de pratiques et de représentations d'appartenance à l'Europe.

Les lectures contemporaines de la monnaie s'éloignent du postulat de la neutralité de l'argent qui marque la pensée classique, comme par exemple les travaux de Georg Simmel[2]. La monnaie permet certes une compression de l'espace et du temps en rendant possible une transaction à distance ou différée. Deux acteurs anonymes échangent dans une relation abstraite grâce à une unité de valeur standardisée. Mais une monnaie renvoie en même temps à des lieux de pouvoir et des sphères de validité, ce qui implique qu'elle garde une forte dimension territoriale. L'argent est inscrit dans un faisceau de rapports sociaux et de réseaux de confiance qui existent avant et après la transaction. En ce sens, l'unité monétaire est

1. Yves Surel, «Comparer des sentiers institutionnels. Les réformes des banques centrales au sein de l'Union européenne», Revue internationale de politique comparée, 7 (1), 2000, p. 135-166.
2. Georg Simmel, Philosophie de l'argent, Paris, PUF, 1987 [1907].

toujours particularisée selon son environnement humain, aussi générale que soit sa portée[3]. Certes, des tendances récentes sont venues remettre en question les logiques fondatrices des monnaies nationales comme la contestation grandissante du pouvoir des États, l'explosion des marchés offshores, les choix politiques de développer des coopérations transnationales et les changements technologiques portant de nouveaux modes de consommation et de production. Le supposé déclin des monnaies nationales est cependant à nuancer. D'une part, elles traduisent une adaptation des États qui les émettent plus qu'une perte d'emprise absolue. D'autre part, elles n'ont jamais été exclusives et homogènes, elles ont toujours été confrontées à des concurrences et à des usages s'écartant de la norme. La nouveauté de ce qui se passe actuellement est donc à relativiser. Aujourd'hui comme hier, la monnaie reste un support symbolique essentiel du fait de sa diffusion à une échelle sans équivalent et de l'image qu'elle renvoie du sujet collectif comme du sujet individuel de son temps. Même sa dématérialisation par l'explosion des monnaies électroniques ne fait que souligner l'exigence de confiance qui sous-tend son usage, et de ce fait la nécessité de «situer» la monnaie[4].

Cette confiance requise pour que la monnaie puisse remplir son office est le paramètre décisif qui en fait bien davantage qu'un instrument défini uniquement par sa fonction : confiance en l'autorité émettrice, en sa valeur d'unité de compte et en les valeurs qu'elles portent, confiance aussi en ses co-usagers. En ce sens, elle est bien un véritable symbole articulant différents ordres de réalités (institutionnel, économique, juridique, civique, identitaire) et condensant des significations fortes (souveraineté, appartenance) qui se font sentir à basse intensité dans les échanges au quotidien mais qui sont toujours susceptibles d'être réactivées dans toutes leur vigueur en cas de rupture des pratiques routinières (crise économique, infraction, changement de devise).

La monnaie est symbole au sens donné à ce terme dans l'introduction de l'ouvrage. Elle constitue un système de signes, les écrits et les iconographies apposées sur une devise étant à interpréter au même titre que son matériau, sa forme ou sa couleur ainsi que la création linguistique qu'elle suscite. La monnaie est de ce fait un objet dont le sens ne se

---

3. *Emily Gilber et Eric Helleiner, «Nation-States and Money. Historical Contexts, Interdisciplinary Perspectives»,* dans *Emily Gilber et Eric Helleiner (eds),* Nation-States and Money. The Past, Present and Future of National Currencies, *Londres, Routledge, 1999, p. 1-21.*
4. *Ibid., p. 215-229.*

limite pas à son usage immédiat et qui fait rupture dans son contexte d'énonciation. Sortir de sa poche un billet pour le tendre à son interlocuteur marque l'entrée dans une relation marchande qui tranche avec l'ordinaire des rapports sociaux et en modifie les règles. Brûler ce billet constitue un défi à la valeur sociale de l'argent et une infraction à la législation qui prend à partie les pouvoirs publics. Seule la puissance d'évocation de la monnaie explique que l'on accepte d'échanger contre elle un bien ou un travail et que se mette en place par son truchement un mécanisme répété à l'infini de jouissance différée du résultat de l'activité productive.

La monnaie ne peut remplir ses fonctions que parce qu'elle transmet à la fois des informations de type cognitif et affectif (son montant comme unité de valeur, son origine qui commande son périmètre de validité dans des frontières prédéfinies, mais aussi une opinion positive ou négative sur son prestige, sa stabilité et le mode de vie qu'elle représente), sans compter les passions morales impliquées par le rapport à l'argent comme vecteur de puissance ou de plaisir. Son interprétation renvoie aux processus d'éducation à l'argent auxquels les individus et groupes sont soumis tout au long de leur vie en société. L'éthique puritaine d'accumulation sans jouissance diffère de l'ostentation aristocratique de la dépense somptuaire ou de l'avarice d'Harpagon. Le sens social d'une devise doit dès lors être compris en le resituant dans le monde vécu de l'acteur et dans un contexte historico-culturel donné.

Comme les autres symboles, la monnaie nantie de ces propriétés offre au pouvoir un précieux vecteur de légitimation. Elle constitue le plus explicite des systèmes de classification qui structurent l'ordre social par son rôle d'unité de compte et d'échelle de valeur. Qui frappe la monnaie et en codifie l'usage s'impose comme centre de régulation des échanges sociaux. Il n'est dès lors pas étonnant que les autorités de toutes époques aient apporté un soin particulier à régler la circulation de l'argent et à y apposer leur marque. La monnaie dessine une hiérarchie des acteurs selon leur capacité à intervenir dans sa gestion. Elle délimite un groupe et un territoire en distinguant les citoyens qui l'utilisent de plein droit des autres individus (sans compter les zones floues où elle est en concurrence avec d'autres devises). Enfin, elle scande une temporalité, les changements de régime pouvant se traduire par une modification de son nom, de son aspect ou de sa valeur.

—— Une monnaie européenne, pour quoi faire?

La genèse d'une monnaie constitue d'ordinaire un processus long venant couronner l'établissement d'une domination politique. L'euro succède à des tentatives infructueuses d'unification monétaire de l'Europe depuis le XIXe siècle[5]. L'entreprise est cette fois menée à bien car elle emprunte des modalités inédites. Elle tranche avec les scénarios monétaires traditionnels au sens où elle ne résulte pas d'une hégémonie, mais revêt néanmoins un caractère éminemment politique. Les enjeux de pouvoir constituent des déterminants au moins aussi influents que les variables économiques dans la réalisation de la monnaie unique.

Le plus souvent, l'unité politique est un préalable à la communauté numismatique. La réserve fédérale américaine est ainsi instituée en 1913, soit près d'un siècle et demi après l'indépendance. Plus loin dans le temps, les empires de Charlemagne ou de Charles Quint ont été constitués politiquement avant de l'être monétairement[6]. Les appareils d'État et les consciences nationales préexistent en général, ou au pire s'érigent simultanément sur les décombres d'un ordre ancien, à la monnaie qui va circuler comme vecteur du lien social. Le franc français naît avec la Révolution de 1795 et va s'enraciner profondément dans l'imaginaire collectif. Le «nouveau franc» de 1958, dit «franc fort» car il entérine une division nominale par cent du cours de la devise qui a été fortement dépréciée pendant la première moitié du XIXe siècle, marque de même les esprits. D'autres monnaies plus récentes ont un symbolisme puissant car elles sont liées à des moments clés des histoires nationales (indépendance, unification). Il en va ainsi du franc belge en 1832, de la drachme grecque moderne en 1833, de la lire italienne en 1862, du Mark allemand en 1871. Ce dernier devient même l'incarnation de l'identité nationale allemande privilégiée par la population, les autres symboles comme le

---

5. *Sur le genèse de l'Europe monétaire, voir Kenneth Dyso et Kevin Featherstone,* The Road to Maastricht: Negotiating Economic and Monetary Union, *Oxford, Oxford University Press, 1999; Gérard Beckerman et Michèle Saint-Marc,* L'Euro, *Paris, PUF, 2001; Michel Devoluy,* L'Europe monétaire. Du SME à la monnaie unique, *Paris, Hachette, 1998; Frédéric Droulers,* Histoire de l'écu européen du Moyen-Âge à nos jours et des précédentes unions monétaires, *Lagny-sur-Marne, Aria-Créations et les Éditions du Donjon, 1990; Alfred Steinherr et Pierre Werner (eds),* 30 Years of Monetary Integration: from the Werner Plan to the EMU, *Londres, Longman, 1994; Wim Vanthoor,* European Monetary Union since 1848. A Political and Historical Analysis, *Cheltenham, Edward Elgar, 1996.*

6. *Jean-Michel Servet,* L'Euro au quotidien, *Paris, Desclée de Brouwer, 1998, p. 117-119.*

drapeau ou l'hymne renvoyant à une histoire lourde à assumer. Le Mark apparaît dès lors comme l'illustration de ce que les Allemands de l'Ouest ont réussi à reconstruire après la deuxième guerre mondiale, de ce que les Allemands de l'Est rêvent de rejoindre en 1989 avant même la réunification[7]. Ce sont ces monnaies lourdes de tradition et d'affectivité auxquelles l'euro se substitue, le monétaire devant précéder et constituer le politique au niveau européen. Le 1er janvier 2002, les pièces et billets de la nouvelle devise européenne sont introduits sous forme fiduciaire. Il s'agit d'une étape majeure de la longue marche vers la monnaie commune.

L'idée d'unir l'Europe sur le plan monétaire n'est pas récente. Dans les siècles passés, une monnaie de référence s'est parfois imposée, parce qu'elle était celle d'une puissance hégémonique. Cela a été le cas par exemple de l'écu français pendant la Renaissance (xiiie-xviie siècle). Plus près de nous, le xixe siècle a vu fleurir de nombreuses tentatives. Elles ont notamment été innombrables dans l'ère germanique partagée en centaines de micro-États, jusqu'à la création du Mark en 1871. Le projet le plus ambitieux a été l'Union monétaire latine (1865-1926) entre la France, la Belgique, l'Italie et la Suisse qui rendaient les devises de chacun de ces quatre pays utilisables dans les trois autres. En pratique, cela recouvrait une stratégie de domination de la France et entérinait la suprématie du franc sans réelle volonté politique de convergence. Cela explique que l'Union monétaire latine ait décliné progressivement avant de disparaître dans l'indifférence générale. Ces précédents soulignent que l'intégration monétaire échoue si elle n'est pas accompagnée d'un réel projet politique et économique d'union. Quand elle est simplement le fait d'une hégémonie, l'évolution des intérêts et des puissances finit immanquablement par provoquer un éclatement.

La leçon ne sera que partiellement retenue lors des initiatives d'unification monétaire de l'Europe à l'époque moderne. Dès les années 1960, le système monétaire international qui s'organise autour du dollar depuis les accords de Bretton Woods de 1944 montre son instabilité. Après quelques tentatives infructueuses, le rapport Werner (du nom du chef de gouvernement du Luxembourg qui préside un comité de hauts fonctionnaires mandaté par le Conseil) va constituer la charte fondatrice d'un projet de régulation spécifiquement européen. Il préconise un centre de

---

7. *Brigitte Scherbacher-Posé, «Du mark à l'euro, des mots au roman : monnaie et métaphores», dans Rosalind Greenstein (dir.),* Regards linguistiques et culturels sur l'euro, *Paris, L'Harmattan, 1999, p. 43-66.*

décision européen pour la politique économique et un système communautaire de banques centrales. Il ne sera pas suivi d'effets, mais constituera néanmoins un texte de référence qui inspirera largement Delors à la fin des années 1980.

Entre-temps se met en place le Système monétaire européen (SME) autour de l'Ecu *(European Currency Unit)* qui dure de 1978 jusqu'en 1998. Il s'agit d'un dispositif qui solidarise les monnaies européennes en leur donnant des fourchettes de fluctuation et en instaurant des mécanismes d'intervention des banques centrales pour défendre les cours. Le SME réussit à stabiliser les devises, mais oblige à des révisions périodiques des taux de change pour que les équilibres puissent être préservés. Il est par ailleurs dès les premiers temps tronqué dans son développement, sa dernière étape qui impliquait le transfert des réserves de change au niveau européen n'ayant pas lieu suite au refus de la France de cet acte embarrassant à l'approche des élections présidentielles de 1981.

Tirant la leçon des résultats mitigés des mesures prises jusqu'alors, l'Union économique et monétaire est mise en chantier à la fin des années 1980. Le rapport Delors, remis au Conseil en avril 1989, reprend les lignes directrices du rapport Werner : il s'agit d'abord de négocier et ratifier un traité d'union économique et monétaire qui sera celui de Maastricht ; un système européen de banques centrales doit ensuite être mis en place ; le transfert définitif des compétences à l'Union en matière monétaire et le passage à des parités fixes et irrévocables seront réalisés en 1999 ; le dernier acte sera en l'introduction matérielle de la devise commune dans les poches des Européens. Les institutions et pratiques qui sont alors instaurées entérinent une délégation de souveraineté très importante à une banque centrale européenne, instance technocratique indépendante.

De multiples facteurs d'explication peuvent être avancés à cette délégation de souveraineté[8]. On les résumera en insistant sur les dimensions économique, stratégique et systémique. L'hypothèse communément avancée, en revisitant la théorie de l'engrenage, est que la monnaie unique découlerait automatiquement du marché unique[9]. Des économistes soulignent néanmoins que l'Europe n'est pas une « zone monétaire optimale[10] », au sens où elle représente un espace comportant de fortes

8. Amy Verdun, « *Why EMU Happened. A Survey of Theoretical Explanations*», *dans Patrick M. Crowley (ed.),* Before and Beyond EMU. Historical Lessons and Future Prospects, *Londres, Routledge, 2002, p. 71-98.*

9. *Elie Cohen, « Politiques publiques institutionnelles : l'indépendance des banques centrales »,* Revue internationale de politique comparée, 6 *(3), 1999, p. 65-706.*

10. *Jean-Jacques Rosa,* L'Erreur européenne, *Paris, Grasset, 1998.*

différences en termes de coûts du travail, de croissance, de spécialisation, etc. Une monnaie forte crée une contrainte de compétitivité élevée pour les économies les plus faibles. De la même façon, l'explication économique ne suffit pas à justifier le choix d'une banque centrale indépendante. L'idée reçue est qu'un tel organe assurerait de meilleures performances en matière de croissance de long terme et de coût de la désinflation. Il serait plus crédible et plus prévisible aux yeux des marchés qu'un gouvernement car non soumis au calendrier des élections et à la pression constante des groupes d'intérêt. Les exemples ne manquent cependant pas pour relativiser cet axiome. En France, c'est une banque centrale sous l'autorité d'un gouvernement de gauche qui a cassé la spirale inflationniste en 1983. Au Japon, une banque centrale dépendante a eu longtemps d'excellents résultats dans sa lutte contre l'inflation. L'explication par la théorie économique, si elle est bien entendue centrale, ne suffit donc pas. Il convient de prendre en compte la manière dont cette théorie économique a été mise au service de stratégies politiques.

Le projet de monnaie unique a en effet permis à plusieurs acteurs de poursuivre leur agenda particulier. La Commission a trouvé dans ce chantier le moyen d'occuper une place centrale dans le jeu politique. Jacques Delors a défendu le projet avant même son arrivée à la Commission et l'a ensuite utilisé pour développer son leadership [11]. Le référentiel du marché sert de bannière de ralliement à une large coalition, mais avec une signification suffisamment ouverte et floue pour que chacun puisse y projeter sa propre vision économique et politique [12]. Les États membres, et notamment la France et l'Allemagne qui ont en été les locomotives, voyaient en l'euro un instrument politique pour relancer l'intégration européenne après la chute du mur de Berlin qui la mettait en question et renforcer leur poids sur la scène internationale en créant une devise capable de rivaliser avec le dollar. Pour la France, l'euro était le moyen de créer une contrainte externe à travers les critères de convergence, ce qui permettait d'imposer des efforts de rigueur budgétaire nécessaires sur le plan interne. Dans tous les cas, le politique prime et le contexte national reste l'arène prédominante de formation des préférences collectives concernant l'unité monétaire européenne, y compris

---

11. *Nicolas Jabko, « In the Name of the Market. How the European Commission Paved the Way for Monetary Union »,* Journal of European Public Policy, *6 (3), 1999, p. 475-495.*

12. *Nicolas Jabko,* Playing the Market. A Political Strategy for Uniting Europe. 1985-2005, *Ithaca (N. Y.), Cornell University Press, 2006.*

pour les lobbies économiques[13] qui se coulent dans les ornières de leurs débats domestiques dans un sens parfois contraire à ce qu'on pourrait anticiper de leur intérêt.

Enfin, une dernière explication fait découler la monnaie unique de l'évolution globale du système politique, économique et social de l'Europe. Elle serait l'aboutissement d'une tendance lourde à l'autonomisation de l'économique par rapport au politique. La conception de l'économie comme un domaine doté d'une logique propre qui doit être respectée s'impose de plus en plus en Europe. Dans cette optique, la monnaie est autoréférentielle. Elle ne doit pas être mise au service d'objectifs politiques ou sociaux. Cela conduit à en confier la gestion à une banque centrale indépendante qui vise d'abord et avant tout la stabilité des prix et du taux de change. Dans cette perspective, l'indépendance de l'autorité monétaire est une manière supplémentaire d'institutionnaliser l'autonomie de l'économique, comme l'a été l'étalon-or au XIXᵉ siècle. La référence à une valeur objective comme norme absolue de la monnaie limite au maximum l'intervention de l'État dans le domaine monétaire.

Ce choix est bien davantage qu'une adhésion raisonnée à la meilleure méthode supposée de lutte contre l'inflation. C'est le moyen de fonder une croyance qui transcende la rationalité utilitariste, de développer une éthique qui prime sur le politique en mettant en avant une source de souveraineté supérieure à la souveraineté nationale. Aglietta et Cartelier[14] prennent en exemple pour l'Europe l'ordo-libéralisme allemand qui, dans le même esprit que le patriotisme constitutionnel d'Habermas, érige la stabilité monétaire en impératif supérieur. La monnaie doit être mise à l'abri de toute manipulation arbitraire de l'État ou des groupes d'intérêt pour protéger les libertés individuelles. Elle est conçue comme une norme fondamentale permettant aux prix d'être « les justes prix » exprimant la volonté générale. Loin d'être neutre, elle est la représentation organique d'une communauté. Elle constitue le socle de l'alliance de chaque citoyen avec la société dans sa totalité, de façon à assurer à tous un environnement économique sûr, prévisible et respectueux de tous les intérêts. Dans

---

13. Voir *Emiliano Grossman*, « *Les groupes d'intérêt économique face à l'intégration européenne : le cas du secteur bancaire* », Revue française de science politique, *53 (5), 2001, p. 737-760 ; Mark E. Duckenfield*, Business and the Euro. Business Groups and the Politics of EMU in Germany and the United Kingdom, *Basingstoke, Palgrave Macmillan, 2006.*

14. *Michel Aglietta et Jean Cartelier,* « *Ordre monétaire des économies de marché* », *dans Michel Aglietta et André Orléan (dir.),* La Monnaie souveraine, *Paris, Odile Jacob, 1998, p. 129-157. Voir aussi Michel Aglietta et André Orléan,* La Violence de la monnaie, *Paris, PUF, 1982.*

cette perspective, la banque centrale est la gardienne nécessairement indépendante du pacte social. À l'égal du pouvoir judiciaire, sa responsabilité est d'ordre moral et se suffit à elle-même.

C'est bien ce que traduisent les statuts de la BCE[15]. La finalité posée (stabilité des prix) ne se réfère pas directement à des considérations extérieures d'ordre social (le plein-emploi) ou politique (la prospérité, forme moderne du bonheur des peuples[16]). Les structures de l'Europe monétaire et ses principes de fonctionnement illustrent la hiérarchie de ses priorités.

—— Euro, souveraineté et responsabilité

La BCE apparaît comme une banque centrale qui joue les fonctions habituelles des banques centrales[17], mais avec un niveau d'indépendance particulièrement élevé. Elle est d'abord un institut d'émission chargé de procurer aux agents économiques les moyens de paiement nécessaires aux échanges. À ce titre, elle régule l'émission de pièces et de billets en euros. Son Conseil des gouverneurs décide des montants que chaque banque centrale nationale émet en billets et approuve les montants émis en pièces. Toutefois la monnaie fiduciaire ne représentait que 17,5 % des moyens de paiement en circulation dans la zone euro au 31 décembre 1999, le reste étant constitué par la monnaie scripturale. Cela fait que la BCE ne contrôle qu'une faible partie de la création monétaire. La BCE est ensuite la « banque des banques », l'organe qui assure la compensation entre banques privées et veille à la bonne santé du système bancaire dans

15. *Pour une lecture complémentaire de la constitutionnalisation de la monnaie, voir Emiliano Grossman et Paul-Emmanuel Micolet, «Le nouvel ordre de politique économique européen : une constitution économique au service de la stabilité monétaire?»,* Revue du Marché commun et de l'Union européenne, *437, avril 2000, p. 243-251.*

16. *Le traité instituant la Communauté européenne laisse à la BCE une autonomie complète dans la mise en œuvre pratique de la politique monétaire. Il lui assigne seulement deux grands objectifs généraux ; le premier l'emporte de façon écrasante sur le second : «L'objectif principal du Système européen des banques centrales est de maintenir la stabilité des prix (1ᵉʳ objectif). Sans préjudice de la stabilité des prix, le SEBC apporte son soutien aux politiques économiques générales dans la Communauté... (2ᵉ objectif)» (article 105, paragraphe 1 du TCE selon numérotation après Amsterdam). Il est revenu à la BCE de fixer elle-même la définition quantitative de l'objectif de stabilité des prix. Le Conseil des gouverneurs de la BCE du 13 octobre 1998 a fixé comme limite à ne pas franchir la barre des 2 % d'inflation.*

17. *Voir Jacques Lehmann,* De l'ange gardien du franc au bâtisseur de l'euro. Histoire et évolution des banques centrales, *Paris, L'Harmattan, 2000.*

son ensemble. Mais le contrôle des banques commerciales, qui garantit la stabilité du système bancaire globale, reste du ressort des banques centrales nationales. Cela fait que la BCE n'a pas toutes les cartes en main. Si un pays se montre laxiste dans la gestion de son système bancaire et connaît une crise, tous les autres devront en supporter le coût en fournissant des liquidités. Enfin, la BCE a la responsabilité de conduire la politique monétaire. Avec le développement du crédit et de la monnaie scripturale qui circule par simple jeu d'écriture, la création monétaire est aujourd'hui immatérielle et éclatée, donc plus difficile à maîtriser. À l'instar de la plupart de ses homologues, la BCE a renoncé à certains moyens d'action comme le contrôle des changes ou l'encadrement du crédit, et joue essentiellement sur la fixation des taux d'intérêts et l'imposition de réserves obligatoires (l'obligation pour les banques privées de détenir une certaine quantité de monnaie sur un compte auprès de la banque centrale).

Au final, la BCE remplit donc presque toutes les fonctions classiques d'une banque centrale. Elle exerce en outre ses compétences avec une indépendance inédite [18]. Elle est d'abord très libre dans le choix de ses outils de politique monétaire dont elle peut disposer sans aucune restriction. Elle l'est plus encore sur le plan politique au sens où elle peut prendre ses décisions sans subir d'interférence de la part du pouvoir politique. Cela se traduit notamment dans la nomination des membres de son directoire (mandat long, irrévocable, sans instruction possible de la part des gouvernements) et dans ses rapports avec les autres institutions. La BCE a souvent une sorte d'alliance implicite avec la Commission pour défendre l'orthodoxie budgétaire. Les deux institutions se renforcent mutuellement dans leurs confrontations respectives avec les États. Il en va en général de même avec le Parlement européen. L'Assemblée fait passer des auditions aux représentants de la BCE sur leur bilan, donne avis consultatif sur la nomination des membres du directoire, mais n'a pas de pouvoir de sanction. Pour affirmer son rôle, le Parlement européen a en conséquence apporté régulièrement son appui à l'autorité monétaire dans ses différends avec les États tout en réclamant en échange un dialogue accru. Son influence reste cependant beaucoup moins forte que celle du Congrès américain sur la Federal Reserve.

---

18. *Robert Elgie, «Responsabilité démocratique et indépendance de la banque centrale : la banque centrale européenne dans une perspective historique et comparative »*, Revue française d'administration publique, *92, 1999, p. 635-649 ; Robert Elgie et Helen Thompson,* The Politics of Central Banks, *Londres, Routledge, 1998.*

Les limites à l'indépendance politique de la BCE doivent être davantage cherchées en interne, du fait qu'elle est la clé de voûte d'un système très décentralisé. Son directoire ne fait que mettre en œuvre les grandes orientations définies par le conseil des gouverneurs où siègent les gouverneurs des banques centrales nationales. Ces dernières restent donc les acteurs décisifs, d'autant plus qu'elles conservent le gros des moyens humains et logistiques. Elles sont indépendantes vis-à-vis de leur gouvernement, mais il convient de prendre en compte les pressions qu'elles peuvent subir et les ajustements spontanés qu'elles opèrent pour bien évaluer le poids du politique et du national [19] dans l'édifice multiniveaux qu'est l'Europe monétaire.

Cette forte indépendance – tant économique que politique – alimente les débats au sujet de l'irresponsabilité de la banque centrale européenne. Ces interrogations récurrentes sur sa légitimité favorisent (et sont alimentées par) les tentatives répétées d'intrusion du politique dans son domaine de compétence. Un conflit s'est noué de 1996 à 1998 avant même la création officielle de la BCE sur la nomination de la personnalité vouée à en devenir le premier président. La France entendait imposer son candidat au nom d'un supposé accord avec l'Allemagne qui avait obtenu le siège de l'institution. Les autres pays soutenaient majoritairement le hollandais Wim Duisenberg. Après d'âpres et confuses négociations, un compromis incertain fut trouvé par l'engagement à demi-mot de Duisenberg de démissionner en cours de mandat pour laisser la place à Jean-Claude Trichet. Cet épisode relégua au second plan le caractère historique du lancement officiel de l'unification monétaire par l'annonce des pays qualifiés pour y entrer en focalisant l'attention des médias sur un affrontement entre intérêts nationaux, mais aussi entre pouvoirs politiques nationaux et technocratiques. Il s'agissait pour certains chefs d'État et de gouvernement, en premier lieu Jacques Chirac, de faire sentir aux gouverneurs des banques centrales nationales qui se cooptaient la volonté des gouvernants.

Des lignes de clivage sont également apparues lorsqu'il a fallu déterminer la nature de l'instance politique ayant vocation à être l'interlocuteur de la BCE au niveau supranational [20]. Certains pays militaient

---

19. *Les banquiers centraux ont été les artisans directs d'une réforme des modes de décision au sein du Conseil des gouverneurs qui assure une représentation privilégiée aux grands pays, signe de la prise en compte des rapports de puissance entre États. Ce souci de préserver les intérêts des économies les plus importantes s'accentue avec les élargissements passés et à venir de la zone euro. Voir David Howarth et Peter Loedel,* The European Central Bank. The New European Leviathan ?, *Basingstoke, Palgrave Macmillan, 2005 (2ᵉ ed), p. 186-210.*
20. *Nombre d'analyses soulignent qu'il s'agit là de la clé de la légitimation de la BCE, davantage que son statut ou son fonctionnement. Voir Franco Bruni,*

pour un véritable «gouvernement économique» pouvant défendre les objectifs de croissance et d'emploi face à une BCE centrée de par son mandat sur la lutte contre l'inflation. Faute d'accord, cette fonction a été dévolue à l'Eurogroupe, instance informelle et qui restera telle malgré quelques propositions de l'institutionnaliser durant le processus constitutionnel[21]. Une fois encore, l'enjeu est la responsabilité politique de la BCE. Jean-Claude Trichet s'est montré très intransigeant face à la volonté des États de promouvoir un président de l'Eurogroupe, renforçant l'image dogmatique de son institution en martelant devant la presse que «Monsieur euro, c'est moi[22]!». Il donne ainsi priorité à une défense sans concession de l'indépendance de la BCE plutôt qu'au développement d'un dialogue avec un interlocuteur politique susceptible de corriger la perception d'une gestion totalement technocratique de la monnaie. De la même manière, la BCE a fait part de son souci de ne pas voir sa spécificité remise en cause lorsqu'elle a été placée dans la même liste que les autres institutions européennes par le traité de Lisbonne – alors que la Constitution lui réservait un traitement spécifique –, la soumettant ainsi théoriquement à l'obligation de coopération loyale avec les autres entités de l'UE[23], ce qui peut éventuellement constituer un levier pour des exigences accrues en termes de transparence et de responsabilité.

La question de la responsabilité de la BCE et de sa mise en scène est essentielle. Pour qu'elle puisse jouer effectivement son rôle, une banque centrale doit faire preuve d'expertise pour prendre les bonnes décisions, mais aussi susciter la confiance et donc exercer une réelle autorité morale. La difficulté porte sur les manières de concilier les différentes audiences des messages de politique monétaire, les marchés et les citoyens. Les marchés attendent essentiellement de la continuité et de la prévisibilité, ce que la BCE s'est attachée à leur offrir après quelques ratés initiaux[24]. Les citoyens et acteurs politiques, du moins dans certains

---

«The Independence of the ECB and its Political and Democratic Accountability», dans Jean-Victor Louis et Hajo Bronkhorst (eds), The Euro and European Integration, Bruxelles, PIE-Peter Lang, 1999, p. 283-198.

21. Voir le «protocole sur l'Eurogroupe» joint au traité de Lisbonne, qui consacre néanmoins l'existence d'un président élu à la majorité pour deux ans et demi. Marianne Dony, Après la réforme de Lisbonne, op. cit., p. 171-172.

22. Yves Clarisse et Jean Quatremer, Les Maîtres de l'Europe, Paris, Grasset, 2005, p. 290.

23. Marianne Dony, Après la réforme de Lisbonne, op. cit., p. XXXVI.

24. Sur les implications politiques fondamentales de la communication de la BCE, on se reportera à la chronique très détaillée qu'en font deux témoins privilégiés. Voir Yves Clarisse et Jean Quatremer, Les Maîtres de l'Europe, op. cit., p. 287-296. Sous un angle plus institutionnel, David Howarth et Peter Loedel, The European Central Bank, op. cit., p. 143-185. L'impact négatif sur l'image

pays[25], ne se satisfont cependant pas de la doctrine de responsabilité substantielle qui préside au statut de l'autorité monétaire européenne, selon laquelle sa légitimité se mesure à l'aune de sa capacité à servir les intérêts objectifs du public, et que ces intérêts peuvent être mieux servis par une instance autonome ayant la possibilité de conserver le secret si sa mission l'exige[26]. Cette légitimation par les résultats ne comble pas les revendications d'une justification des choix de politique monétaire par leur mise en débat dans l'arène parlementaire et/ou publique[27]. Enfin, les rappels à l'ordre de la BCE aux États, comme ceux de la Commission, peuvent avoir un impact symbolique dont il ne faut pas sous-estimer l'effet sur le sentiment qu'ont les citoyens de la dépossession de leurs gouvernants et de la soumission à des instances supranationales ano-nymes et, à l'occasion, arrogantes. L'esprit du respect d'un pacte consenti comme contrainte collective vertueuse s'estompe du fait du caractère unilatéral et humiliant du procédé. Cette perception peut être encore accentuée dans les États qui ne bénéficient pas des facilités accordées à la France et à l'Allemagne quand celles-ci contreviennent aux cri-tères de convergence[28]. *A contrario*, des petits pays (Pays-Bas, Autriche, Danemark) qui avaient pour certains d'entre eux abdiqué *de facto* leur souveraineté monétaire en se plaçant dans l'orbite du Deutschmark retrouvent un moyen de participer à la décision et acquièrent même parfois, par leur discipline budgétaire et leur inventivité en matière de politique économique, une valeur d'exemple[29].

Concernant les effets que l'euro peut exercer sur la structuration des forces politiques à l'échelle de l'Europe, on en est réduit pour l'heure à des hypothèses que le temps seul permettra de tester. Philip Schmitter

---

de la devise du parti pris de la BCE de nier systématiquement toute hausse des prix liée à l'euro, en contradiction avec l'expérience qu'en faisaient les Euro-péens au jour le jour, est patent quoique difficile à mesurer.

25. *On pense notamment, mais pas seulement, à la France où la critique de la BCE a connu une spectaculaire résurgence sur tout l'échiquier politique lors des campagnes référendaire de 2005 et présidentielle et législative de 2006-2007.*

26. *Sur la stratégie de la BCE visant à se présenter comme un organe technique et à dépolitiser son action en évitant d'afficher tout choix en valeurs, voir Nicolas Jabko, «Expertise et politique à l'âge de l'euro. La BCE sur le terrain de la démocratie»,* Revue française de science politique, *6, décembre 2001, p. 903-931.*

27. *Pour un exemple d'argumentaire économique et politique autoproclamé «radical» en faveur d'une repolitisation de la monnaie, voir Jacques Sapir,* La Fin de l'eurolibéralisme, *Paris, Seuil, 2006, p. 152-168.*

28. *Yves Clarisse et Jean Quatremer,* Les Maîtres de l'Europe, op. cit., *p. 293-296.*

29. *Kenneth Dyson, «The Euro-Zone in a Political and Historical Perspective», dans Soren Dosenrode (ed.),* Political Aspects of the Economic and Monetary Union. The European Challenge, *Londres, Ashgate, 2004, p. 18, 27.*

argumente de façon stimulante que l'impact propre de la monnaie unique est à relativiser, et que cette dernière rend plus que jamais nécessaire la démocratisation de l'Union européenne tout en la compliquant. L'unification monétaire du continent n'a que peu de chances de produire un regain d'intégration en suscitant une nouvelle dynamique d'engrenage. L'engrenage repose sur des réponses précises à un stimulus de groupes bien circonscrits de bénéficiaires ou de victimes qui se structurent en représentations d'intérêts pour pousser à l'approfondissement de la coopération entre États. Or l'euro engendre des réactions diffuses dans des larges parties de l'opinion publique et de la société, entraînant des mobilisations passant par des partis attrape-tout et des mouvements sociaux larges, avec une politisation des problèmes imprévisible et pouvant déboucher sur des soutiens comme sur des oppositions à davantage d'intégration. Dès lors, le scénario d'une polarisation de deux camps des gagnants et des perdants qui amènerait une recomposition générale et l'émergence d'un système européen de partis sur la base de ce clivage n'est pas la plus prévisible. Présentement, les soutiens les plus forts à l'euro sont dans les pays et les régions les moins performants économiquement, qui sont supposés souffrir le plus d'une devise forte et d'une politique économique austère. Les zones les plus performantes sont les plus circonspectes et réservées par rapport à la monnaie unique. Le front gagnants/perdants apparaît dès lors renversé. Le leitmotiv selon lequel l'intégration monétaire ferait peser une pression insupportable sur les économies les moins performantes en les pénalisant par une devise forte est, selon Schmitter, contredit par l'imbrication poussée des économies des États membres qui fait que les divergences d'intérêts nationaux sont extrêmement difficiles à quantifier et que les lignes de fracture passent peut-être davantage au sein des sociétés nationales[30]. Dans ces conditions, les conséquences de l'euro ne vont pas inéluctablement jouer en faveur de la démocratisation de l'UE, même si elles rendent cette dernière encore plus souhaitable. Les banquiers centraux ont davantage de facilité à promouvoir leur agenda monétariste par rapport aux enjeux en termes de croissance et d'emploi que défendent d'autres branches de l'État. Les partis politiques et les mouvements sociaux se trouvent objectivement exclus d'aspects critiques de la prise de décision et doivent ajuster leur programme en fonction

---

30. *Philip Schmitter, « The Political Impact of European Monetary Union upon "Domestic" and "Continental" Democracy », dans Robert M. Fishman et Anthony M. Messina (eds),* The Year of the Euro. The Cultural, Social and Political Import of Europe's Common Currency, *Notre Dame (Ind.), University of Notre Dame Press, 2006, p. 262-265.*

de cette nouvelle situation. Mais cela est vrai aussi des groupes d'intérêt économique qui peuvent moins facilement influencer une BCE autonome qu'une Commission traditionnellement plus ouverte à leurs préoccupations par le biais de la comitologie. Dans le même temps, les gouvernants nationaux peuvent utiliser leur déresponsabilisation *de facto* par le transfert d'instruments de pouvoir aux instances de Bruxelles et Francfort pour ne pas prendre les décisions attendues.

C'est tout le paradoxe d'une gouvernance monétaire européenne supposée protéger la société des manipulations de l'État en soustrayant la monnaie à l'action du pouvoir politique et qui aboutit au renforcement de l'État contre la société. La nouvelle donne durcit la division du travail : l'UE doit s'occuper de l'efficacité, les États de la justice sociale [31]. Le système européen a pour charge de garantir aux autorités nationales une base sûre et durable pour qu'elles puissent promouvoir la croissance et l'emploi et réaliser la redistribution nécessaire des richesses. En retour, les autorités nationales doivent maintenir le consensus sur la valeur de la stabilité économique qui est l'objectif et la justification du système européen pour que la BCE puisse continuer à œuvrer en toute indépendance. En pratique, cela postule un État fort à l'intérieur, capable de conduire, malgré l'opposition possible de groupes d'intérêt puissants, les ajustements nécessaires sur le marché du travail et les prestations sociales, alors que dans le même temps l'État a perdu ses instruments de politique économique comme le taux d'intérêt et le taux de change. Ici réside le problème fondamental de l'unification monétaire européenne. L'Allemagne a exporté dans le reste du continent son ordo-libéralisme et sa banque centrale indépendante, mais n'a pas exporté les autres composantes du capitalisme rhénan comme la concertation permanente et prospective entre le travail et le capital. Il en résulte de très fortes tensions entre économie et politique dans de nombreux pays. Les préférences collectives européennes continuent à se manifester en faveur d'un modèle social inclusif [32] incorporant dans le processus de changement les perdants potentiels et les opposants capables de bloquer les réformes, avec un État prenant en charge une partie des frais d'ajustement. Ces mécanismes de compensation ne peuvent guère fonctionner au niveau

---

31. Kenneth Dyson, « *The Euro-Zone in a Political and Historical Perspective* », op. cit., *p. 19-21*.
32. George Ross et Andrew Martin, « *Introduction. EMU and the European social model* », dans George Ross et Andrew Martin (eds), Euros and Europeans. Monetary Integration and the European model of Society, *New York (N. Y.),* Cambridge University Press, 2004, p. 1-19.

communautaire. Ils impliquent en effet des choix difficiles en matière de justice sociale, et donc une politisation extrême de la décision publique que l'UE est mal équipée pour réaliser. Cela motive un renouveau du néo-corporatisme, parfois diagnostiqué comme seul moyen de contrebalancer l'éviction des acteurs chargés plus particulièrement de la représentation sociale (parlements, partis d'opposition, groupes d'intérêt incluant les syndicats) par les instances investies de la décision en matière monétaire. Cette solution a été mise en pratique au niveau européen par le processus de Cologne et se vérifie au plan national dans les pays où existe une telle tradition néo-corporatiste. Elle peut rebuter encore davantage les pays déjà réticents face à l'euro et dont elle heurte les traditions politiques, comme la Grande-Bretagne [33].

Ce tableau contrasté montre que le nouvel ordre politique européen ne se laisse pas résumer par la prise de pouvoir unilatéral d'un acteur sur les autres. C'est toute la grammaire des rapports de force qui est redessinée. La plupart des analyses convergent, à partir de prémisses très différentes, pour considérer que la redistribution des compétences et des ressources dans le cadre de l'Europe monétaire découle d'un mouvement fondamental des valeurs définissant le rôle de la monnaie, mouvement que le politique accompagne ou impulse mais ne subit pas de façon impuissante, sans toutefois l'encadrer suffisamment. Les points de vue inspirés d'une sociologie économique critique soulignent la capacité potentielle des gouvernants à reprendre la main dans le système tel qu'il est, aussi technocratique soit-il. Il est par exemple suggéré de nommer des économistes hétérodoxes au sein des instances monétaires ou de réactiver le débat sur les déterminants de la formation de la politique monétaire européenne et pas seulement sur la gestion de ses effets [34]. Il s'agit en effet prioritairement, selon cette théorie critique, de lutter contre l'invisibilité structurelle de la BCE, résultant de la non-publicité des minutes du Conseil des gouverneurs, de la confiscation des choix publics par les experts suite à la démission des politiques et de la marginalisation spatiale et symbolique de l'autorité monétaire européenne à Francfort qui la place à l'écart des centres de pouvoir communautaires et cultive le sentiment d'aliénation des masses à son égard [35]. Des exemples déjà

33. *Kenneth Dyson (ed.)*, European States and the Euro. Europeanization Variation and Convergence, *Oxford, Oxford University Press, 2002, p. 352-354*.
34. *Frédéric Lebaron*, Ordre monétaire ou chaos social ? La BCE et la révolution néolibérale, *Broissieux, Éditions du Croquant, 2006, p. 51-52*.
35. *Ibid., p. 18-20*.

cités ont montré que les gouvernants nationaux pouvaient peser sur la politique monétaire européenne et faire entendre leur intérêt national quand ils en éprouvaient le besoin. S'ils ne s'attachent pas davantage à susciter une mise en responsabilité de la BCE, c'est donc moins en raison d'obstacles proprement institutionnels toujours amendables que d'une croyance sociale qui décrédibilise l'idée même de politique macroéconomique. Cette croyance associe l'influence du monétarisme anglosaxon à un attachement fort à la stabilité de la monnaie pour sacraliser l'autonomie de la banque centrale. Elle touche à une sorte de mystique et d'absolu moral chez certains des acteurs monétaires européens [36] mais conditionne aussi les perceptions des milieux politiques et médiatiques et les opinions publiques, ce qui montre bien qu'elle n'est pas réductible à l'emprise d'un groupe social en particulier. Dans le même temps, à partir de positions théoriques avalisant en bonne partie la ligne politique de la BCE, les spécialistes les plus avertis de la question monétaire rappellent que l'union politique est indispensable pour que le pacte social autour de la monnaie puisse tenir et formulent des propositions guère divergentes sur la démocratisation nécessaire des structures de l'eurozone. Pour assurer des fondations stables à l'UEM, des instances représentatives adaptées doivent offrir un espace d'expression en forme d'exutoire et un message de réassurance à des populations inquiètes du coût d'une politique dont elles ne ressentent pas encore les bénéfices [37].

Les nouvelles autorités monétaires européennes ne peuvent pas être justifiées par une responsabilité *ex ante*, du fait notamment de la technicité des problèmes traités et du secret nécessaire. Mais le modèle de la responsabilité *ex post* a montré ses limites au niveau national et contredit la culture démocratique largement partagée. Fondamentalement, c'est la notion même de demande d'un contrôle démocratique qui semble entrer dans un conflit insoluble avec les impératifs d'efficacité d'institutions jalouses de leur autonomie [38]. Le principe de publicité qui requiert d'une institution de rendre compte de son action en se confrontant à la délibération publique n'est que partiellement réalisé dans la mesure où la BCE contrôle unilatéralement les informations qu'elle émet et ne motive que faiblement ses décisions. Cela ne suffit donc pas à compenser les

---

36. Ibid., *p. 47.*
37. « *Ultimately, political institutions must provide a vehicle in which the people of Europe can express their concerns, worries, fears, hopes and anger* ». Voir *David Howarth* et *Peter Loedel*, The European Central Bank, *p. 190.*
38. *Philip Schmitter*, « *The Political Impact of European Monetary Union* », art. cité, *p. 268-270.*

faiblesses du principe majoritaire à l'échelle d'une UE toujours trop hétérogène pour que les acteurs acceptent le risque d'être mis en minorité sans possibilité d'échappatoire. Le principe organique qui exige le consensus autour d'un compromis général pour préserver le mythe de la souveraineté étatique n'est plus de mise dans un système monétaire à décision technocratique supranationale. L'externalisation des conflits à des instances autonomes, fondées sur le principe d'indépendance, qui décident des matières polémiques à la place des gouvernements (Commission, Cour de justice et BCE), suscite des craintes grandissantes devant la propension de ces instances à outrepasser leur mandat sans garde-fou pour les arrêter et se heurte à un doute fondamental sur l'objectivité de leurs choix. Somme toute, c'est une Europe en quête de la bonne combinaison de principes de légitimité complémentaires [39] qui se dessine. Cette quête est loin d'être achevée concernant l'UE, mais elle touche à des degrés divers tous les systèmes politiques contemporains.

—— Euro, identité et légitimation de l'UE

Une monnaie ne renvoie pas seulement à sa puissance émettrice et à la relation de confiance qui doit unir ses utilisateurs à l'autorité publique. Elle met en jeu plus largement les relations au sein du groupe social qui constitue sa communauté d'usage et ses éléments d'appartenance (identité culturelle et historique). Elle renvoie aussi aux rapports de ce groupe avec l'extérieur, tant par la définition d'une certaine communauté de destin qu'implique le partage d'une devise que par l'utilisation de cette devise par des tiers qui en fait un indicateur de puissance [40]. Le sens de la monnaie va se construire dans l'interaction généralisée constituée par la myriade des échanges dont elle est l'instrument et des usages qu'elle suscite. Si l'argent transforme les liens sociaux et les valeurs, il est lui-même retravaillé par ces liens et valeurs, investi

39. *Paul Magnette, « L'Europe en quête d'un principe de légitimité », dans Éric Dacheux (dir.),* L'Europe qui se construit..., *op. cit., p. 25-37.*
40. *Kœnig souligne la valorisation par les médias d'un euro fort par rapport au dollar et la dramatisation de sa baisse, alors même que les effets économiques de ces variations font qu'elles sont loin d'être corrélées positivement avec l'acceptation de la monnaie commune par les citoyens. Un euro cher est ainsi perçu de manière ambivalente comme flatteur sur le plan politique mais douloureux sur le plan social. Voir Gilbert Kœnig (dir.),* L'Euro vecteur d'identité européenne, *Strasbourg, Presses universitaires de Strasbourg, 2003, p. 5-13.*

de sens et intégré dans un contexte qui le particularise[41]. Une enquête montre ainsi que les Français associent d'abord à l'argent la valeur de sécurité plutôt que celles de liberté, de plaisir ou de réussite, avec des variations notables entre régions et sexes davantage qu'entre catégories de revenus[42]. Le rapport à l'argent que les individus nouent varie en termes d'apprentissage, de gestion ou d'image de soi selon l'âge, le milieu social et beaucoup d'autres facteurs[43]. Pratiques, identités et communautés préexistent le plus souvent à une monnaie et continuent à exister après sa création, quelles que soient les transformations qu'elles subissent. Les processus institutionnels d'unification monétaire rencontrent des résistances avec lesquelles ils doivent composer et qui rétroagissent sur eux en se les réappropriant de manière hétérogène[44].

La charge identitaire et la signification d'une devise sont de bons exemples de cette négociation du sens entre production et réception. La forme du symbole monétaire dit peu en elle-même mais révèle qui a été habilité à en décider, selon quelles modalités et avec quels objectifs et conséquences. Contrairement aux symboliques nationales dont l'origine supposée se perd dans un passé mythique, chaque création européenne apparaît comme un artefact daté et situé selon une procédure précise. Cette «transparence» du symbole peut être de nature à entraver sa capacité de légitimation en l'empêchant de susciter des interprétations contradictoires aptes à capter des allégeances diverses, du moins avant que le temps ne fasse son œuvre et facilite l'émergence de mémoires prenant leur liberté avec les faits. L'euro est encore dans son premier âge, où l'enthousiasme des débuts pour cette réalisation politique majeure est retombé sans que la longue durée ait pu sédimenter pour le lester du poids de la tradition. Les modalités du choix du nom et du graphisme de la monnaie européenne sont à comprendre au regard du début de réappropriation sociale qu'ils suscitent, en considérant qu'on en est au tout premier stade des effets que l'euro peut exercer – ou non – sur le renforcement d'une identité et d'une appartenance européenne.

Le nom d'une monnaie est tout sauf neutre. Généralement, c'est l'usage qui l'impose ou, à tout le moins, le consacre entre plusieurs options possibles. Pour l'euro, le choix est celui du refus d'appellations trop chargées d'histoire au profit d'un terme neuf et fonctionnel.

41. *Nigel Dodd,* The Sociology of Money, *Cambridge (N. Y.), Polity Press, 1994.*
42. *Jean-Michel Dumay, «La valeur actuelle de l'argent»,* Le Monde, *16 juin 2007.*
43. *Janine Mossuz-Lavau,* L'Argent et nous, *Paris, La Martinière, 2007.*
44. *Viviana Zelizer,* The Social Meaning of Money, *New York (N. Y.), Basic Books, 1994.*

Après une première tentative infructueuse de la Commission d'inscrire la question sur l'agenda du Conseil européen de Cannes en juin 1995, c'est finalement au sommet de Madrid en décembre de la même année qu'elle sera tranchée avec difficulté. Conserver « écu » est jugé inenvisageable par l'Allemagne du fait de l'instabilité monétaire associée par son opinion publique à cette première réalisation européenne. Diverses références historiques (florin, ducat, couronne, sesterce) sont proposées pour ancrer la nouvelle devise dans le passé, mais toutes se heurtent à des susceptibilités nationales. L'hypothèse de garder le nom des monnaies nationales en leur apposant simplement le préfixe *euro* (euromark, euro-franc, etc.) est rejetée car elle impliquerait la perte de l'effet unificateur d'une monnaie unique. Pour finir, le compromis de la présidence espagnol sur *euro* tout court emporte l'accord final [45]. Le nom de la subdivision de l'euro, le *cent*, est adopté de façon consensuelle au sommet Ecofin de Vérone en avril 1996 [46].

Ces choix initiaux traduisent un parti pris de neutralité pour éviter toute récupération tout en maintenant une exigence d'unité. Il en va de même concernant les règles d'usage sur les billets dans les différentes langues. L'acronyme BCE peut être traduit dans toutes ses versions linguistiques (BCE, ECB, EZB, EKT, EKP...). Il est par contre décidé de violer la grammaire en écrivant *euro* toujours au singulier pour ne pas avoir à en adopter des énonciations différentes au pluriel (en rajoutant *i* en italien, *en* en allemand), ce qui romprait son uniformité [47]. Depuis lors, les tentatives de promouvoir des écritures différentes du nom de la devise européenne se sont heurtées à des refus conjoints de la Commission et de la BCE, mais la bataille fait toujours rage. En 2004, la Lituanie, la Lettonie, Malte, la Hongrie et la Slovénie ont demandé à pouvoir adopter leur propre orthographe. La Lituanie a contesté de façon particulièrement virulente une proposition de la présidence hollandaise de l'UE alors en exercice d'utiliser le mot *euro* invariable écrit en alphabet latin dans toutes les langues. L'argument était que cela était grammaticalement impossible, le sens des mots étant déterminé en lituanien par leur terminaison, changeant selon leur place dans la phrase. Dans une lettre adressée à la présidence du Conseil et à la Commission, les autorités

---

45. *Gabriel Milesi,* Le Roman de l'euro, *Paris, Hachette, 1998, p. 32 et p. 106-109. Cette source détaillée est utilisée comme fil directeur, complétée par d'autres ouvrages tels notamment Pierre Gerbet,* La Construction de l'Europe, *Paris, Imprimerie nationale, 1999, p. 513-130 [3ᵉ éd.].*

46. Gabriel Milesi, Le Roman de l'euro, op. cit., p. 125.

47. *Les différences d'alphabet sont néanmoins prises en compte, ce qui autorise la Grèce à épeler le mot à sa façon.*

de Vilnius s'insurgeaient par ailleurs contre le caractère politiquement nuisible d'une telle mesure qui s'apparentait à leurs yeux à « une tentative d'exercer une influence politique sur le processus naturel du langage lituanien, qui est la base de l'identité nationale », et qui pourrait avoir des effets irrémédiables sur l'adoption de la constitution et la légitimation de l'Europe [48]. Un compromis fut proposé par la présidence hollandaise de l'UE qui consistait à conserver inchangé le mot *euro* sur toutes les traductions des documents communautaires et sur les pièces et billets, tout en permettant aux gouvernements nationaux d'écrire le nom de la devise européenne à leur convenance, pourvu que les trois premières lettres restent *eur* [49]. Aucune solution définitive pleinement consensuelle n'a cependant été trouvée. La polémique fait toujours rage à Malte, où le Conseil pour la langue maltaise a appelé à la mobilisation populaire pour défendre une formulation indigène mais où le gouvernement s'est plié aux règles européennes. La Lettonie se déclare prête à défendre son *eiro* devant la Cour européenne de justice pour trancher son bras de fer avec la Commission et la BCE, qui s'en tiennent à la thèse de l'intangibilité de l'euro arrêtée par les États membres en décembre 1995 [50]. Un nouveau front s'est ouvert lorsque la BCE a requis de la Bulgarie qu'elle adopte la même écriture en cyrillique que la Grèce pour ne pas avoir à modifier l'apparence de la monnaie commune, Sofia rejetant cette version comme artificielle dans sa langue nationale [51]. Après avoir menacé de mettre son veto au traité de Lisbonne [52], la Bulgarie a finalement eu gain de cause [53]. De tels cas montrent comment fonctionnalité et respect des particularismes entrent ouvertement en conflit, et il ne faut sans doute pas mésestimer l'impact psychologique collectif de telles controverses.

Hormis ces critères de bonne énonciation, les institutions européennes encouragent l'utilisation libre du symbole et du nom de l'euro. À l'instar des autres symboles comme le drapeau, leur usage est soumis à restriction uniquement quand il peut être de nature à créer une confusion

48. Richard Carter, « *Lithuania Chokes over Use of Euro* », *www.euobserver.-com*, 6 octobre 2004.

49. Marit Ruuda, « *Euro Spelling Dispute Still not Solved* », *www.euobserver.com*, 13 octobre 2004.

50. Alexander Balzan, « *Maltese Create Stir about Euro Spelling* », *www.euobserver.com*, 8 mars 2006.

51. Lucia Kubosova, « *Bulgaria Lobbies for Different "Euro" Spelling* », *www.euobserver.com*, 9 novembre 2006.

52. Elitsa Vucheva, « *Bulgaria Euro Row May Come up at Summit* », *www.euobserver.com*, 15 octobre 2007.

53. European Policy Center, « *Treaty Reform : Over and Done with... at Last* », *www.euractiv.com*, 23 décembre 2007.

impliquant l'UE ou lorsqu'il se révèle incompatible avec les principes et les buts de cette dernière[54].

En marge de ces batailles formelles, reste à savoir précisément comment ces mots et ces règles sont repris par le langage courant et quel univers discursif peut se développer autour d'eux. L'intensité et les modalités de cette réappropriation au quotidien constituent un indicateur de leur capacité à jouer le rôle de noyaux identitaires, dans la mesure où un symbole ne peut exercer ses effets qu'à travers une transaction généralisée entre son sens officiel et la myriade de sens sociaux qu'il peut acquérir. Des linguistes ont souligné avec acuité la richesse de la création langagière autour de l'argent, notamment dans les registres familier ou argotique, et ont spéculé sur la capacité de l'euro à susciter une telle floraison de significations[55]. Les histoires nationales montrent que chaque contexte linguistique invente des termes spécifiques en la matière et que les échanges ou partages sont rares. Il est donc peu probable qu'émerge un argot commun à tous les Européens pour désigner leur monnaie. Les mécanismes de création lexicale sont par contre très semblables dans toutes les langues, au sens où les mots pour désigner l'argent renvoient aux mêmes modes de représentation. Il est fait notamment référence à la forme du support monétaire, à sa taille (différente selon la valeur du billet pour l'euro), à sa couleur (chaque billet ayant une couleur propre, l'euro ne pourra y gagner un identificateur global à l'image du «billet vert» qu'est le dollar) ou à un élément visuel sur le principe de la métonymie désignant la partie pour le tout (là encore, l'euro souffre du handicap de son apparence anonyme, tous les billets comportant des illustrations de même type et un «Delacroix» français étant *a priori* plus facile à caractériser qu'un «gothique» ou un «contemporain» renvoyant aux styles architecturaux figurant sur la monnaie européenne).

En sus du langage courant, la littérature n'a pas tardé à s'emparer de l'euro et à le parer de significations particulières, souvent peu flatteuses. La nouvelle devise devient dans bien des cas l'incarnation de toutes les inquiétudes liées au changement et aux incertitudes de l'époque. Paradigmatique à cet égard est un roman allemand[56] où le héros souffre

---

54. *Réponse de Romano Prodi à la question écrite E-0792/03 de Stavros Xarchakos (PPE-DE) sur l'utilisation du terme euro et des emblèmes de l'Union européenne, 14 mars 2003, JO n° C 011 E du 15 janvier 2004, p. 120.*

55. *Voir les réflexions du lexicologue Fabrice Antoine comparant les désignations de l'argent en plusieurs langues sur cinq siècles : «T'as pas un eural? J'ai plus de rol!»,* Le Monde, *14 décembre 2001.*

56. *Heiko Michael Hartmann,* MOI, *Munich, Carl Hanser Verlag, 1997. Pour une analyse plus développée de l'euro dans la littérature, voir Brigitte Scherbacher-Posé, «Du mark à l'euro», art. cité, p. 63-66.*

d'une maladie infectieuse transmise par les billets de 50 euros, provoquant une prolifération anarchique des cellules et obligeant à des amputations successives jusqu'à mort. Les premières victimes sont des employés de banque au physique de clone, avant que le fléau s'étende à toute la société[57]. L'Allemagne a été la terre d'élection de la production de métaphores concernant l'euro dans la littérature, la presse ou le discours politique, tant la sensibilité de la question monétaire est restée vive dans ce pays.

Aux côtés du nom, le graphisme de la monnaie joue un rôle notable pour en faire un potentiel support identitaire. L'imagerie monétaire est signe de pouvoir, et il n'est pas anodin que les princes des époques antérieures aient cru nécessaire d'y faire figurer leur effigie, établissant ainsi un lien direct entre leur personne, l'instrument des échanges au sein de leur sphère de domination et un sacré collectif qui peut seul fonder la confiance nécessaire à la validité d'une devise. Comme l'écrit Carbonnier, « c'est dans une relation sémantique au souverain que se constitue l'imagerie monétaire. Ce qui la définit, c'est le pouvoir qu'elle a d'évoquer l'État, la société, le pays. Quelles que soient les illustrations choisies, elles ne sont pas anodines. [...] Le bon peuple devine que ce sont là fréquentations ou accessoires de princes, et partout où il les rencontre, il s'attend à voir passer le bien public. [...] L'image des monnaies vaut donc, en général, comme signe, proche ou lointain, de la souveraineté monétaire. L'erreur serait d'y voir une simple illustration, surabondante, d'une affirmation de souveraineté qui serait ailleurs : dans la subscription, la légende écrite [...]. La preuve que l'image monétaire fait partie intégrante de cette affirmation de souveraineté qui est l'essence même de la monnaie, c'est qu'il suffirait qu'elle fût contrefaite pour qu'il y eût, par exemple, contrefaçon d'un billet de banque, punie par l'article 139

---

57. *Ce thème romanesque de l'euro porteur d'infection ou suscitant des allergies est récurrent dans des acceptions différentes, toujours au détriment de l'Europe. Dans une fiction mettant en scène une conspiration multiséculaire pour détruire les États abritant les institutions communautaires, le personnage principal souffre d'une dermatose provoquée par la réaction chimique du cuivre et du nickel contenus dans les nouveaux euros. Voir Jean-Jacques Roche,* L'Agenda de Rome, *op. cit., p. 21. Le sujet a été au cœur du débat politique réel et de conflits d'intérêts. La France avait en effet tenté d'imposer le nickel dans le choix des matériaux des pièces d'euros pour favoriser la production de la Nouvelle-Calédonie. Elle s'était heurtée à de vigoureuses campagnes d'opinion dénonçant le danger potentiel de ce métal et faisant circuler des photographies de mains de caissières prétendument ravagées par le contact avec le nickel. Finalement, ce dernier entre dans la composition des pièces bicolores de un et deux euros, les autres étant faites d'alliages différents. Voir Gabriel Milesi,* Le Roman de l'euro, *op. cit., p. 176 et 231.*

du Code pénal, lors même que le faussaire n'aurait rien reproduit des mentions littérales d'un billet[58]. »

L'imagerie monétaire est à cet égard un bon indicateur des changements de régime. Les mutations du franc traduisent celles de la République. Marianne disparaît sous Vichy au profit de symboles moins républicains comme la francisque ou le profil de Pétain pour célébrer l'« État français » qui signe pièces et billets[59]. Elle revient à la Libération avec de Gaulle pour signifier le retour à l'ordre républicain, accompagnée de nouveaux motifs pour marquer le renouveau du pays[60]. Les modèles hérités de la Troisième République perdurent ensuite, moyennant le discret effacement ou suppression du bonnet phrygien de Marianne, par souci esthétique de sobriété ou par attiédissement du zèle républicain dans l'après-guerre, comme cela s'était passé au XIXᵉ siècle[61]. L'imagerie monétaire exprime aussi des phénomènes moins radicaux que le passage d'un ordre politique à un autre. La floraison de pièces commémoratives sous de Gaulle et Mitterrand témoignent d'une même volonté de réactiver la mémoire nationale pour se réinscrire dans l'histoire longue, volonté beaucoup moins présente sous Pompidou ou Giscard d'Estaing[62]. Significativement, à l'issue des débats pour décider des motifs sur la face française de l'euro, il est décidé de maintenir la Semeuse et Marianne, figures en déclin dans les dernières années mais dont la dimension traditionnelle joue un rôle de réassurance sur la continuité de l'identité nationale au-delà de l'adoption d'une nouvelle monnaie.

Au niveau européen, l'innovation est obligée faute de précédent. La définition des graphismes de l'euro donne lieu, comme pour le nom, à des stratégies concurrentes. La balance penche cette fois davantage vers les instances supranationales technocratiques et moins vers les gouvernants nationaux, signe que la logique de régulation de l'Europe monétaire commence à s'affirmer. La Commission européenne est soucieuse de rendre la monnaie unique la plus concrète possible pour éviter tout retard ou même une éventuelle remise en cause, compte tenu de l'affaiblissement du soutien populaire au projet. Elle procède donc à un véritable coup de force pour dévoiler un logo de sa propre initiative lors du Conseil Ecofin de Dublin du 12 décembre 1996 qui précède un Conseil

---

58. *Jean Carbonnier,* Flexible droit, op. cit., *p. 344-345.*
59. *Maurice Agulhon,* Les Métamorphoses de Marianne, *Paris, Flammarion, 2001, p. 95.*
60. Ibid., *p. 113.*
61. Ibid., *p. 127.*
62. Ibid., *p. 149-150.*

européen, alors qu'elle n'a aucune habilitation pour cela. Une collaboratrice d'Yves-Thibault de Silguy, commissaire en charge du dossier, a imaginé un « € » comme Europe barrée de deux traits, en référence explicite au dollar pour cultiver le mimétisme avec la monnaie de référence internationale, mais aussi parce que les traits horizontaux sont supposés exprimer la stabilité. En outre, la forme de la lettre évoque l'epsilon grec, clin d'œil à héritage antique du continent. L'équipe de De Silguy profite de l'attention médiatique suscitée par le sommet européen pour diffuser le logo floqué sur des tee-shirts offerts aux journalistes et sur des écharpes remis aux ministres des Finances. Le succès est général et le motif est largement repris dans la presse, puis par des entreprises. La Commission a réussi à créer un état de fait, l'effet d'agenda et le rapport de force politique conclu victorieusement apparaissant en la matière plus important pour les acteurs que le symbole choisi[63].

La configuration est différente concernant le choix des graphismes des pièces et billets, dans la mesure où les compétences sont plus clairement distribuées par les textes. L'Institut monétaire européen (IME, instance précédant la BCE) est mandaté pour mener à bien la préparation des maquettes des billets d'euro. Il a dès lors lancé un concours auprès des créateurs européens, et le processus se conclut en novembre 1996 au bénéfice du projet d'un graphiste de la Banque nationale d'Autriche, Robert Kalina. Ce sont les modalités de publicisation de ce résultat qui dévoilent, une fois encore, le souci des différents acteurs de marquer leur position. L'IME envisageait initialement de dévoiler la maquette des billets à son siège de Francfort, puis de les présenter ensuite aux chefs d'État et de gouvernement au Conseil européen de Dublin en décembre 1996. Cette démarche, logique sur le plan juridique, permettait aux gouverneurs des banques nationales composant l'IME d'afficher leur indépendance. Les gouvernants nationaux protestèrent au contraire car une telle procédure amenait à les mettre devant le fait accompli aux yeux des opinions publiques, au risque de renforcer l'image d'une Europe monétaire sous l'égide de technocrates irresponsables. La Commission joua le rôle de médiateur pour résoudre ce différend en proposant un compromis qui ménageait les prérogatives de l'IME et la susceptibilité des dirigeants nationaux. Le président en exercice de l'IME, Alexandre Lamfalussy exposa les billets aux chefs d'État et de gouvernement, alors que dans le même temps son successeur désigné Wim Duisenberg en

63. *Gabriel Milesi*, Le Roman de l'euro, op. cit., *p. 142.*

assura la communication au siège de l'institution à Francfort[64]. Au-delà de l'anecdote, ces circonstances annoncent le raidissement de la future BCE sur sa posture d'indépendance absolue et soulignent l'affrontement latent de logiques qui président à la mise en forme de l'agenda européen.

Le dessin des pièces donna lieu à moins de conflits protocolaires, étant du ressort de l'intergouvernemental. Le Conseil Ecofin de Vérone en avril 1996 décida que les futures pièces de la devise européenne auraient des faces nationales pour la rendre plus populaire. La détermination des faces européennes se fit par le biais d'un concours à l'issue duquel fut retenu le projet de Luc Luycx, informaticien de la Monnaie royale de Belgique, et les chefs d'État et de gouvernement entérinèrent ce choix lors du Conseil européen d'Amsterdam en juin 1997[65].

La signification du graphisme de ces pièces et billets d'euro est laissée largement ouverte au terme de ce processus. Le sens d'un symbole se négocie toujours dans son usage, mais les marges d'interprétation offertes sont plus ou moins grandes selon le travail de codification auquel se livre l'autorité qui l'émet et les références mobilisées. Force est de constater que l'imagerie monétaire européenne est faiblement prédéfinie et traduit les contraintes habituelles de l'Europe à s'emblématiser. Le choix a été fait de recourir à des supports symboliques imaginaires pour mettre en exergue les thématiques de la communication et de la diversité. L'apposition de monuments imaginaires sur les billets réaffirme la virtualité d'une Europe qui n'a pas de patrimoine propre qui ne soit d'abord national. Le créateur des dessins s'est bien inspiré de paysages réels (pont du Rialto à Venise, pont de Neuilly à Paris, etc.) mais il en a soigneusement supprimé tous les éléments reconnaissables afin de les rendre totalement anonymes[66]. Il s'agissait d'éviter de mettre en valeur un État membre particulier au détriment des autres, ce qui oblige en revanche à renoncer à ancrer l'Europe dans un lieu identifié et chargé d'histoire[67]. L'accent est mis sur les thématiques de l'échange et de la diversité. «Fenêtres et portails dominent sur la face recto de chaque billet pour évoquer l'esprit d'ouverture et de coopération dans l'Union européenne.

64. Ibid., *p. 148-149.*
65. Ibid., *p. 124-125.*
66. Herald Tribune, *3 août 2001.*
67. *Le fait que la valeur faciale des billets s'accroît à mesure que la modernité des styles architecturaux représentés grandit (de l'aqueduc romain du 5 euros au contemporain des 500 euros) peut être lu comme une valorisation de la modernité sur l'histoire qui s'inscrit, là encore, dans la tradition symbolique européenne.*

Le verso représente un pont caractéristique d'une époque donnée symbole de la communication entre les peuples de l'Europe et entre l'Europe et le reste du monde[68].» Chaque pont est doublé d'un reflet inversé (billets de 10, 20 et 100 euros) ou parallèle (billets de 50, 200 et 500 euros), à l'exception du billet de 5 euros qui comporte l'image d'un aqueduc à trois niveaux superposés. La communication mise en scène est ainsi toujours à multiple sens, avec la possibilité constante d'une alternative.

Les motifs des faces européennes des pièces mettent davantage en scène l'Europe comme espace partagée, à travers «une carte de l'Union européenne sur un fond de lignes transversales auxquelles sont reliées les étoiles du drapeau européen». Les pièces de 1, 2 et 5 cents esquissent la place de l'Europe dans le monde, celles de 10, 20 et 50 cents donnent à voir l'Union en tant que groupe de nations, chaque pays se découpant distinctement, et les pièces de 1 et 2 euros offrent l'image de l'Europe sans frontières. L'Europe apparaît ainsi comme composante du système monde, comme somme de ses parties et comme espace ouvert davantage que comme un territoire abritant une communauté constituée et une sphère identitaire bien circonscrite. La Grande-Bretagne, le Danemark et la Suède figurent sur les pièces d'une monnaie qu'ils ont refusée, dans un décalage entre symbole et référent coutumier de l'imagerie européenne. Les nouveaux États membres issus des adhésions de 2004 et 2007 n'y figurent pas alors qu'ils ont vocation à intégrer la zone euro. Cela peut susciter la nécessité de rouvrir le chantier symbolique et pourra alimenter chez les populations de ces pays, dans la période où circuleront les pièces ne comportant pas la représentation de leur territoire, le sentiment d'être les citoyens de seconde zone d'une Europe à deux vitesses[69].

Les faces nationales sont laissées à l'entière discrétion de chaque État. Le pari est, pour reprendre les mots du Conseil des ministres, que «les différents emblèmes des faces nationales, au lieu d'être source de confusion pour les usagers, permettront, en rendant hommage, tout au moins en partie, aux différentes traditions des États membres en matière d'emblème, que l'euro soit mieux accepté[70]». La panoplie des personnages et symboles accueillis sur les pièces est donc large, et même le pape y trouve sa place puisque le Vatican est autorisé à en frapper à

---

68. *http://europa.eu.int, consultation le 16 novembre 1998.*
69. *Pauliina Raento et al., «Striking Stories : a Political Geography of Euro Coinage», Political Geography, 23, 2004, p. 952.*
70. *Réponse du Conseil à la question écrite E-0338/99 de Karla Peijs (PPE) sur les faces nationales des pièces et monnaies en euros, 25 février 1999, JO n° C 297 du 15 octobre 1999, p. 155.*

son effigie[71]. Dans la même logique, la communication autour du lancement de la monnaie commune est – moyennant une coordination par la Commission – déléguée aux administrations nationales, jugées les plus à même de trouver la manière la plus juste de sensibiliser le citoyen. Les procédures de définition du symbole monétaire ont donc varié selon les pays et produit des résultats différents en fonction de la tradition ou de la conjoncture domestique. Ainsi en France, la consultation a impliqué des acteurs divers et une attention particulière a été portée à maintenir une continuité avec le franc tout en renonçant à des figures comme celle de de Gaulle qui auraient pu être perçues comme un signe nationaliste et heurter les mémoires des autres nations. En Belgique par contre, les comités de sélection ont été très technocratiques et les représentants de la Couronne ont imposé de se concentrer sur une image très littérale du profil du roi, traduisant un apparent raidissement d'une institution monarchique attaquée de façon croissante dans ses dernières prérogatives. En Allemagne, un équilibre a été cherché entre symboles enracinés dans l'imaginaire collectif comme l'aigle germanique et d'autres beaucoup plus pacifiques et ouverts comme la porte de Brandebourg. Si l'on se hasarde à esquisser une tendance, les petits pays semblent avoir privilégié des symboles généraux, alors que les grands cultivaient sans complexe leurs particularismes[72].

Au-delà de cette diversité, la devise européenne n'en est pas moins communément ressentie comme vide de sens faute d'un contenu symbolique explicite. Jacques Hymans propose néanmoins de relire cette absence de contenu moins comme l'étrangeté d'une « monnaie pour la planète Mars[73] » que comme la pertinence d'une monnaie du XXIe siècle, en phase avec l'esprit du temps et pleinement adaptée au développement d'une identité européenne. Selon cet auteur, l'euro serait par excellence une monnaie conforme aux critères de l'idéologie postmatérialiste et postnationale telle que définie notamment par Ronald Inglehart.

---

71. Caroline Sägesser, « Quelques aspects du régime des cultes en Europe », dans Alain Dierkens et Jean-Philippe Schreiber (dir.), Laïcité et sécularisation dans l'Union européenne, Bruxelles, Éditions de l'Université de Bruxelles, 2006, p. 82.
72. Fabrice Amedeo, La Dimension cachée de l'euro. L'iconographie monétaire, lien entre citoyens et vecteur symbolique d'identité européenne ?, mémoire de DEA, IEP de Paris, 2003, p. 34, 64, 68-69, 89.
73. Jacques E. C. Hymans, « Money for Mars ? The Euro Banknotes and European Identity », dans Robert M. Fishman et Anthony M. Messina, The Year of the Euro, op. cit., p. 16-36. Hymans s'appuie sur une base de données des figures humaines utilisées par les banques centrales des quinze premiers membres de l'UE depuis le XIXe siècle et sur une analyse du processus de production des billets.

L'époque est marquée par le culte de l'égalité et par un déplacement de la source de la légitimité sociale de l'État à la société puis à l'individu. Durant la deuxième moitié du XXe siècle, ce mouvement dans les valeurs s'est traduit dans les imageries monétaires nationales par un abandon progressif des incarnations de l'État au profit d'individus représentant des groupes sociaux tels des classes économiques, et finalement d'acteurs ne renvoyant plus qu'à eux-mêmes, artistes ou scientifiques illustrant le primat postmoderne de la recherche de la qualité de vie sur la dévotion à la tradition ou la quête de biens matériels. Dès lors, l'absence de figure humaine sur les billets d'euro est signe de contemporanéité plutôt que de manque. De la même façon, ne pas situer les monuments est une façon de refuser une « approche culturelle de la culture » par les « chefs » et les « chefs-d'œuvre » pour privilégier la qualité de l'expérience. Par ces architectures inassignables, l'intention est de suggérer que l'Europe est partout à la fois mais nulle part en particulier. Plutôt que d'afficher la Tour Eiffel pour exalter la supériorité de la vie à Paris, il est suggéré la valeur inhérente à l'expérience de vie de tout Européen qui peut côtoyer ces éléments d'un patrimoine commun. Par son esthétique particulière, l'euro propose donc au citoyen de coproduire le sens de sa monnaie en s'y projetant pour lui donner sa propre signification, en refusant toute version autorisée venue d'en haut.

Cette interprétation positive du graphisme de l'euro est séduisante et incontestablement en phase avec les logiques de production symbolique contemporaines. Il faut néanmoins nuancer fortement sa nouveauté, dans la mesure où le succès d'un symbole a de tout temps été fonction de sa polysémie et de la diversité des interprétations qu'il permettait en étant reconstruit par le récepteur. Par ailleurs, elle apparaît en partie comme une rationalisation de l'incapacité des acteurs européens à adopter une version plus explicite de la monnaie européenne. Hymans lui-même rapporte de manière détaillée comment il avait été initialement envisagé au sein du comité technique en charge de préparer l'euro de mobiliser des grands contributeurs culturels à l'Europe, mais qu'il s'était finalement avéré impossible de parvenir à une liste consensuelle pour deux raisons. D'une part, toute grande figure intellectuelle était d'abord perçue comme un hommage à son pays d'origine, ce qui posait un problème d'équilibre entre les États membres. D'autre part, chaque personnalité présentait des propriétés qui suscitaient la crainte de rebuter certains publics : Shakespeare était considéré comme trop antisémite, Mozart trop franc-maçon, Vinci trop homosexuel [74]. Le refuge dans l'abstraction fut

74. Ibid., p. 27.

finalement perçu comme le meilleur moyen de faire un symbole qui ne visait pas prioritairement à plaire à tout le monde, mais à ne déplaire à personne. Le graphisme final de l'euro, nonobstant son ancrage dans les valeurs du présent, est donc bien un plus petit dénominateur commun reposant sur des présupposés faibles d'une identité européenne.

L'émission, initiée en 2007, de pièces commémoratives (destinées à circuler comme les pièces ordinaires) quasi identiques dans tous les États membres ouvre une perspective inédite. Auparavant, il existait des initiatives individuelles de certains pays qui utilisaient leur face nationale pour célébrer un événement particulier, comme la Grèce en 2004 à l'occasion des Jeux olympiques. Le cinquantenaire du traité de Rome a motivé la frappe d'une pièce de 2 euros représentant la place du Capitole à Rome, lieu de signature du texte[75]. Cela constitue le premier acte de mémoire commun en matière monétaire, inscrivant dans un même mouvement tous les États membres de la zone euro dans une temporalité et une spatialité clairement identifiées. L'expérience sera renouvelée en 2009, avec la frappe d'une pièce de 2 euros marquant le dixième anniversaire de l'union économique et monétaire. L'aspect volontairement primitif du dessin entend souligner que l'euro est l'aboutissement d'une longue histoire des échanges commerciaux, allant du troc au marché intégré d'aujourd'hui[76]. Une nouvelle stratégie symbolique plus explicite semble donc s'esquisser, reste à voir si elle se confirmera dans la durée.

Les institutions européennes n'ont pas tardé à mobiliser le symbole euro dans leur communication visuelle. Observée dans la longue durée, la présence du symbole monétaire monte notablement en puissance à partir de 1998 dans les publications grand public de la Commission, surtout sous la forme du dessin. C'est par son sigle, aisé à reproduire et à reconnaître, beaucoup plus que par son iconographie, que la monnaie européenne est utilisée dans les configurations les plus variées. Le « € » sert avant tout comme « signature » européenne, par exemple concernant l'aide au développement de l'UE[77]. Il est célébré dans les premiers temps comme une réalisation politique de première importance dans le cours de l'intégration communautaire. Par la suite, l'euro semble se banaliser avec un statut ambivalent. Il apparaît fréquemment comme un signe d'imputation qui renvoie à l'Europe sans l'incarner de manière aussi hiératique que peuvent faire les douze étoiles. Il concurrence néanmoins de

---

75. http://europa.eu/, consulté le 27 mars 2007.
76. http://ec.europa.eu/, consulté le 14 mars 2008.
77. « Comment fonctionne l'Union européenne », 1997, p. 27.

plus en plus ces dernières comme marque de reconnaissance permettant d'identifier l'action communautaire. Son sens propre de symbole monétaire tend alors à se diluer. L'euro devient l'une des facettes de l'entité européenne, en attendant peut-être qu'il finisse par incarner un *« european way of life »* à l'instar du « $ » du dollar souvent détourné comme sigle du capitalisme américain. Les usages de plus en plus fréquents de l'« € » dans les répertoires de l'action collective en et – surtout – hors d'Europe[78] montre que l'euro n'est plus si loin de ce statut de symbole civilisationnel.

Les enquêtes d'opinion confirment que la monnaie commune est aujourd'hui une des représentations les plus efficaces de l'Europe, tant sur le plan cognitif (reconnaissance) que normatif (évaluation). Quand il leur est demandé de citer spontanément ce que l'UE évoque pour eux, les citoyens communautaires mentionnent l'euro en troisième position après la coopération entre États et les institutions[79]. La devise est citée au troisième rang des résultats les plus positifs de l'intégration, loin derrière la paix et la libre circulation mais loin devant la PAC[80]. Enfin, pour le futur de la construction européenne, l'introduction de l'euro dans tous les États membres est perçue comme l'élément le plus utile, certes moitié moins qu'une égalisation des niveaux de vie mais autant qu'une constitution et davantage qu'une langue commune, des frontières bien définies ou une armée européenne[81]. L'euro est donc à la fois une objectivation forte et un élément constitutif de l'UE.

Ce succès symbolique ne signifie cependant pas nécessairement que la monnaie en elle-même soit pleinement acceptée et aimée, et qu'elle contribue de façon univoque à la légitimation de l'autorité émettrice. Les effets de l'euro sur le plan de l'identité européenne et de l'allégeance à l'UE ne peuvent en effet être dissociés du bilan dressé par les citoyens des politiques économiques qui lui sont rattachées. S'il est sans doute beaucoup trop tôt pour que la devise européenne ait pu se lester de l'attachement affectif ordinairement réservé aux signes de l'autorité publique et du quotidien, les souvenirs et l'expérience présente des sacrifices attribués à tort ou à raison aux décisions de la BCE se font sentir dans toute leur acuité. Les enquêtes d'opinion donnent un aperçu de la relation partagée que les Européens ont noué avec l'euro.

---

78. *L'euro est ainsi le mot le plus souvent associé à l'Union européenne selon une enquête de perception réalisée en 2006 dans six pays asiatiques. Voir* http://esia.asef.org.
79. *Commission européenne,* Eurobaromètre spécial, *251, op. cit., p. 20.*
80. Ibid., *p. 31.*
81. Ibid., *p. 8.*

Le remplacement des devises nationales par la devise européenne a constitué un cas inédit de substitution et non de cumul (comme pour le drapeau ou l'hymne), avec en plus des implications pratiques considérables qui avaient suscité des craintes immenses. Dans les mois précédant le 1er janvier 2002, des interrogations se faisaient entendre de manière récurrente sur les risques de blocage et de dysfonctionnement que pouvait entraîner une rupture d'approvisionnement en moyens de paiement. La communication des institutions se focalisa d'ailleurs sur cette dimension logistique, prenant peu en charge la portée politique et psychologique du changement, ce qui explique sans doute en partie les interrogations et les doutes qui se firent jour sur le sens social de la nouvelle devise, une fois dissipée l'euphorie de son adoption sans heurts [82]. Dans une perspective plus sociologique, une série d'études [83] souligne les inégalités dans la confrontation à l'euro, les appartenances sociales fonctionnant comme des faisceaux singuliers de particularismes sociaux plus que comme des discriminants en elles-mêmes. L'habitude de payer dans une devise étrangère (deux tiers des Grecs ne le font jamais contre moins de 5 % des Luxembourgeois et des Danois [84]), la mobilité (70 % des Européens ne prennent jamais de vacances à l'étranger, avec là encore de fortes disparités [85]), les traditions de la division du travail entre sexe (les femmes apparaissant plus réticentes envers l'euro du fait qu'elles sont plus directement en prise avec les problèmes de la vie pratique et qu'elles seraient plus rétives au discours très technique utilisé pour promouvoir la monnaie commune [86]), les usages monétaires domestiques de chaque État membre (selon que la devise nationale est plus ou

---

82. *La leçon ne semble guère en avoir été tirée, puisqu'il a été procédé de même dans les introductions ultérieures de l'euro comme à Chypre et Malte. Cf. Commission européenne, «Introduction de l'euro à Chypre et Malte», Bruxelles, 18 avril 2008.*

83. *Tous les articles suivants ont été publiés dans la* Revue du Marché commun et de l'Union européenne *: Thierry Vissol, «Intégrer le facteur humain. Aspects psychosociologiques du passage à l'euro», 421, septembre 1998 ; Carla Collicelli, «Une société dense», 422, octobre 1998 ; Bruno Théret, «Les dimensions sociopolitiques de la monnaie», ibid. ; Vicente Perez Plaza, «L'euro comme processus de communication politique», 423, novembre-décembre 1998 ; Norbert Reich, «Droit et confiance», ibid. ; Jean Tonglet, «À propos des plus pauvres», ibid. ; Carole B. Burgoyne, David A. Routh et Anne-Marie Ellis, «Psychologie économique et monnaie», 424, janvier 1999 ; Jacques Birouste, «Médiateurs et passeurs de l'euro», ibid. ; Jean-Michel Servet, «Intégrer le facteur humain : établir la confiance», 425, février 1999.*

84. *Jean-Michel Servet,* L'Euro au quotidien, op. cit., *p. 21.*

85. *Ibid., p. 66.*

86. *Ibid., p. 40.*

moins forte que l'euro et que les prix varient donc à la hausse ou à la baisse, que la conversion est facile ou non, que la distribution entre pièces et billets est comparable, que la monnaie scripturale est développée ou non[87]) sont autant de paramètres qui font anticiper de manière diverse l'arrivée de la nouvelle monnaie. De façon générale, ceux dont le mode de vie fait qu'ils bénéficient le moins des facilités offertes par l'euro sont aussi ceux qui ont le moins de ressources – notamment cognitives – pour gérer le changement et qui en paient le coût le plus élevé.

Sur le plan technique, la transition s'est finalement passée avec une facilité surprenante. L'accoutumance des citoyens à l'euro s'est poursuivie depuis lors. Les citoyens sont de plus en plus à l'aise en manipulant l'euro, ils s'en servent plus souvent comme référence pour calculer les prix de leurs achats et se montrent de plus en plus disposés à abandonner le double affichage. Ils sont par ailleurs plus satisfaits qu'au début de l'éventail des pièces en euros[88]. Tous ces indicateurs montrent que le passage à l'euro constitue un exemple d'action publique européenne multiniveaux bien menée[89]. L'adaptation n'est néanmoins pas totale. Un tiers des personnes déclarent avoir encore des difficultés avec l'euro et 15 % être en grande difficulté avec la nouvelle devise. L'euro a encore un impact sur les habitudes de consommation d'une majorité de citoyens : il conduit dans certains cas à dépenser moins par peur d'être grugé ; il conduit dans d'autres cas à dépenser plus car le consommateur perd conscience du niveau réel des prix. Les conditions d'usage de l'euro sont encore mal connues, notamment les réglementations interdisant les frais de virement bancaire ou de retrait par carte dans les différents pays de la zone euro. Plus généralement, l'adoption de l'euro est toujours perçue comme une bonne chose, mais cette opinion est en érosion régulière depuis l'introduction des pièces et billets. En septembre 2002, 59 % des citoyens interrogés pensaient que l'euro était «une opération globalement avantageuse» contre 29 % «une opération globalement désavantageuse». En octobre 2005, ils ne sont plus que 51 % à voir l'euro comme

---

87. Ibid., p. 63, 99.

88. *Des voix continuent néanmoins à se faire entendre pour supprimer les pièces d'1 centime d'euro, ou pour remplacer les pièces d'1 euro par un billet afin de mieux concurrencer le dollar comme monnaie mondiale jusque dans les plus petites transactions. Voir un plaidoyer en ce sens du ministre italien de l'Économie Giulio Tremonti, «Un euro de papier», Le Monde, 27 mars 2004.*

89. *Ces indicateurs sont extraits de Commission européenne, Eurobaromètre Flash, 175, «L'euro, 4 ans après l'introduction des billets et des pièces», terrain octobre 2005, réalisé par EOS Gallup Europe, Bruxelles, novembre 2005.*

avantageux contre 39 % d'un avis opposé[90]. Les principaux avantages portés en faveur de l'euro sont les déplacements plus faciles et moins chers, les comparaisons de prix plus aisées et le renforcement du statut de l'Europe dans le monde. En termes de retombées négatives, il est très largement estimé que l'euro a fait grimper le niveau des prix, réalité que les autorités européennes ont longtemps niée avant de l'admettre du bout des lèvres. Indépendamment de l'appréciation faite par chacun au regard de ses intérêts propres, ce qui est ici en jeu est la confiance entre les individus, la monnaie et les institutions qui en sont garantes, confiance postulant la fiabilité et la transparence de la relation monétaire dans le long terme qui amène à « faire crédit » à la société et à autrui de la jouissance immédiate de son travail[91].

Le bilan de l'euro est donc contrasté. Chaque population tend à considérer que le changement profite plus aux autres qu'à elle-même. Début 2007, entre la moitié et les deux tiers des habitants des quatre grands pays de l'eurozone considèrent que la monnaie unique a eu un impact négatif sur leur économie nationale, mais qu'elle a bénéficié à l'économie européenne dans son ensemble. Cela conduit néanmoins une majorité des sondés à regretter les anciennes devises nationales[92]. L'euro est en outre discriminant sur le plan sociologique, dans les pays qui en sont déjà usagers comme dans ceux qui se préparent à l'adopter. Le schéma d'une Europe élitaire parlant préférentiellement aux mieux dotés culturellement et économiquement et leur offrant davantage de possibilités de maximiser les ressources qu'ils possèdent déjà est renforcé plutôt que corrigé. Ce sont les groupes sociaux les plus favorisés qui s'approprient le plus facilement l'euro et en profitent le plus : les plus jeunes ; ceux qui ont fait le plus d'étude ; les urbains. Ceux qui voyagent le plus fréquemment le plébiscitent.

Les conséquences de ce tableau des opinions sur le plan politique restent nuancées. Il existe un large accord pour considérer que la coordination des politiques économiques qui accompagnent l'unification monétaire est insuffisante, et chaque dégradation de la situation économique accentue ce sentiment. Les personnes interrogées savent en majorité qu'une coordination économique existe mais le Pacte de stabilité en tant que tel est très peu connu. Malgré tout, lorsqu'il l'est, il est considéré

---

90. Ibid., p. 33.

91. Matthias Kaelberer, « Trust in the Euro : Exploring the Governance of a Supra-National Currency », European Societies, 9 (4), 2007, p. 626.

92. Ralph Atkins, « Europeans Still Take a Dim View of The Euro », Financial Times, 28 janvier 2007.

comme une bonne chose, contrairement à ce qui s'est dit pendant le débat constitutionnel français. La dimension politique de la monnaie unique reste finalement bien floue et contradictoire dans l'esprit des citoyens, comme la technicité des débats en ce domaine peut le laisser supposer.

Ses effets en termes de légitimation sont dès lors loin d'être acquis. Il était très attendu que la monnaie unique favorise le renforcement d'une conscience européenne commune. Sur ce point, les attentes sont déçues. Pour environ 80 % des personnes interrogées, l'usage de l'euro n'a rien changé à leur sentiment d'être européen. Environ 18 % des personnes se sentent « un peu plus » européens et 3 % « un peu moins ». Le statu quo perdure depuis 2002, il n'y a donc pas de dynamique enclenchée sur ce point[93]. Si cela ne préjuge pas de l'avenir tant est long et lent le temps du symbolique, cela suggère néanmoins que l'euro prend peut-être l'ornière des autres symboles européens, celle d'un enracinement réel mais modeste et peu profond en termes d'intensité dans l'imaginaire collectif des Européens.

L'incertitude des effets de la monnaie commune sur une identité européenne en devenir découlent sans doute en partie du fait que les ambitions affichées en matière de constitution d'une communauté politique supranationale ont toujours été doublées de la réaffirmation que l'euro n'effacerait pas les identités préexistantes. Une telle réserve n'était pas de mise au XIXe siècle, les pièces et billets des entités étatiques en construction ayant explicitement vocation à susciter l'allégeance exclusive des citoyens aux nouveaux centres de pouvoir. On attend aujourd'hui certes moins de la monnaie, l'alphabétisation des masses les rendant supposément moins sensibles à l'imagerie monétaire et surtout plus exposées à l'action de l'État par le biais de l'éducation ou des médias. Sans préjuger de ce que fera l'euro, on peut d'ores et déjà augurer de ce que ne feront plus les monnaies nationales. Leur disparition prive les nations européennes de plusieurs de leurs facteurs constitutifs : un médium de communication sociale, une expérience partagée et une solidarité de fait par l'exposition commune aux variations de la monnaie, un instrument de souveraineté dans le domaine économique, un signe fort de la confiance mutuelle. L'euro ne donnera peut-être pas à l'Europe ce que le franc ne donne plus à la France, mais la simple érosion de l'identification nationale nourrie par la monnaie peut ouvrir un espace supplémentaire à l'identification européenne[94].

---

93. *Commission européenne*, Eurobaromètre Flash, *175*, op. cit., *p. 45*.
94. *Eric Helleiner, « One Money, one People ? Political Identities and the Euro »*, *dans Patrick M. Crowley, (ed.)*, Before and Beyond EMU, op. cit., *p. 183-202*.

Reste que, pour l'heure, la perception de la monnaie commune continue à être passée au crible du national et chacun l'accommode selon les conditions particulières de son histoire. Les Italiens voient en l'euro le moyen de sortir par le haut de leurs problèmes domestiques, dans la lignée de la reconstruction de leur identité nationale autour de leur identité européenne au sortir de la deuxième guerre mondiale. Les contraintes économiques lourdes imposées par Bruxelles ont été ainsi acceptées sans trop de mal comme une salutaire mise en tutelle d'une classe politique peu fiable sans sentiment d'aliénation. L'Allemagne a elle aussi reconstruit son identité nationale par l'Europe après 1945, mais les élites ne disposent pas du même consensus permissif pour entraîner le pays vers la monnaie unique. La population était très attachée au Deutschmark en tant que symbole de la nouvelle voie allemande, et son abandon à contrecœur au profit d'un euro compris comme un Mark européen laisse encore des rancœurs et des méfiances envers le « *teuro* » (de l'allemand *teuer*, qui signifie cher) accusé d'avoir fait flamber les prix et de n'être pas tout à fait sûr. De la même façon, la Grande-Bretagne est fidèle à son modèle historique par son refus de la monnaie unique. Elle reprend là sa posture traditionnelle d'accompagnement de l'intégration européenne sans véritablement se considérer comme une composante à part entière de l'Europe politique, une façon d'être « avec » mais pas « de » pour paraphraser Churchill en 1953[95]. Tant sur le plan de l'identité que des structures, l'Europe monétaire n'agit pas comme une détermination extérieure aveugle, un relais neutre de la globalisation, mais transite par la médiation discursive des élites nationales qui en font une traduction variable selon leurs croyances et leurs intérêts particuliers[96]. La monnaie unique s'inscrit donc sans rupture dans l'ornière des relations passées des nations à l'Europe en les prolongeant ou en les infléchissant à la marge.

En conclusion, l'euro fait figure d'objet symptôme beaucoup plus que de révolution de la légitimation européenne. Il résume bien les succès et les limites du modèle politique de l'UE. La monnaie européenne s'est

95. Thomas Risse, « *The Euro between National and European Identity* », dans *Robert M. Fishman et Anthony M. Messina*, The Year of the Euro, op. cit., p. 65-80.

96. Geoffrey R. D. Underhill, « *Global Integration, EMU, and Monetary Governance in the European Union : The Political Economy of the "Stability Culture"* », dans *Kenneth Dyson*, European States and the Euro..., op. cit., p. 31-52 ; *Wolfang Wessel et Ingo Linsenmann*, « *EMU's Impact on National Institutions : Fusion towards a "Gouvernance Economique" or Fragmentation ?* », art. cité, p. 53-77.

imposée comme une devise internationale de référence. Le passage à l'euro des systèmes économiques et des citoyens s'est fait sans heurt majeur, alors que certains prédisaient une apocalypse. Pourtant, l'euro n'a pas rallié tous les suffrages. Des mises en garde continuent à se faire entendre, de manière croissante, sur les menaces qui pèsent encore sur l'euro à l'horizon d'une ou deux décennies. Le vieillissement de la population européenne et la dégradation des comptes sociaux des États peuvent accentuer considérablement le poids des dettes publiques, soumettant alors la monnaie et la solidarité entre pays plus ou moins vertueux à rude épreuve.

L'échec des premières tentatives constitutionnelles européennes ramène par ailleurs sur le devant de la scène les questions de souveraineté. L'euro est le rappel quotidien des bouleversements que l'Europe apporte à cette dernière notion, et l'intensification des dénonciations de «l'arbitraire de Francfort» conjugué à l'invocation d'une résurgence du pouvoir politique en matière monétaire laissent augurer de longues batailles à venir. La monnaie met en jeu de façon fondamentale la nature du lien social dans un édifice politique en l'articulant directement aux intérêts. Dans une Europe qui s'est brusquement élargie et en est devenue bien plus hétérogène, l'euro constituera une pierre de touche très sensible de la capacité d'intégration de l'UE.

Enfin, l'euro n'a pas résolu non plus les apories symboliques de l'intégration européenne en s'abstenant de proposer des marques identitaires et mémorielles fortes pouvant articuler les différents niveaux territoriaux et sociaux d'appartenance. On reste avec la monnaie unique dans la logique d'hybridation qui existe depuis les années 1950, alors même que les interrogations ne manquent pas sur l'essoufflement – voire l'obsolescence – de cette logique.

Conclusion

La légitimation par l'efficacité de l'ordre politique européen ne suffit à satisfaire le besoin exprimé par les citoyens de contrôle démocratique et de réassurance sur le devenir collectif, au plan matériel comme au plan identitaire. Les attentes politiques traditionnelles sont reformulées sans changer radicalement de nature, et l'UE y répond seulement de manière partielle, tant sur le plan fonctionnel que sur celui du sens à donner aux transformations à l'œuvre. L'intégration européenne entraîne une intensification des échanges communicationnels transnationaux via le niveau supranational, autour ou en marge de lui. Ces interactions restent cependant élitaires et partielles, circonscrites à la fois par les structures du modèle politico-bureaucratique communautaire et les stratégies des acteurs. Elles ne se cristallisent pas dans des cadres cognitifs et affectifs articulant pleinement le monde vécu des individus et les réalités fonctionnelles des marchés et des réseaux. Les prises de rôle et de parole par les locuteurs de l'Europe s'affirment dans certains cas mais restent subordonnées aux ordres et répertoires nationaux. La rhétorique politique des institutions européennes prend la forme d'un discours de pouvoir qui n'assume pas totalement sa dimension politique, notamment parce qu'il offre peu de possibilité de rétroaction et de sanction. L'Europe s'objective en symboles politiques qui accèdent souvent à la notoriété et à la popularité, mais qui restent aussi souvent marqués du sceau d'une certaine extranéité, ce qui entrave leur totale appropriation par le plus grand nombre et ne constituent pas les noyaux d'un nouveau système d'allégeances venant concurrencer les plus anciennement établies.

Les différents terrains étudiés invitent tous à porter un regard nuancé sur le changement que suscite l'intégration européenne. Si elle participe incontestablement d'une transformation de grande ampleur, elle n'en est le plus souvent pas à l'origine première et ne bouleverse pas les logiques sociologiques, politiques et culturelles qui ont présidé à la maturation des États-nations. L'évolution générale des économies, des techniques et des valeurs est plus structurante que les déterminants spécifiques des normes produites à Bruxelles. L'UE est l'arène où la mise en œuvre de ces mutations est formalisée, organisée, négociée, parfois contestée. De par ses principes et ses modalités de fonctionnement, elle tend à servir d'amortisseur aux chocs extérieurs et entérine le pouvoir et la prééminence symbolique des États dans un édifice qui reste largement intergouvernemental. Elle ne remet pas fondamentalement en cause les hiérarchies et les équilibres existants entre groupes sociaux ; elle accentue simplement la dégradation relative des positions de ceux qui sont le moins en phase avec l'ethos du marché, référence toujours plus dominante. Elle consacre les cultures nationales, et dans une moindre mesure infranationales, comme des donnés à préserver au risque de les essentialiser. Périodiquement, l'esquisse d'un « grand récit européen » propre refait néanmoins surface. Plusieurs versions opèrent avec une certaine efficacité à l'échelon élitaire. Déjà aux temps des origines de la construction européenne, les visions charismatiques célébrant la paix et une nouvelle manière morale de faire de la politique coexistaient et se mélangeaient avec des argumentaires rationnels et pragmatiques. Les premières se sont routinisées, les seconds ont été touchés par l'obsolescence du fait que les problèmes à résoudre n'étaient plus les mêmes. De nouvelles versions sont apparues. L'« agenda de Lisbonne » entendant faire de l'Europe une économie et une société de la connaissance constitue l'une des dernières en date, en attendant que l'utopie mobilisatrice de l'Europe puissance civile, maîtresse d'œuvre et modèle du développement soutenable s'impose pleinement comme nouveau référentiel de régulation symbolique. Il n'est pas certain, comme il a été tenté de le montrer à propos du discours sur la gouvernance ou des visions du monde qui nimbent les principaux emblèmes européens, que ces récits soient beaucoup moins messianiques, infalsifiables et ethnocentrés que ceux qui les ont précédés, tant au niveau supranational que national. Une pointe de provocation inviterait à suggérer qu'ils ne le sont peut-être simplement pas assez pour remplir la mission supposée être la leur, celle de légitimer un ordre politique reconfiguré à l'échelon européen.

Il ne s'agit pas ici de postuler que la question de la justification de l'Europe se joue exclusivement sur le plan idéel. Dans une analyse centrée sur l'inéluctabilité du symbolique et les ressorts de la légitimation, il n'est pas surprenant que les identités et les allégeances occupent une place majeure. La spécificité d'une problématique et d'une méthode ne doit cependant pas amener à adopter une vision tronquée ou déséquilibrée des réalités politiques, d'où l'intérêt de faire la comparaison avec d'autres prismes de lecture. Dans une démarche très différente qui l'amène à prendre en compte les représentations collectives sans néanmoins les analyser explicitement, Stefano Bartolini formule un diagnostic qui conforte et complète ce qui ressort de l'étude des symboles européens. Il y présente l'intégration européenne comme une entreprise loin d'être inédite de construction d'un centre, à comprendre dans la continuité d'une histoire humaine faite de tentatives répétées de créer des ensembles territoriaux coïncidant avec des systèmes fonctionnels et des populations organisées autour de hiérarchies sociopolitiques stables. La construction stato-nationale n'a été que l'un de ces processus, dont le succès a amené la généralisation [1]. L'UE s'inscrit dans la lignée de ces projets politiques, avec des moyens distincts de ceux de l'État-nation mais des finalités et des exigences identiques. Elle est confrontée de même à la nécessité de produire un système politique capable d'engendrer une loyauté suffisante chez ses administrés pour limiter les possibilités de désertion ou de non-collaboration qui minerait son efficacité [2]. Pour ce faire, l'UE ne peut cependant guère compter sur l'intégration culturelle, les institutions de partage social et l'exercice de la contrainte, outils par excellence de constitution d'une nation. La participation politique constitue une autre voie possible de construction des loyautés, mais la démocratisation de l'édifice européen se heurte là encore à des difficultés structurelles. La seule véritable légitimité ne peut être acquise selon Bartolini que par la responsabilité politique électorale de l'exécutif et des décideurs législatifs, responsabilité qui n'existe et ne peut pas exister à moyen terme au niveau européen. Justifier les décisions prises de manière intergouvernementale au niveau européen par le mandat dont dispose les dirigeants nationaux dans leur espace politique domestique n'est pas suffisant. La caution démocratique fournie par la participation des acteurs impliqués dans une politique publique, l'impartialité d'une autorité indépendante ou des réseaux d'expertise technocratique ne fonctionnent qu'auprès de ceux qui sont membres des communautés épistémiques européennes. La logique intrinsèque de fonctionnement de l'UE entrave sa démocratisation. Elle s'est en effet construite comme centre par l'alliance et l'intégration réciproque des élites nationales et supranationales, coopérant pour atteindre des buts communs en entrelaçant leurs compétences et leurs modes de contrôle mutuel d'une telle manière qu'une structure claire de responsabilité à destination des masses bouleverserait tout l'édifice [3]. Le centre européen a réussi l'intégration économique et légale des

---

1. *Stefano Bartolini*, Restructuring Europe. Centre Formation, System Building and Political Structuring between the Nation State and the European Union, *Oxford, Oxford University Press, 2005, p. 1-2.*
2. Ibid., *p. XIV.*
3. Ibid., *p. 167, 175-176.*

sociétés qu'il régit mais sans créer parallèlement de système culturel inclusif porteur de significations partagées et de symboles, les appartenances restant territorialisées par les frontières nationales que l'extension des droits relativise mais n'abolit pas. On n'a pas assisté à l'échelle européenne à la montée en puissance de ces contre-forces s'opposant au centre, et qu'il a été possible au plan national de domestiquer pour finalement les inclure dans un processus renforçant l'unification et la centralisation[4]. L'action des institutions communautaires n'est pas neutre, mais travaille à déstructurer les structures établies d'intermédiations d'intérêt sans pour autant les restructurer à un niveau plus large. Les solidarités et les alignements traditionnels au sein des États membres sont minés par les possibilités de défection et la contrainte externe suscitée par l'intégration européenne, mais la distribution des pouvoirs très fragmentée au niveau européen ne favorise pas la recomposition d'alliances unificatrices entre groupes sociaux et secteurs économiques[5]. De la même manière, les clivages partisans sont rendus inopérants par les problématiques européennes. En retour, les « partis européens » ne se développent que grâce au soutien décisif des institutions communautaires et dans des fonctions de coordination des arènes nationales et européenne, en évitant de se positionner sur les questions constitutives de l'UE qui s'avèrent trop facteurs de division. Ils ne s'imposent pas comme des instances représentatives des électeurs et comme les matrices de sélection du personnel politique au plus haut niveau. L'intégration européenne met donc à mal la fonction de synthèse sociale des partis politiques sans proposer de mécanisme compensatoire[6]. Le bilan tiré par Bartolini est marqué de scepticisme et même de pessimisme. La sociologie classique souligne la nécessité d'une congruence entre identités, intérêts et institutions pour établir une capacité d'action publique et un ordre politique rationnel. L'UE ne fait pour l'heure que démanteler cette congruence au niveau national, mais ne propose rien en substitution à son échelle. Le risque est alors de voir émerger des tensions et des conflits qui pourraient mettre à mal les traités spécifiques de la civilisation européenne. Source de ces problèmes, l'UE apparaît cependant aussi comme l'unique solution possible – bien que très problématique – pour restaurer une cohérence entre les appartenances, les pratiques sociales, les liens de solidarité et les règles de délibération de la chose publique[7].

---

4. *Ibid.*, *p. 245-247.*
5. *Ibid.*, *p. 306.*
6. *Ibid.*, *p. 354-360.*
7. *Ibid.*, *p. 411-412.*

Le diagnostic de Bartoloni corrobore largement celui issu de l'analyse développée dans cet ouvrage à quelques nuances près, comme l'ampleur de l'influence conférée à l'intégration européenne dans les changements sociétaux ou le niveau d'autonomie et de spécificité prêté au jeu politique bruxellois, deux points sur lesquels Bartolini va plus loin qu'il ne semble justifié, faute peut-être de rentrer dans le détail du *policy-making* communautaire. Avec des outils conceptuels distincts, le souci est néanmoins le même de réinscrire le questionnement sur l'UE dans le temps long, et aboutit à la replacer dans la continuité de l'État-nation qu'elle ne duplique pas mais dont elle doit reprendre les fonctions sans en avoir les ressources.

On en revient à l'éternel débat sur le type d'identité politique dont peut s'accommoder l'intégration européenne. La pirouette logique visant à trouver une porte de sortie au problème en mettant tous ses espoirs dans une identité multiple n'est pas complètement satisfaisante. Un individu peut au quotidien passer d'un groupe d'appartenance à l'autre et accumuler des allégeances diverses ; il aura à surmonter les occasionnelles interférences que cela peut engendrer au prix d'arbitrages qui se révéleront parfois douloureux. Il en va autrement pour une identité collective. Elle est infiniment diverse et contradictoire dans ses soubassements. Elle est par définition conflictuelle, du fait de la compétition permanente entre les versions variées du «nous» et de la mémoire commune qui rivalisent pour être reconnues comme le récit autorisé qui dit ce qu'est le groupe concerné. Elle doit se cristalliser sur une signification dominante – ce qui ne signifie pas homogène ou unanime – qui s'impose par le fait majoritaire, la force du droit, le hasard ou sa simple capacité à emporter l'adhésion. Ce coup de force symbolique constamment renouvelé, cette codification du sens, en d'autres termes cette institutionnalisation formelle ou informelle fait qu'une identité collective devient une identité collective, c'est-à-dire une vision du monde pourvoyeuse de sens pour une communauté donnée. Ce saut qualitatif de l'institutionnalisation oblige immanquablement à hiérarchiser les références, à en privilégier certaines sur d'autres, voire à en exclure une partie. Le caractère ouvert et pacifié du conflit autour de l'institutionnalisation est constitutif d'un ordre politique, de sa vitalité et de sa légitimité. L'UE n'est pas en mesure de réaliser ce coup de force symbolique en assumant l'arbitraire d'une version autorisée du «nous» européen qui deviendrait l'enjeu du conflit. C'est une impossibilité politique, c'est aussi un interdit normatif au vu des principes qui la fondent. Deux éléments montrent pourtant que c'est bien vers cette finalité d'une communauté politique

que l'on tend irrémédiablement. D'une part, nombre de politiques européennes traduisent de manière récurrente cette tentation holistique avec des succès variables, en finissant toujours par se heurter au veto des États membres. D'autre part, des débats croissants – même si toujours à échelle réduite et à effets mesurés – se nouent hors champ institutionnel au sujet des présupposés nécessaires de la démocratie européenne.

Dès lors, la voie médiane qui reste à l'UE est de miser sur une mise en concordance progressive des identités nationales par l'intégration grandissante de la dimension européenne dans leur structure interne. Puisque les appartenances (politiques, mais aussi sociales, religieuses, sexuelles ou générationnelles) prennent corps essentiellement dans le cadre de l'État-nation, de même que les conflits qui les recréent sans cesse, c'est à cette échelle que se jouent le rapport à l'Europe et l'intégration du référent supranational et de l'ouverture transnationale dans le monde vécu des acteurs. C'est l'inspiration dominante des stratégies de légitimation communautaires actuelles, par la renationalisation de la communication. Le risque est de voir chacun monter à l'Europe par son propre chemin historico-culturel, produisant ainsi une figure du bon Européen spécifique mais pourtant postulée généralisable, ce qui peut inciter à moins de tolérance envers l'altérité du voisin que lorsque l'on assumait explicitement son propre relativisme.

Les autorités européennes n'ont que peu de prise sur ces évolutions, et les États eux-mêmes sont loin de les contrôler. L'encouragement à la mobilité et les admonestations vertueuses à la compréhension de l'autre sont des éléments propices mais ne constituent en aucun cas des prophéties autoréalisatrices. On se trouve renvoyé aux mouvements telluriques des tendances sociétales et des idées et aux effets matriciels des institutions dans le long terme. Faire flotter le drapeau européen au cœur des rituels patriotiques, intégrer la contestation par les urnes ou l'action collective comme paramètre normal de la vie politique communautaire ou créer les véritables conditions de l'expression commune des souverainetés des peuples européens peut aider à faire advenir une Europe politique, sans garantie néanmoins du résultat. L'action à mener est éclatée, contingente et incertaine, à égale distance des entreprises flamboyantes des créateurs d'empire du passé et des savantes constructions des logisticiens politiques de la gouvernance internationale contemporaine. Il semble cependant, en faisant la part du mythe, que ce processus besogneux ait été celui qui a présidé à l'édification de ce produit typiquement européen qu'est l'État-nation, et qu'il n'y ait guère d'alternative imaginable pour l'heure.

Si l'on postule à des fins heuristiques la désirabilité du processus d'intégration, le scénario le plus fécond est donc sans doute celui qui mise sur l'addition de myriades de stratégies individuelles pour retravailler de l'intérieur les ordres nationaux afin d'y faire une place à la dimension européenne. Il s'agit bien de doubler les sphères de la vie ordinaire d'une épaisseur européenne plutôt que leur superposer artificiellement un promontoire supranational où s'ébattraient les élites prenant le vent grisant de la mondialisation. Les reconfigurations en cours des mémoires nationales faisant une plus large place aux épreuves historiques partagées par les populations du continent et aux expériences issues de l'immigration et des mutations du travail peuvent aller en ce sens. De même, la montée en puissance d'une «Europe sociale» et d'une «Europe verte» offre potentiellement une conjoncture propice. Un tel projet doit donner à voir au citoyen qu'il est non seulement l'objet de l'intégration européenne, au sens où il en tire des avantages concrets, mais aussi sujet de plein droit et de plein exercice au nom duquel on poursuit les préférences collectives avérées que sont la solidarité et la responsabilité entre générations. L'enjeu est la restauration de mécanismes de contrôle d'une communauté politique sur son devenir. Cela ne se limite pas à des dispositifs variés de démocratie participative visant à assurer la transparence et la pertinence des modes de prise de décision. On parle plus fondamentalement des dynamiques symboliques concourant à convaincre un groupe humain qu'il est en mesure d'agir sur son destin, directement ou par le truchement d'intermédiaires. Malgré ses limites dans l'écheveau institutionnel de l'UE, la démocratie représentative semble avoir encore de beaux jours devant elle faute d'avoir trouvé mieux. L'articulation renforcée des parlements locaux, nationaux et européens proposée par le traité de Lisbonne risque de complexifier encore l'imputation si elle se traduit par la multiplication de comités de coordination opaques pour le profane. Elle rassure davantage comme mode de limitation juridique de l'Europe à travers le contrôle de subsidiarité que comme dispositif de participation. Les attentes populaires – pourtant modérées et loin d'être inconditionnelles – investies dans le Parlement européen font encore espérer à certains que réside là une certaine réserve de légitimation, à la faveur d'une politisation accrue des règles du jeu interinstitutionnel européen, ce qui passe par un surcroît d'incarnation. Cette dernière option, déjà à l'œuvre avec les réformes récentes des compétences de l'Assemblée et de la désignation du président de la Commission, n'exclut pas des blocages et ses premiers résultats sont mitigés, mais il convient d'attendre qu'elle ait pleinement pu produire ses effets pour en juger pleinement les apports. La clarification définitive – toujours à venir – du siège du Parlement européen par sa localisation unique à Bruxelles, et l'homogénéisation du statut et du mode de désignation du député européen sont des points qui ne sont pas à négliger dans la construction d'un grand récit démocratique d'une Europe citoyenne s'exprimant par la bouche de ses mandataires. Enfin, même en actant la sphère nationale comme matrice irréductible à un horizon prévisible des allégeances et des régulations politiques, il sera difficile d'esquiver une « mystique fédérale » autour de l'Europe renvoyant à la verticalité de tout pouvoir. Cette « mystique » existe déjà, au sens où il est beaucoup prêté à Bruxelles en termes d'altérité et d'impact nuisible sur les conditions, les modes et les valeurs de vie. Les représentations de la réalité politique sont, comme les stéréotypes – dont il est d'ailleurs fréquemment malaisé de les dissocier – des structures de perception bipolaires associant un pôle négatif et un pôle positif. Là où il y a croyance en une puissance aux effets menaçants, il y a aussi potentiellement espérances latentes de voir cette puissance exercer son influence de manière bénéfique. Les craintes suscitées par l'UE sont encore aujourd'hui sous-tendues par un refus de condamner l'idée même d'intégration européenne, signe qu'une large partie des citoyens s'interdit de refuser les opportunités éventuelles offertes par une autorité et un espace toujours énigmatiques.

Bibliographie

Aarts (Kees) et van den Kolk (Henk), « Understanding the Dutch "No" : The Euro, the East and the Elite », *Political Science and Politics*, 2006, 39, p. 243-250.

Abélès (Marc), *La Vie quotidienne au Parlement européen*, Paris, Hachette, 1992.

Abélès (Marc), « À la recherche d'un espace public communautaire », *Pouvoirs*, 69, 1994.

Abélès (Marc), *En attente d'Europe*, Paris, PUF, 1996.

Abélès (Marc), *Un ethnologue à l'Assemblée*, Paris, Odile Jacob, 2000.

Abélès (Marc), *Politique de la survie*, Paris, Flammarion, 2006.

Aglietta (Michel) et Cartelier (Jean), « Ordre monétaire des économies de marché », dans Michel Aglietta et André Orléan (dir.), *La Monnaie souveraine*, Paris, Odile Jacob, 1998, p. 129-157.

Aglietta (Michel) et Orléan (André), *La Violence de la monnaie*, Paris, PUF, 1982.

Agrikoliansky (Éric), « Une autre Europe est-elle possible ? Les altermondialistes français et le traité constitutionnel européen : les conditions d'une mobilisation ambiguë », dans Antonin Cohen et Antoine Vauchez (dir.), *La Constitution européenne. Élites, mobilisations, votes*, Bruxelles, Éditions de l'Université de Bruxelles, 2007, p. 209-236.

Agulhon (Maurice), *Marianne au combat*, Paris, Flammarion, 1979.

Agulhon (Maurice), *Marianne au pouvoir*, Paris, Flammarion, 1989.

Agulhon (Maurice), *Les Métamorphoses de Marianne*, Paris, Flammarion, 2001.

Airut (Jean-Pierre), « Drapeau français et sentiment national : le chant du cygne ? », *Crises*, 2, 1994, p. 131-153.

Amedeo (Fabrice), *La Dimension cachée de l'euro. L'iconographie monétaire, lien entre citoyens et vecteur symbolique d'identité européenne ?*, mémoire de DEA, IEP de Paris, 2003.

Anderson (Benedict), *L'Imaginaire national. Réflexions sur l'origine et l'essor du nationalisme*, Paris, La Découverte, 1996, [trad. 1983].

Augé (Marc), *Le Dieu objet*, Paris, Flammarion, 1988.

Augé (Marc), *Non-lieux. Introduction à une anthropologie de la surmodernité*, Paris, Seuil, 1992.

BADIE (Bertrand) et BIRNBAUM (Pierre), *Sociologie de l'État*, Paris, Hachette, 1983.

BAEYENS (Hélène), *Les Stratégies de socialisation scolaire à l'unification européenne : une dynamique saisie à partir des programmes et manuels scolaires de géographie, d'histoire et d'éducation civique des années 1950 à 1998*, thèse, IEP de Grenoble, décembre 2000.

BAISNÉE (Olivier), *La Production de l'actualité communautaire. Éléments d'une sociologie comparée du corps de presse accrédité auprès de l'Union européenne*, thèse, Université de Rennes-1, 2003.

BAISNÉE (Olivier), « Les réalités de "l'espace public européen" », dans François Foret et Guillaume Soulez (dir.), « Europe : la quête d'un espace médiatique ? », *Médiamorphoses*, 3 (12), 2004, p. 39-44.

BAISNÉE (Olivier) et MARCHETTI (Dominique), « Euronews, un laboratoire de la production de l'information européenne », dans Virginie Guiraudon (dir.), « Sociologie de l'Europe : mobilisations, élites et configurations institutionnelles », *Cultures et conflits*, 38-39, 2000.

BALANDIER (Georges), *Le Pouvoir sur scènes*, Paris, Balland, 1992.

BALANDIER (Georges), *Le Grand Dérangement*, Paris, PUF, 2005.

BARBER (N. W.), « Citizenship, Nationalism and the European Union », *European Law Review*, 27, 2002.

BARTOLINI (Stefano), *Restructuring Europe. Centre Formation, System Building and Political Structuring between the Nation State and the European Union*, Oxford, Oxford University Press, 2005.

BATTISTELLA (Dario), « L'apport de Karl Deutsch à la théorie des relations internationales », *Revue internationale de politique comparée*, 10 (4), 2003, p. 567-585.

BECKERMAN (Gérard) et SAINT-MARC (Michèle), *L'Euro*, Paris, PUF, 2001.

BELLIER (Irène), « La Commission européenne : hauts fonctionnaires et "culture du management" », *Revue française d'administration publique*, 70, juin 1994.

BILLIG (Michael), *Banal Nationalism*, Londres, Sage Publications, 1995.

BIRNBAUM (Pierre), *Le Peuple et les « gros ». Histoire d'un mythe*, Paris, Grasset, 1984.

BIROUSTE (Jacques), « Médiateurs et passeurs de l'euro », *Revue du Marché commun et de l'Union européenne*, 424, janvier 1999.

BLOOMFIELD (Jude), « The New Europe : A New Agenda for Research ? », dans Mary Fulbrook (ed.), *National Histories and European History*, Boulder (Colo.), Westview Press, 1993.

BOËNE (Bernard) (dir.), *La Spécificité militaire*, Paris, Armand Colin, 1990.

BOURDIEU (Pierre), «Le langage autorisé. Note sur les conditions sociales de l'efficacité du discours rituel», *Actes de la recherche en sciences sociales*, 5-6, 1975.

BRAGUE (Rémy), *Europe, la voie romaine*, Paris, Criterion, 1992.

BRAUD (Philippe), *Le Jardin des délices démocratiques*, Paris, FNSP, 1991.

BRAUD (Philippe), *L'Émotion en politique*, Paris, Presses de Sciences Po, 1996.

BRAUD (Philippe), *Sociologie politique*, Paris, LGDJ, 2000.

BRÉCHON (Pierre) et CAUTRÈS (Bruno) (dir.), *Les Enquêtes* Eurobaromètres, Paris, L'Harmattan, 1998.

BRUNI (Franco), «The Independence of the ECB and its Political and Democratic Accountability», dans Jean-Victor Louis et Hajo Bronkhorst (eds), *The Euro and European Integration*, Bruxelles, PIE-Peter Lang, 1999, p. 283-198.

BRUNO (Isabelle), *Déchiffrer l'«Europe compétitive»: étude du benchmarking comme technique de coordination intergouvernementale dans le cadre de la stratégie de Lisbonne*, thèse, IEP de Paris, décembre 2006.

BRUTER (Michael), «Winning Hearts and Minds for Europe. The Impact of News and Symbols on Civic and Cultural European Identity», *Comparative Political Studies*, 20 (10), 2003, p. 1-32.

BRUTER (Michael), *Citizens of Europe? The Emergence of a Mass European Identity*, Basingstoke, Palgrave Macmillan, 2005.

BUCH (Esteban), *La Neuvième de Beethoven. Une histoire politique*, Paris, Gallimard, 1999.

BURBAN (Jean-Louis), *Le Conseil de l'Europe*, Paris, PUF, 1993.

BURBAN (Jean-Louis), *Les Institutions européennes*, Paris, Vuibert, 1997.

BURGOYNE (Carole B.), ROUTH (David A.) et ELLIS (Anne-Marie), «Psychologie économique et monnaie», *Revue du Marché commun et de l'Union européenne*, 424, janvier 1999.

BYRNES (Timothy A.) et KATZENSTEIN (Peter J.) (eds.), *Religion in an Expanding Europe*, Cambridge, Cambridge University Press, 2006.

CALHOUN (Craig) (ed.), *Habermas and the Public Sphere*, Cambridge (Mass.), MIT Press, 1992.

CARBONNIER (Jean), *Flexible droit*, Paris, LGDJ, 1995 [8ᵉ éd.].

CAUTRÈS (Bruno) et TIBERJ (Vincent), «Une sanction du gouvernement mais pas de l'Europe. Les élections européennes de juin 2004», *Cahiers du Cevipof*, 41, mai 2005.

CINI (Michele), *The European Commission. Leadership, Organization and Culture in the European Administration*, Manchester, Manchester University Press, 1996.

CLARISSE (Yves) et QUATREMER (Jean), *Les Maîtres de l'Europe*, Paris, Grasset, 2005.

CLARK (Caryl), « Forging Identity : Beethoven's "Ode" as European Anthem », *Critical Inquiry*, 23, été 1997.

COHEN (Antonin), « La "Révolution des fauteuils" au Parlement européen. Groupes d'institution et institution du groupe », *Scalpel. Cahiers de sociologie politique de Nanterre*, 2-3, 1997, p. 61-78.

COHEN (Elie), « Politiques publiques institutionnelles : l'indépendance des banques centrales », *Revue internationale de politique comparée*, 6 (3), 1999, p. 65-706.

COLLICELLI (Carla), « Une société dense », *Revue du Marché commun et de l'Union européenne*, 422, octobre 1998.

CORBETT (Anne), *Universities and the Europe of Knowledge. Ideas, Institutions and Entrepreneurship in European Union Higher Education, 1955-2005*, Basingstoke, Palgrave Macmillan, 2005.

COSTA (Olivier) et KERROUCHE (Éric), *Qui sont les députés français ? Enquête sur des élites inconnues*, Paris, Presses de Sciences Po, 2007.

COSTA (Olivier) et MAGNETTE (Paul), « The European Union as a Consociation ? A Methodological Assessment », *West European Politics*, 26 (3), juillet 2003, p. 1-18.

COSTA (Olivier), *Le Parlement européen, assemblée délibérante*, Bruxelles, Éditions de l'Université de Bruxelles, 2000.

COTTERET (Jean-Marie), *Gouverner c'est paraître*, Paris, PUF, 1997 [2ᵉ éd.].

DACHEUX (Éric) (dir.), *L'Europe qui se construit. Réflexions sur l'espace public européen*, Saint-Étienne, Presses universitaires de Saint-Étienne, 2003.

DACHEUX (Éric), *L'Impossible Défi. La politique de communication de l'Union européenne*, Paris, CNRS Éditions, 2004.

DASSETO (Felice) et DUMOULIN (Michel) (textes réunis par), *Naissance et développement de l'information européenne*, Berne, Louvain-La-Neuve, Peter Lang, 1993.

DE BEUS (Jo) et MAK (Jeannette), « European Legitimacy and Identity Through Unloking the Public Spheres of Nation-States. Questioning the Public Empowerment Thesis of European integration in the Dutch Case of Euroscepsis », *Garnet – JERP 5.2.1 Final Conference, « The Europeans. The European Union in Search of Political Identity and Legitimacy »*, Florence, 25-26 mai 2007.

DEHOUSSE (Renaud), « Un nouveau constitutionnalisme ? », dans Renaud Dehousse (dir.), *Une Constitution pour l'Europe ?*, Paris, Presses de Sciences Po, 2002, p. 19-38.

DEHOUSSE (Renaud), *La Fin de l'Europe*, Paris, Flammarion, 2005.

DELAHAYE (Yves), *L'Europe sous les mots. Le texte et la déchirure*, Paris, Payot, 1979.

DELANTY (Gerard), *Inventing Europe. Idea, Identity, Reality*, New York (N. Y.), Saint Martin's Press, 1995.

DELANTY (Gerard) et RUMFORD (Chris), *Rethinking Europe : Social Theory and the Implications of Europeanization*, Londres, Routledge, 2005.

DELOY (Corinne) et REYNIÉ (Dominique), *Les Élections européennes de juin 2004*, Paris, PUF, 2005.

DÉLOYE (Yves) (dir.), *Dictionnaire des élections européennes*, Paris, Economica, 2005.

DÉLOYE (Yves), HAROCHE (Claudine) et IHL (Olivier) (dir.), *Le Protocole ou la mise en forme de l'ordre politique*, Paris, L'Harmattan, 1996.

DE PONCINS (Étienne), *Vers une constitution européenne. Texte commenté du projet de traité constitutionnel établi par la Convention européenne*, Paris, 10/18, 2003.

DEUTSCH (Karl), *Nationalism and Social Communication : An Inquiry into the Foundations of Nationality*, Cambridge (Mass.), MIT Press, 1966 [1re éd. 1953].

DEUTSCH (Karl) *et al.*, *Political Community and the North Atlantic Area*, Princeton (N. J.), Princeton University Press, 1957.

DEVOLUY (Michel), *L'Europe monétaire. Du SME à la monnaie unique*, Paris, Hachette, 1998.

DIMIER (Véronique), « Du bon usage de la tournée : propagandes et stratégies de légitimation au sein de la Direction générale Développement, Commission européenne (1958-1970) », *Pôle Sud*, 15, octobre-novembre 2001, p. 19-32.

DIMITRAKOPOULOS (Dionyssis G.) (ed.), *The Changing European Commission*, Manchester, Manchester University Press, 2004.

DODD (Nigel), *The Sociology of Money*, Cambridge, Polity Press, 1994.

DOMMANGET (Maurice), *Histoire du drapeau rouge*, Paris, Librairie de l'Étoile, 1967.

DONY (Marianne), *Après la réforme de Lisbonne. Les nouveaux traités européens*, Bruxelles, Éditions de l'Université de Bruxelles, 2008.

DOUGLAS (Mary), *Ainsi pensent les institutions*, Paris, Éditions Usher, 1989 [1re éd. 1986].

DRAKE (Helen), *Jacques Delors. Perspectives on a European Leader*, Londres, Routledge, 2000.

DROULERS (Frédéric), *Histoire de l'écu européen du Moyen Âge à nos jours et des précédentes unions monétaires*, Lagny-sur-Marne, Aria-Créations et les Éditions du Donjon, 1990.

DUCKENFIELD (Mark E.), *Business and the Euro. Business Groups and the Politics of EMU in Germany and the United Kingdom*, Basingstoke, Palgrave Macmillan, 2006.

DYSON (Kenneth) (ed.), *European states and the Euro. Europeanization Variation and Convergence*, Oxford, Oxford University Press, 2002.

DYSON (Kenneth), «The Euro-Zone in a Political and Historical Perspective», dans Soren Dosenrode (ed.), *Political Aspects of the Economic and Monetary Union. The European Challenge*, Londres, Ashgate, 2004, p. 17-40.

DYSON (Kenneth) et FEATHERSTONE (Kevin), *The Road to Maastricht : Negociating Economic and Monetary Union*, Oxford, Oxford University Press, 1999.

EDELMAN (Murray), *The Symbolic Uses of Politics*, Urbana (Ill.), University of Illinois Press, (1964) 1985.

EGEBERG (Morten), «Transcending Intergovernementalism ? Identity and Role Perceptions of National Officials in EU Decision-Making», Oslo, *Arena Working Papers*, WP 98/24, 1998.

ELGENIUS (Gabriella), «National Days and Nation-Building», dans Linas Eriksonas et Leos Müller (eds), *Statehood Before and Beyond Ethnicity. Minor States in Northern and Eastern Europe 1600-2000*, Bruxelles, Peter Lang, 2005, p. 363-384.

ELGIE (Robert) et THOMPSON (Helen), *The Politics of Central Banks*, Londres, Routledge, 1998.

ELGIE (Robert), «Responsabilité démocratique et indépendance de la banque centrale : la Banque centrale européenne dans une perspective historique et comparative», *Revue française d'administration publique*, 92, 1999, p. 635-649.

ELIAS (Norbert), *La Société de cour*, Calmann-Lévy, Paris, 1974 [1re éd. 1969].

ELIAS (Norbert), *La Dynamique de l'Occident*, Calmann-Lévy, Paris, 1975 [1re éd. 1969].

ELLIS (Richard J.), *To the Flag. The Unlikely History of the Pledge of Allegiance*, Lawrence (Kans.), University Press of Kansas, 2005.

ERIKSEN (Erik Oswald), «Conceptualizing European Public Spheres – General, segmented and strong publics in the EU», dans John Erik Fossum et Philip Schlesinger (eds.), *The European Union and the Public Sphere : A Communicative Space in the Making ?*, Londres, Routledge, 2007.

FATH (Sébastien), *Dieu bénisse l'Amérique. La religion de la Maison-Blanche*, Paris, Seuil, 2004.

FERRY (Jean-Marc), *La Question de l'État européen*, Paris, Gallimard, 2000.

FERRY (Jean-Marc), « Sur le potentiel critique des religions dans l'espace européen », dans Pierre Gisel et Jean-Marc Tetaz (dir.), *Théories de la religion*, Genève, Labor et Fides, 2002.

FLEURDORGE (Denis), *Les Rituels du président de la République*, PUF, Paris, 2001.

FLEURY (Antoine) et FRANK (Robert) (textes réunis par), *Le Rôle des guerres dans la mémoire des Européens*, Berne, Peter Lang, 1997.

FORET (François), « "Espace public européen" et mise en scène du pouvoir. L'exemple des sommets européens », dans Éric Dacheux (dir.), *L'Europe qui se construit. Réflexion sur l'espace public européen*, Saint-Étienne, Presses universitaires de Saint-Étienne, 2003, p. 67-82.

FORET (François), « Advertising Europe. The Production of Public Information by the European Commission », dans Andy Smith (ed.), *Politics and the European Commission. Actors, Ideas and Legitimacy*, Londres, Routledge, 2004.

FORET (François), « L'Europe comme tout. La représentation symbolique de l'Union européenne dans le discours institutionnel », dans Sabine Saurugger (dir.), *Les Modes de représentation dans l'Union européenne*, Paris, L'Harmattan, 2004, p. 177-204.

FORET (François), « Symbolique », dans Yves Déloye (dir.), *Dictionnaire des élections européennes*, Paris, Economica, 2005, p. 645-650.

FORET (François), « Quels présupposés pour la démocratie européenne ? Regards croisés sur le rôle du religieux », *Politique européenne*, 19, printemps 2006, p. 115-139.

FORET (François), « Une question d'ordres ? Discours religieux et intégration européenne à la lumière de l'affaire Buttiglione », *Les Cahiers du Cevipol*, 3, 2007, p. 1-13.

FORET François, « Anthropologie politique », dans Céline Belot, Paul Magnette et Sabine Saurugger (dir.), *Science politique de l'Union européenne*, Paris, Economica, 2008.

FORET (François), « Un discours sans maître ? Livre blanc sur la gouvernance et rhétorique politique européenne », dans Marine De Lassalle et Didier Georgakakis (dir.), *La Nouvelle Gouvernance européenne : les usages politiques d'un concept*, Strasbourg, Presses universitaires de Strasbourg, 2008, p. 149-173.

FRESNAULT-DERUELLE (Pierre), « Défigurations : drapeaux de papier », *Revue française d'études américaines*, 58, novembre 1993, p. 401-409.

GARCIA (Guillaume) et LE TORREC (Virginie) (dir.), « L'Union européenne et les médias. Regards croisés sur l'information européenne », *Cahiers politiques*, Paris, L'Harmattan, 2003.

GARNIER (Jean-Paul), *Le Drapeau blanc*, Paris, Librairie Académique Perrin, 1971.

GEERTZ (Clifford), *The Intepretation of Cultures*, New York (N. Y), Basic Books, 2000 [1ʳᵉ éd. 1973].

GEERTZ (Clifford), «Centres, rois et charisme : réflexions sur la symbolique du pouvoir», *Savoir global, savoir local. Les lieux du savoir*, Paris, PUF, 1986 [1ʳᵉ éd. 1977].

GEISLER (Michael E.), «In the Shadow of Exceptionalism. Germany's National Symbols and Public Memory after 1989», dans Michael E. Geisler (ed.), *National Symbols, Fractured Identities : Contesting the National Narrative*, Middlebury (Vt.), Middlebury College Press, 2005, p. 63-100.

GELLNER (Ernst), *Nations et Nationalisme*, Paris, Payot, 1989 [trad. 1983].

GELLNER (Ernst), *Encounters with Nationalism*, Oxford, Blackwell, 1994.

GEORGAKAKIS (Didier), «Les réalités d'un mythe. Figure de l'eurocrate et institutionnalisation de l'Europe politique», dans Delphine Dulong et Vincent Dubois (dir.), *La Question technocratique*, Strasbourg, Presses universitaires de Strasbourg, 1999, p. 109-128.

GEORGAKAKIS (Didier), «La démission de la Commission européenne. Scandale et tournant institutionnel (octobre 1998-mars 1999)», *Cultures et conflits*, 38-39, été-automne 2000, p. 39-71.

GERBET (Pierre), *La Construction de l'Europe*, Paris, Imprimerie nationale, 1999 [3ᵉ éd.].

GERSTLÉ (Jacques), NEUMAYER (Laure) et COLOMÉ (Gabriel), «Les campagnes électorales européennes ou "l'obligation politique relâchée"», dans Pascal Perrineau (dir.), *Le Vote européen 2004-2005. De l'élargissement au référendum français*, Paris, Presses de Sciences Po, 2005, p. 17-44.

GERSTLÉ (Jacques) et PIAR (Christophe), «Le cadrage du référendum sur la Constitution européenne : la dynamique d'une campagne à rebondissements», dans Annie Laurent et Nicolas Sauger (dir.), «Le référendum de ratification du traité constitutionnel européen : Comprendre le "non" français», *Les Cahiers du Cevipof*, 42, juillet 2005, p. 42-73.

GIESEY (Ralph), *Le Roi ne meurt jamais*, Flammarion, Paris, 1987.

GILBERT (Emily) et HELLEINER (Eric), «Nation-states and Money. Historical Contexts, Interdisciplinary Perspectives», dans Emily Gilbert et Eric Helleiner (eds), *Nation-States and Money. The Past, Present and Future of National Currencies*, Londres, Routledge, 1999.

GIRARD (René), *Le Bouc émissaire*, Paris, Grasset, 1982.

GIRARDET (Raoul), *Mythes et Mythologies politiques*, Paris, Seuil, 1986.

GIRARDET (Raoul), «Les trois couleurs», dans Pierre Nora (dir.), *Les Lieux de mémoire*, t. 1, *La République*, Paris, Gallimard, 1984, p. 5-35.

GLEISSNER (Martin) et DE VREESE (Claes H.), «News about the EU Constitution : Journalistic Challenges and Media Portrayal of the European Union Constitution», *Journalism*, 6 (2), 2005, p. 221-241.

GOFFMAN (Erwing), *Les Rites d'interaction*, Paris, Éditions de Minuit, 1974.

GOFFMAN (Erwing), *La Mise en scène de la vie quotidienne*, Paris, Éditions de Minuit, 1979.

GÖLDNER (Markus), *Politische Symbole der europaïschen Integration*, Frankfurt, Peter Lang, 1988.

GOLDSTEIN (Robert Justin), *Burning the Flag. The Great 1989-1990 American Flag Desecration Controversy*, Kent (Ohio), The Kent State University Press, 1996.

GRANT (Charles), *Delors, architecte de l'Europe*, Chêne-Bourg, Georg, 1995 [1re éd. 1994].

GRIDEL (Jean-Pierre), *Le Signe et le Droit*, Paris, LGDJ, 1979.

GROOM (Nick), *The Union Jack. The Story of the British Flag*, Londres, Atlantic Books, 2006.

GROSSMAN (Emiliano), « Les groupes d'intérêt économique face à l'intégration européenne : le cas du secteur bancaire », *Revue française de science politique*, 53 (5), 2001, p. 737-760.

GROSSMAN (Emiliano), MICOLET (Paul-Emmanuel), « Le nouvel ordre de politique économique européen : une constitution économique au service de la stabilité monétaire ? », *Revue du Marché commun et de l'Union européenne*, 437, avril 2000, p. 243-251.

GUENTER (Scott M.), *The American Flag, 1777-1924*, Rutherford, Associated Universiy Presses, 1990.

GURR (Ted), *Why Men Rebel*, Princeton (N. J.), Princeton University Press, 1970.

HABERMAS (Jürgen), « Citoyenneté et identité nationale. Réflexions sur l'avenir de l'Europe », dans Jacques Lenoble et Nicole Dewandre (dir.), *L'Europe au soir du siècle. Identité et démocratie*, Paris, Éditions Esprit, 1992.

HABERMAS (Jürgen), *Droit et démocratie. Entre faits et normes*, Paris, Gallimard, 1997.

HABERMAS (Jürgen), « Why Europe Needs a Constitution ? », dans Erik Oswald Eriksen, John Erik Fossum et Agustin J. Menéndez (eds), *Developing a Constitution for Europe*, Londres, Routledge, 2001.

HABERMAS (Jürgen), « Religion in the Public Sphere », disponible sur le site internet http://www. sandiego.edu, 2005.

HÄRTEL (Melissa), « "Erasmus" ou la construction d'un espace culturel européen », *Euryopa*, 42, mai 2007.

HEDETOFT (Ulf), *Signs of Nations – Studies in the Political Semiotics of Self and Other in Contemporary European Nationalism*, Aldershot, Dartmouth, 1995.

HEGEL (G. W. F.), *La Raison dans l'histoire*, Paris, Plon, 1965 [1re éd. 1828].

HEINDERYCKX (François), *L'Europe des médias*, Bruxelles, Éditions de l'Université de Bruxelles, 1998.

HELLEINER (Eric), «One Money, one People? Political Identities and the Euro», dans Patrick M. Crowley (ed.), *Before and Beyond EMU. Historical Lessons and Future Prospects*, Londres, Routledge, 2002, p. 183-202.

HERMET (Guy), «Légitimité», dans Bertrand Badie *et al.*, *Dictionnaire de la science politique et des institutions*, Paris, Armand Colin, 1998 [2ᵉ éd.].

HERMET (Guy), «Un régime à pluralisme limité? À propos de la gouvernance démocratique», *Revue française de science politique*, 54 (1), février 2004, p. 159-178.

HERTZFELD (Michael), *The Social Production of Indifference. Exploring the Symbolic Roots of Western Bureaucracy*, Oxford, Berg Publishers, 1992.

HOLMES (Douglas), *Integral Europe. Fast-capitalism, Multiculturalism and Neofascism*, Princeton (N. J.), Princeton University Press, 2000.

HOLMES (Douglas), «Nationalism-Integralisme-Supranationalism: A Schemata for the 21st Century», dans Gerard Delanty et Kumar Krishan (eds.), *Handbook of Nations and Nationalism*, Londres, Sage Publications, 2006, p. 385-398.

HOOGHE (Liesbet), *The European Commission and the Integration of Europe. Images of Governance*, Cambridge, Cambridge University Press, 2001.

HOWARTH (David) et LOEDEL (Peter), *The European Central Bank. The New European Leviathan?*, Basingstoke, Palgrave Macmillan, 2005 [2ᵉ éd.].

HUNTINGTON (Samuel), *Qui sommes-nous? Identité nationale et choc des cultures*, Paris, Odile Jacob, 2004 [trad.].

HYMANS (Jacques E. C.), «Money for Mars? The Euro bankotes and European Identity», dans Robert M. Fishman et Anthony M. Messina (eds), *The Year of the Euro. The Cultural, Social and Political Import of Europe's Common Currency*, Notre Dame (Ind.), University of Notre Dame Press, 2006, p. 16-36.

IHL (Olivier), *La Fête républicaine*, Paris, Gallimard, 1996.

INGLEHART (Ronald), *The Silent Revolution*, Princeton (N. J.), Princeton University Press, 1977.

INGLEHART (Ronald), *Culture Shift in Advanced Industrial Societies*, Princeton (N. J.), Princeton University Press, 1990.

JABKO (Nicolas), «In the Name of the Market. How the European Commission Paved the Way for Monetary Union», *Journal of European Public Policy*, 6 (3), 1999, p. 475-495.

JABKO (Nicolas), «Expertise et politique à l'âge de l'euro. La BCE sur le terrain de la démocratie», *Revue française de science politique*, 6, décembre 2001, p. 903-931.

JABKO (Nicolas), *Playing the Market. AZ Political Strategy for Uniting Europe. 1985-2005*, Ithaca (N. Y.), Cornell University Press, 2006.

JEANNENEY (Jean-Noël) (dir.), *Une Idée fausse est un fait vrai. Les stéréotypes nationaux en Europe*, Paris, Odile Jacob, 2000.

JOANA (Jean) et SMITH (Andy), *Les Commissaires européens. Technocrates, diplomates ou politiques ?*, Paris, Presses de Sciences Po, 2002.

JURT (Joseph), « La nouvelle Allemagne : quels symboles ? », *Actes de la recherche en sciences sociales*, 98, juin 1993, p. 45-58.

KAELBERER (Matthias), « Trust in the Euro : Exploring the Governance of a Supra-National Currency », *European Societies*, 9 (4), 2007, p. 623-642.

KANTOROWICZ (Ernst), *Mourir pour la patrie*, Paris, Gallimard, 1989 [1re éd. 1951].

KANTOROWICZ (Ernst), *Les Deux Corps du roi*, Gallimard, Paris, 1989.

KERTZER (Dan), « Rituel et symbolisme politique des sociétés occidentales », *L'Homme,* XXXII, 121 (1), janvier-mars 1992, p. 79-90.

KEVIN (Deirdre), *Europe in the Media*, Londres, Lawrence Erlbaum Publishers, 2003.

KŒNIG (Gilbert) (dir.), *L'Euro vecteur d'identité européenne*, Strasbourg, Presses universitaires de Strasbourg, 2003.

KOHLER-BALLY (Patricia), *Mobilité et plurilinguisme. Le cas de l'étudiant Erasmus en contexte bilingue*, Fribourg, Éditions universitaires, 2001.

KRZYZANOWSKY (Michal) et OBERHUBER (Florian), *(Un)doing Europe : Discourses and Practices of Negociating the EU Constitution*, Bruxelles, Peter Lang, 2007.

KUHN (Michael) (ed.), *Who is the European ? A New Global Player*, New York (N. Y.), Peter Lang, 2007.

KUZMANOVIC (Daniella), « Civil Society as Identity Politics. Conceptual Legacies and European Belonging », European Association of Social Anthropologists Conference, Bristol, 8-21 septembre 2006, 11 p.

LACROIX (Justine), *L'Europe en procès. Quel patriotisme au-delà des nationalismes ?*, Paris, Cerf, 2004.

LACROIX (Bernard) et LAGROYE (Jacques) (dir.), *Le Président de la République. Usage et genèse d'une institution*, Paris, Presses de Sciences Po, 1992.

LAGER (Carole), *L'Europe en quête de ses symboles*, Berne, Peter Lang, 1995.

LAGROYE (Jacques), « La légitimation », dans Madeleine Grawitz et Jean Leca, *Traité de science politique*, t. 1, chap. 7, Paris, PUF, 1985, p. 447-448.

LANDFRIED (Christiane), «Le moment est-il venu d'élaborer une constitution européenne?», dans Renaud Dehousse (dir.), *Une Constitution pour l'Europe?*, Paris, Presses de Sciences Po, 2002, p. 69-78.

LANGAR (Elise), *The European Union : Erasmus in Paris*, New York (N. Y.), Nova Science Publishers, 2001.

LAUVAUX (Philippe), «Le modèle constitutionnel européen», dans Paul Magnette (dir.), *La Constitution de l'Europe*, Bruxelles, Éditions de l'Université de Bruxelles, 2002, p. 21-29.

LEBARON (Frédéric), *Ordre monétaire ou chaos social? La BCE et la révolution néolibérale*, Broissieux, Éditions du Croquant, 2006.

LE BART (Christian), *Le Discours politique*, Paris, PUF, 1998.

LE BRAS (Hervé), «La statistique générale de la France», dans Pierre Nora (dir.), *Les Lieux de mémoire*, t. 1, *La République*, Paris, Gallimard, 1997, p. 1353-1384 [1re éd. 1984].

LEGAVRE (Jean-Baptiste), «Opinion publique européenne», dans Yves Déloye (dir.), *Dictionnaire des élections européennes*, Paris, Economica, 2005, p. 491-494.

LE GUERN (Philippe), «Entre sentiment national et culture globale. Le concours de l'Eurovision de la chanson», dans Marchetti (Dominique) (dir.), *En quête d'Europe. Médias européens et médiatisation de l'Europe*, Rennes, Presses universitaires de Rennes, 2004, p. 105-129.

LEHMANN (Jacques), *De l'ange gardien du franc au bâtisseur de l'euro. Histoire et évolution des banques centrales*, Paris, L'Harmattan, 2000.

LEQUESNE (Christian), *Paris-Bruxelles. Comment se fait la politique européenne de la France*, Paris, Presses de Sciences Po, 1993.

LÉVY-BRUHL (Henri), «Réflexions sur le formalisme social», *Cahiers internationaux de sociologie*, XV, 1953.

LIJPHART (Arend), «Consociational Democracy», dans Vernon Bogdanor (ed.), *The Blackwell Encyclopedia of Political Science*, Oxford, Blackwell, 1991.

LIJPHART (Arend), *Patterns of Democracy : Government Forms and Performance in Thirty-Six Countries*, New Haven (Conn.), Yale University Press, 1999.

LOIN (Marcel), *Au drapeau!*, Paris, Hachette, 1897.

LOUBES (Olivier), «Jean Zay, Vichy et la résistance : une mise en abîme de l'éclipse», *Revue d'histoire moderne et contemporaine*, 43 (1), janvier-mars 1996.

MABBETT (Deborah), «Learning by Numbers? The Use of Indicators in the Coordination of Social Inclusion in Europe?», *Journal of European Public Policy*, 14 (1), janvier 2007, p. 78-95.

MAGNETTE (Paul), «L'Union européenne en quête d'un principe de légitimité», dans Éric Dacheux (dir.), *L'Europe qui se construit. Réflexion sur l'espace public européen*, Saint-Étienne, Presses universitaires de Saint-Étienne, 2003, p. 25-37.

MAGNETTE (Paul), «La Convention européenne : argumenter et négocier dans une assemblée constituante multinationale», *Revue française de science politique*, 54 (1), février 2004, p. 10-20.

MAGNETTE (Paul), *Au Nom des peuples. Le malentendu constitutionnel européen*, Paris, Cerf, 2006.

MAJONE (Giandomenico), *La Communauté européenne : un État régulateur*, Paris, Montchrestien, 1996.

MARCHETTI (Dominique) (dir.), *En quête d'Europe. Médias européens et médiatisation de l'Europe*, Rennes, Presses universitaires de Rennes, 2004.

MERCIER (Arnaud) (dir.), *Vers un espace public européen ?*, Paris, L'Harmattan, 2003.

MILESI (Gabriel), *Le Roman de l'euro*, Paris, Hachette, 1998.

MONNET (Jean), *Mémoires*, Paris, Fayard, 1976.

MORAVCSIK (Andrew), «A New Statecraft ? Supranational Entrepreneurs and International Cooperation», *International Organization*, 2 (53), 1999.

MORAVCSIK (Andrew), «Europe without Illusions», *Prospect,* 112, juillet 2005.

MORGAN (David), *The European Parliament, Mass Media and the Search for Power and Influence*, Aldershot, Ashgate, 1999.

MOSSUZ-LAVAU (Janine), *L'Argent et nous*, Paris, La Martinière, 2007.

NAMER (Gérard), *Batailles pour la mémoire*, Paris, Papyrus, 1983.

NAVARRO (Julien), *Les Députés européens et leur rôle. Analyse sociologique de la représentation parlementaire dans l'Union européenne*, thèse, IEP de Bordeaux, 2007.

NEUMAYER (Laure), *L'Enjeu européen dans les transformations post-communistes. Hongrie, Pologne, République tchèque, 1989-2004*, Paris, Belin, 2006.

NOURRY (Christelle), *Le Couple franco-allemand. Un symbole européen*, Bruxelles, Bruylant, 2005.

OBATON (Viviane), «La promotion de l'identité culturelle européenne depuis 1946», *Euryopa Études*, 3, 1997.

ORY (Pascal), «Y a-t-il des familles de drapeaux ? Introduction à la vexillologie comparée», dans Maurice Agulhon, Annette Becker et Évelyne Cohen (études réunies par), *La République en représentations : autour de l'œuvre de Maurice Agulhon*, Paris, Publications de la Sorbonne, 2006.

OZOUF (Mona), *La Fête révolutionnaire 1789-1799*, Paris, Gallimard, 1989 [1re éd. 1976].

PAGE (Edward C.), *People who Run Europe*, Oxford, Clarendon, 1997.

PAPATSIBA (Vassiliki), *Des étudiants européens. «Erasmus» et l'aventure de l'altérité*, Berne, Peter Lan, 2003.

PASTOUREAU (Michel), *Dictionnaire des couleurs de notre temps*, Paris, Bonneton, 1992.

PAYRE (Renaud), «Des carrières au Parlement. Longévité des eurodéputés et institutionnalisation de l'arène parlementaire», *Politique européenne*, 18, mai 2006, p. 69-104.

PERCHERON (Annick), «L'école en porte-à-faux. Réalités et limites des pouvoirs de l'école dans la socialisation politique», *Pouvoirs*, 30, 1984, p. 15-28

PERCHERON (Annick), *La Socialisation politique*, Paris, Armand Colin, 1993.

PEREZ PLAZA (Vicente), «L'euro comme processus de communication politique», *Revue du Marché commun et de l'Union européenne*, 423, novembre-décembre 1998.

PÉREZ-SOLÓRZANO BORRAGÁN (Nieves), «Lesson Learning and the "Civil Society of Interests"», dans Richard Bellamy, Dario Castiglione et Jo Shaw (eds), *Making European Citizens. Civic Inclusion in a Transnational Context*, Basingstoke, Palgrave Macmillan, 2006, p. 157-176.

PETIT (Michel) (dir.), *L'Europe interculturelle. Mythe ou réalité?*, Paris, Éditions d'Organisation, 1991.

PITKIN (Hanna Fenichel), *The Concept of Representation*, Berkeley (Calif.), California University Press, 1972.

POLO (Jean-François), «La politique audiovisuelle européenne : de l'incantation de l'identité européenne à la défense de la diversité culturelle», dans François Foret et Guillaume Soulez (dir.), «Europe : la quête d'un espace médiatique?», *Médiamorphoses,* 3 (12), 2004, p. 82-85.

POWER (Michael), *The Audit Society. Rituals of Verification*, Oxford, Oxford University Press, 1999 [1997].

QUERMONNE (Jean-Louis), *L'Europe en quête de légitimité*, Paris, Presses de Sciences Po, 2001.

RAENTO (Pauliina), HÄMÄLÄINEN (Anna), IKONEN (Hanna) et MIKKONEN (Nella), «Striking Stories : a Political Geography of Euro Coinage», *Political Geography*, 23, 2004, p. 929-956.

REICH (Norbert), «Droit et confiance», *Revue du Marché commun et de l'Union européenne*, 423, novembre-décembre 1998.

REICHLER (Claude), «Symbolique et identité nationale dans l'Europe contemporaine», *Les Temps modernes*, 550, mai 1992.

REMOND-GOUILLOUD (Martine), *Droit maritime*, Paris, Pedone, 1993.

REYNIÉ (Dominique), *La Fracture occidentale. Naissance d'une opinion publique européenne*, Paris, La Table ronde, 2004.

REYNIÉ (Dominique), *Le Vertige social-nationaliste. La gauche du non et le référendum de 2005*, Paris, La Table ronde, 2005.

RISSE (Thomas), «The Euro between National and European Identity», dans Robert M. Fishman et Anthony M. Messina (eds), *The Year of the Euro. The Cultural, Social and Political Import of Europe's Common Currency*, Notre Dame (Indiana), University of Notre Dame Press, 2006, p. 65-80.

ROLLAT (Alain), *Delors*, Paris, Flammarion, 1993.

ROSA (Jean-Jacques), *L'Erreur européenne*, Paris, Grasset, 1998.

ROSAMOND (Ben), *Theories of European Integration*, Basingstoke, Palgrave Macmillan, 2000.

ROSS (George) et MARTIN (Andrew), «Introduction. EMU and the European Social Model», dans George Ross et Andrew Martin (eds), *Euros and Europeans. Monetary Integration and the European Model of Society*, New York (N. Y.), Cambridge University Press, 2004, p. 1-19.

ROUGÉ (Bertrand), «Une Véronique américaine : le drapeau des États-Unis à travers l'œuvre de Jasper Johns», *Revue française d'études américaines*, 58, novembre 1993.

SAPIR (Jacques), *La Fin de l'eurolibéralisme*, Paris, Seuil, 2006.

SAUGER (Nicolas), BROUARD (Sylvain) et GROSSMAN (Emiliano), *Les Français contre l'Europe ? Les sens du référendum du 29 mai 2005*, Paris, Presses de Sciences Po, 2007.

SAURUGGER (Sabine) (dir.), *Les Modes de représentation dans l'Union européenne*, Paris, L'Harmattan, 2004.

SCHARPF (Fritz), *Gouverner l'Europe*, Paris, Presses de Sciences Po, 2000.

SCHEMEIL (Yves), «Une anthropologie politiste ?», *Raisons politiques*, 22, mai 2006, p. 49-72.

SCHERBACHER-POSÉ (Brigitte), «Du mark à l'euro, des mots au roman : monnaie et métaphores», dans Rosalind Greenstein (dir.), *Regards linguistiques et culturels sur l'euro*, Paris, L'Harmattan, 1999, p. 43-66.

SCHISSLER (Hanna) et SOYSAL (Yasemin Nuhoglu), «Teaching beyond the National Narrative», dans Hanna Schissler et Yasemin Nuhoglu Soysal (eds), *The Nation, Europe and the World. Textbooks and Curricula in Transition*, New York (N. Y.), Berghahn Books, 2005, p. 1-9.

SCHLESINGER (Philip), *Media, State and Nation : Political Violence and Collective Identities*, Londres, Sage Publications, 1991.

SCHLESINGER (Philip), «Babel of Europe ? An Essay on Networks and Communicative Spaces», dans Dario Castiglione et Cris Longman (eds), *The Public Discourse of Law and Politics in Multilingual Societies*, Oxford, Hart Publishing, 2004.

SCHMIDT (Vivien), *Democracy in Europe. The EU and National Polities*, Oxford, Oxford University Press, 2006.

SCHMITTER (Philip), « The Political Impact of European Monetary Union upon "Domestic" and "Continental" Democracy », dans Robert M. Fishman et Anthony M. Messina (eds), *The Year of the Euro. The Cultural, Social and Political Import of Europe's Common Currency*, Notre Dame (Ind.), University of Notre Dame Press, 2006, p. 262-265.

SCHNABEL (Virginie), « Élites européennes en formation. Les étudiants du "Collège de Bruges" et leurs études », *Politix*, 43, 1998.

SCHNABEL (Virginie), « La "mafia de Bruges" : mythe et réalités du networking européen », dans Didier Georgakakis (dir.), *Les Métiers de l'Europe politique. Acteurs et professionnalisations de la construction européenne*, Strasbourg, Presses universitaires de Strasbourg, 2002, p. 243-270.

SCHRAMM (Percy Ernst), « Les signes du pouvoir et la symbolique de l'État » (extraits présentés et traduits de l'allemand par Philippe Braunstein), *Le Débat*, 14, juillet-août 1981, p. 166-192.

SCHWARTZENBERG (Roger-Gérard), *L'État spectacle : essai sur et contre le star system en politique*, Paris, Flammarion, 1979.

SCULLY (Roger), *Becoming Europeans ? Attitudes, Behaviour and Socialization in the European Parliament*, Oxford, Oxford University Press, 2005.

SEILER (Daniel-Louis), *Les Partis politiques*, Paris, Armand Colin, 2000 [2ᵉ éd.].

SERRES (Jean), *Manuel pratique du protocole*, Bièvre, Éditions de la Bièvre, 1992.

SERVET (Jean-Michel), *L'Euro au quotidien*, Paris, Desclée de Brouwer, 1998.

SERVET (Jean-Michel), « Intégrer le facteur humain : établir la confiance », *Revue du Marché commun et de l'Union européenne*, 425, février 1999.

SIMMEL (Georg), *Philosophie de l'argent*, Paris, PUF, (1907) 1987.

SMITH (Anthony D.), « National Identity and the Idea of European Unity », *International Affairs*, 1, 1992.

SMITH (Andy), « La Commission et "le peuple". L'exemple de l'usage politique des *Eurobaromètres* », dans Pierre Bréchon et Bruno Cautrès (dir.), *Les Enquêtes Eurobaromètres*, Paris, L'Harmattan, 1998, p. 59-63.

SMITH (Andy), « L'"Espace public européen" : une vue (trop) aérienne », *Critique internationale*, 2, hiver 1999.

SMITH (Andy), *La Passion du sport. Le football, le rugby et les appartenances en Europe*, Rennes, Presses universitaires de Rennes, 2002.

STEINHERR (Alfred) et WERNER (Pierre) (eds), *30 Years of Monetary Integration : from the Werner Plan to the EMU*, Londres, Longman, 1994.

STEVENS (Anne), *Brussels Bureaucrats ? The Administration of the European Union*, Basingstoke, Palgrave Macmillan, 2001.

STRATH (Bo), « EU Efforts at Creating a European Identity : 1973 and beyond in Historical Light », WP-RSC 68, 2000.

SUREL (Yves), « Comparer des sentiers institutionnels. Les réformes des banques centrales au sein de l'Union européenne », *Revue internationale de politique comparée*, 7 (1), 2000, p. 135-166.

TARDIVEL (Laurence), « La promesse européenne du corps européen », *Défense nationale*, novembre 2004, p. 57-65.

TAYLOR (Paul), « Consociationalism and Federalism as Approaches to International Integration », dans A. J. R. Groom et Paul Taylor, *Frameworks for International Co-operation*, Londres, Pinter, 1994.

THEDVALL (Renita), « Eurocrats at Work. Negociating Transparency in Postnational Employment Policy », *Stockholm Studies in Social Anthropology*, 58, 2006.

THÉRET (Bruno), « Les dimensions sociopolitiques de la monnaie », *Revue du Marché commun et de l'Union européenne*, 422, octobre 1998.

THEILER (Tobias), *Political Symbolism and European Integration*, Manchester, Manchester University Press, 2005.

TOINET (Marie-France), « La Cour Suprême et le drapeau, une question toujours brûlante ? », *Revue française d'études américaines*, 58, novembre 1993, p. 342-354.

TONGLET (Jean), « À propos des plus pauvres », *Revue du Marché commun et de l'Union européenne*, 423, novembre-décembre 1998.

TRAUSCH (Gilbert), « L'identification et la structuration de l'Europe à travers les institutions européennes », dans René Girault (dir.), *Identité et conscience européenne au vingtième siècle*, Paris, Hachette, 1994, p. 125-129.

UNDERHILL (Geoffrey R.D), « Global Integration, EMU, and Monetary Governance in the European Union : The Political Economy of the "Stability Culture" », dans Kenneth Dyson (ed.), *European States and the Euro. Europeanization Variation and Convergence*, Oxford, Oxford University Press, 2002, p. 31-52.

UTARD (Jean-Michel), *Arte. L'invention d'une télévision européenne*, Strasbourg, Presses universitaires de Strasbourg, 2008.

VAN GENNEP (Arnold), *Traité comparatif des nationalités*, Paris, CTHS, 1995 [1re éd. 1922].

VAN YPERSELE (Laurence) et KLEIN (Olivier), « Les stéréotypes », dans Laurence Van Ypersele (dir.), *Questions d'histoire contemporaine. Conflits, mémoires et identités*, Paris, PUF, 2006, p. 65-76.

VANTHOOR (Wim), *European Monetary Union since 1848. A Political and Historical Analysis*, Cheltenham, Edward Elgar, 1996.

VERDUN (Amy), « Why EMU Happened. A Survey of Theoretical Explanations », dans Patrick Crowley (ed.), *Before and Beyond EMU. Historical Lessons and Future Prospects*, Londres, Routledge, 2002, p. 71-98.

VEYNE (Paul), *Comment on écrit l'histoire*, Paris, Seuil, 1993 [1re éd. 1971].

VEYNE (Paul), *Le Pain et le Cirque*, Paris, Seuil, 1976.

VISSOL (Thierry), « Intégrer le facteur humain. Aspects psychosociologiques du passage à l'euro », *Revue du Marché commun et de l'Union européenne*, 421, septembre 1998.

VOVELLE (Michel), « La Marseillaise », dans Pierre Nora (dir.), *Les Lieux de mémoire*, t. 3, *Les France*, Paris, Gallimard, 1993, p. 85-136.

VREESE (Claes H. de), SCHUCK (Andreas R. T.), « Le "non" néerlandais. Motivations de vote parallèles et apogée du nouvel euroscepticisme aux Pays-Bas », dans Philippe J. Maarek (dir.), *Chronique d'un « non » annoncé : la communication politique et l'Europe (juin 2004-mai 2005)*, Paris, L'Harmattan, 2007, p. 193-207.

WAEVER (Ole), « Discursive Approaches », dans Antje Wiener et Thomas Diez (eds), *European Integration Theory*, Oxford, Oxford University Press, 2004, p. 197-215.

WEBER (Claude), « L'Eurocorps : l'expérience d'une quotidienneté multinationale », *Les Champs de Mars*, 14, 2003, p. 5-40.

WEBER (Eugen), « L'Hexagone », dans Pierre Nora, *Les Lieux de mémoire*, t. 2, *La Nation*, Paris, Gallimard, 1997, p. 1171-1190.

WEBER (Max), *Économie et société. Les catégories de la sociologie*, Paris, Plon, 1995.

WEILER (Joseph H. H.), « Idéaux et construction européenne », dans Mario Telo (dir.), *Démocratie et Construction européenne*, Bruxelles, Éditions de l'Université de Bruxelles, 1995.

WEILER (Joseph H. H.), « Fédéralisme et constitutionnalisme : le sonderweg de l'Europe », dans Renaud Dehousse (dir.), *Une Constitution pour l'Europe ?*, Paris, Presses de Sciences Po, 2002, p. 151-176.

WEILER (Joseph H. H.), *Un'Europa Christiana*, Milan, Bibliotheca Universale Rizzoli, 2003.

WEILER (Joseph H. H.) et WIND (Marlene) (eds), *European Constitutionalism beyond the State*, Cambridge, Cambridge University Press, 2003.

WESSELS (Wolfang) et LINSENMANN (Ingo), « EMU's Impact on National Institutions : Fusion towards a "Gouvernance Economique" or Fragmentation ? », dans Kenneth Dyson (ed.), *European States and the Euro. Europeanization Variation and Convergence*, Oxford, Oxford University Press, 2002, p. 53-77.

WESTBROOK (David A.), *City of Gold : An Apology for Global Capitalism in a Time of Discontent*, Londres, Routledge, 2003.

WODAK (Ruth), « What Now ? Some Reflections on the European Convention and its Implications », dans Michal Krzyzanowsky et Florian Oberhuber, *(Un)doing Europe : Discourses and Practices of Negociating the EU Constitution*, Bruxelles, Peter Lang, 2007.

WOLTON (Dominique), *La Dernière Utopie. Naissance de l'Europe démocratique*, Paris, Flammarion, 1993.

ZELIZER (Viviana), *The Social Meaning of Money*, New York (N. Y.), Basic Books, 1994.

Brochures grand public de la Commission

Ces publications ont pour auteur la Commission européenne, comme éditeur l'Office des publications officielles des Communautés européennes (Opoce), et l'impression se fait à Luxembourg.

« Le fonds de cohésion de l'Union européenne », 1994.

« L'Union européenne », 1994.

« Questions et réponses sur l'Union européenne », 1994.

« Créer des emplois », 1995.

« L'Union européenne et l'Asie », 1995.

« L'Union européenne et le commerce mondial », 1995.

« L'Union européenne : quel intérêt pour moi ? », 1996.

« L'Europe et son budget : à quoi sert votre argent ? », 1996.

« À la découverte de l'Europe », 1996.

« Le marché unique européen », 1996.

« Pour une Europe sociale », 1996.

« Le marché unique européen », 1996.

« La protection de l'environnement : une responsabilité partagée », 1996.

« Comment fonctionne l'Union européenne », 1997.

« Moi, raciste ? », 1998.

« La guerre de la glace à la framboise », 1998.

« L'Union européenne et l'environnement », 1998.

« De quelle façon l'Union européenne soutient-elle les régions ? », 1998.

« Au service des citoyens européens. Fonctionnement de la Commission européenne », 2002.

« Making Globalisation Work for Everyone. The European Union and World Trade », 2003.

« Better Off in Europe. How the EU's Single Market Benefits you », 2005.

« Serving the People of Europe. What the European Commission Does for you », 2005.

Principaux documents officiels cités

Commission européenne, «Vade-mecum à l'usage du corps diplomatique», Luxembourg, Opoce, 1999.

Commission européenne, «The Erasmus Experience. Major Findings of the Erasmus Evaluation Research Project», Rapport de Ulrich Teichler and Friedhelm Maiworm, Luxembourg, Opoce, 1997.

Commission européenne, «Plan d'action sur la culture de communication de la Commission en interne», SEC (2005) 985 final du 20 juillet 2005.

Commission européenne, *Livre blanc sur une politique de communication européenne*, COM (2006) 35 final, 1er fevrier 2006.

Commission européenne, «Vade-mecum à l'usage du corps diplomatique accrédité auprès des Communautés européennes», janvier 1999.

Commission des Communautés européennes, «Gouvernance européenne. Un livre blanc», COM (2001) 428 final, Bruxelles, le 25 juillet 2001.

Parlement européen, «Citizenship & Education Policies – Value for Money?», rapport par le Center for European Policy Studies, Bruxelles, 2006.

Parlement européen, «La mobilité des étudiants», rapport par Ute Lanzendorf et Ulrich Teichler, IP/B/CULT/ST/2004_010, PE 361.212, Bruxelles, 2005.

Parlement européen, «Réflexion sur la politique d'information et de communication de la Communauté européenne», rapport du groupe d'experts présidé par Willy De Clercq, mars 1993.

Parlement européen, «Rapport sur le drapeau européen», rapporteur José Gama, PE 119.350/déf., 9 juin 1988.

Parlement européen, «Avis de la Commission juridique du Parlement à l'intention du Bureau du Parlement sur l'adoption d'un drapeau pour la Communauté européenne», PE 90-049/déf., 26 avril 1984.

COMPOGRAVURE
IMPRESSION, BROCHAGE

42540 ST-JUST-LA-PENDUE
AOÛT 2008
DÉPÔT LÉGAL 2008 N° 1683

76x2B